UNA GUÍA PASO A PASO

Manual de PLOMERÍA

Coordinación:
Luis Lesur

EDITORIAL TRILLAS

México, Argentina, España,
Colombia, Puerto Rico, Venezuela

Catalogación en la fuente

Lesur, Luis
Manual de plomería : una guía paso a paso. --
México : Trillas, 1991 (reimp. 2005).
160 p. : il. col. ; 27 cm. -- (Cómo hacer bien y fácilmente)
ISBN 968-24-4435-7

1. Plomería - Equipo y aparatos - Manuales, etc. 2. Tuberías - Instalación - Manuales, etc. I. t.

D- 696.10202'L173m LC- TH6125'L4.5 2214

División Administrativa, Av. Río Churubusco 385,
Col. Pedro María Anaya, C. P. 03340, México, D. F.
Tel. 56884233, FAX 56041364

División Comercial, Calz. de la Viga 1132, C. P. 09439
México, D. F. Tel. 56330995, FAX 56330870

www.trillas.com.mx

Miembro de la Cámara Nacional de la
Industria Editorial. Reg. núm. 158

Primera edición, 1991 (ISBN 968-24-4435-7)
Reimpresiones, 1993, 1996, 1998, 2000 y 2002

Sexta reimpresión, enero 2005

Impreso en México
Printed in Mexico

Esta obra se terminó de imprimir y encuadernar
el 25 de enero de 2005,
en los talleres de Rotodiseño y Color, S. A. de C. V.
BM2 100 RW

PRÓLOGO

Éste es un manual en que, a base de fotografías acompañadas de textos breves, se explica, paso a paso, la plomería de una casa. Es útil tanto para quien quiere iniciarse en el oficio de la plomería, como para el ama de casa que se enfrenta a los problemas frecuentes de mantenimiento de las llaves que gotean o los excusados que escurren. También es útil para quien participa en la construcción o arreglo de su casa y desea realizar, por sí mismo, un poco de la plomería. Asimismo, resulta adecuado para aquellos que han encargado la construcción de su vivienda y desean juzgar, sin profundizar mucho, a base de fotografías, lo que se hace en la plomería de su casa.

Con los productos y herramientas que ahora se usan en la plomería, casi cualquier persona puede hacer un trabajo de plomería si es lo suficientemente cuidadoso para medir, cortar y unir los tubos. Con los modernos tubos de plástico y cobre ya no es indispensable tener la gran fuerza característica de los plomeros de antes. La plomería es una actividad generalmente bien cotizada, de modo que, al realizarla limpiamente, es posible ganarse buen dinero o ahorrar el que uno tendría que pagar.

El manual se inicia con una breve descripción del sistema de plomería de una casa. Sigue con la descripción de las principales herramientas utilizadas en el oficio, para continuar con una descripción de las diversas clases de tubo y sus formas de corte y unión.

El manual continúa describiendo los principios que rigen la colocación del sistema de drenaje y agua en una casa, para culminar con la manera de colocar los principales muebles sanitarios.

Por último, hay tres capítulos dedicados el mantenimiento: uno para arreglar drenajes que se tapan, otro para componer fugas en el sistema de agua y otro, finalmente, para arreglar la bomba de agua de una cisterna.

Un manual como éste es resultado del trabajo de varias personas a quienes quiero dejar constancia de mi agradecimiento. En primer término a Fernanda Gayou de Corzo, Gloria Flores de Covarrubias y Alberto Montero, quienes con empeño y paciencia realizaron, a veces repetidamente, toda la producción para hacer las fotografías del manual. En segundo lugar, a Marcela Covarrubias, Isidoro Montero y Enrique Cramer por aparecer en las fotografías y hacer, siempre dispuestos, todo lo que hicieron. Finalmente, a Antonio Berlanga por sus excelentes y puntuales servicios de laboratorio fotográfico.

CONTENIDO

La plomería de una casa consiste en todos los tubos y conexiones del sistema de agua, del sistema de drenaje y todos los muebles y aparatos que los usan.

El objeto del sistema de agua es tener agua limpia siempre que se necesite y deshacerse de ella una vez que se ha usado.

PLOMERÍA DE UNA CASA

El sistema debe garantizar la pureza del agua para beber, una cantidad suficiente y a la presión correcta para los demás usos, así como disponer de agua fría y caliente. En una casa los tubos del sistema de agua generalmente corren metidos dentro de las paredes.

En el sistema de agua fría, el agua llega desde la calle a la toma de la entrada, donde está el medidor, después del cual salen ramales a los diferentes depósitos de agua, muebles y aparatos.

El agua caliente se obtiene al pasar el agua fría por un calentador. A partir de allí sigue un sistema de tubos separados pero iguales a los del agua fría, hasta llegar a los muebles.

La llave del agua caliente siempre se coloca a mano izquierda de quien usa el mueble.

Los muebles pueden ser un mueble sanitario como el excusado, un aparato, como una lavadora de ropa o, simplemente, una regadera o una llave en el jardín.

Para poder hacer arreglos fácilmente, al inicio de cada ramal y a la llegada de cada mueble se colocan llaves de paso que se pueden cerrar cuando es necesario.

La presión en el sistema se obtiene, en unos casos, de la misma presión con que el agua llega a la toma. En otros, proviene de un depósito elevado o tinaco en que se almacena.

Los depósitos de agua son muy importantes cuando por la red principal de alimentación no siempre corre agua. Los depósitos pueden ser bajo el nivel del suelo, como las cisternas, o elevados, como los tinacos.

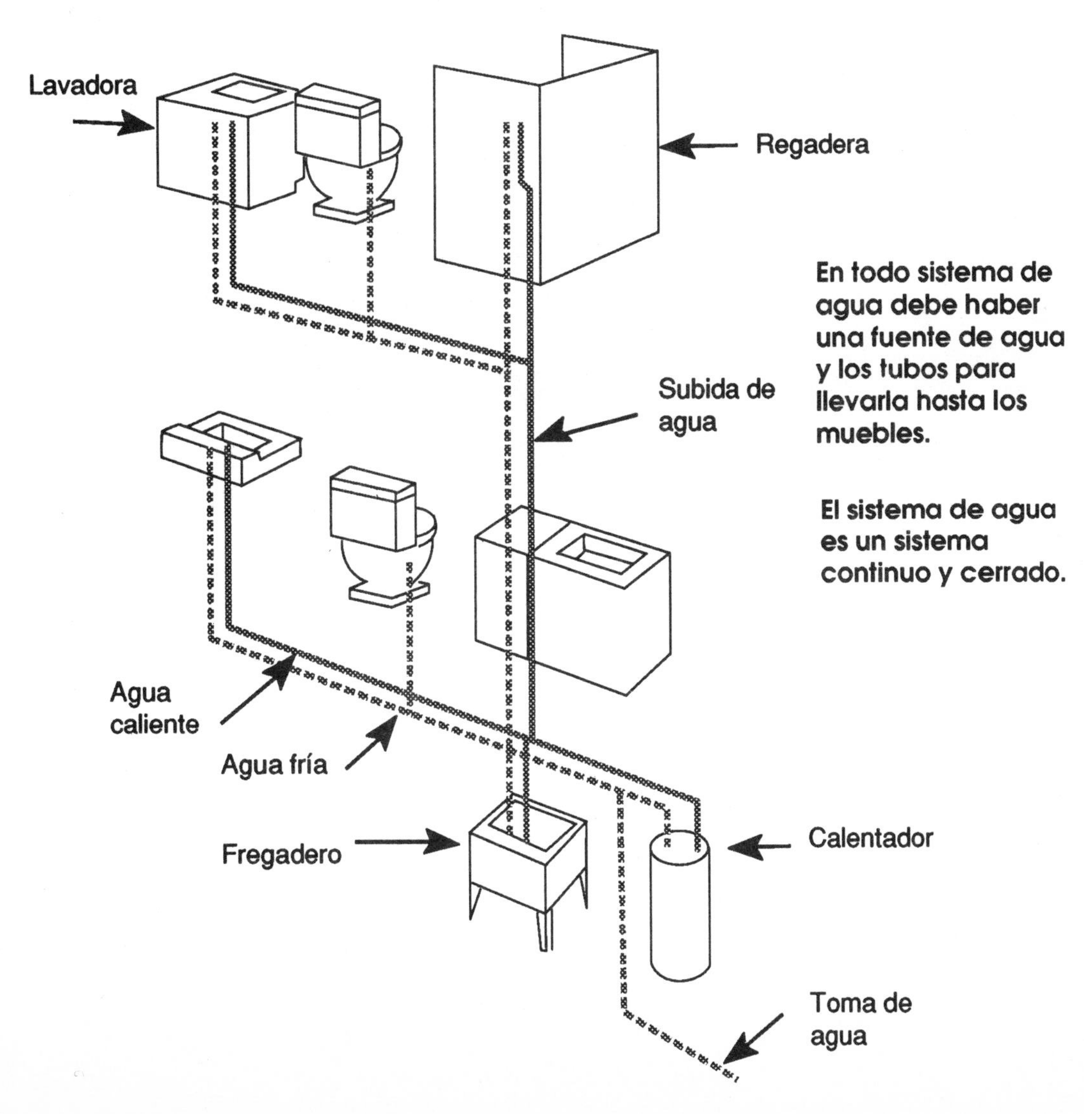

En todo sistema de agua debe haber una fuente de agua y los tubos para llevarla hasta los muebles.

El sistema de agua es un sistema continuo y cerrado.

El sistema de drenaje es para lograr el desecho del agua usada, el desecho de los desperdicios que lleva y el desecho de los olores que produce su descomposición.

Consiste en los tubos de drenaje que sacan las aguas usadas de los muebles.

También consta del lugar donde son depositadas las aguas de desecho, lo que puede ser el drenaje principal municipal o bien una fosa séptica.

Y finalmente, consta también del sistema de ventilación, que permite que los gases escapen, sin que penetren a la casa.

Los tubos de drenaje de una casa corren, generalmente, metidos en las paredes y en los pisos.

El agua comienza a correr a partir de cada mueble, después de una trampa o sello de agua que hay en cada uno de ellos y que evita que los gases salgan y la casa huela mal. Aun las coladeras del suelo tienen un sello de agua.

Desde cada mueble, el agua usada corre o escurre por los ramales, siempre en pendiente, siempre por gravedad, hasta llegar a unirse con el drenaje principal de la casa o a una fosa séptica.

Las líneas que llevan el agua de desecho de los excusados se llaman líneas de aguas negras, mientras que las del resto de los muebles se llaman líneas de aguas grises.

Debido a que el agua de desecho corre por su propia fuerza de gravedad, los tubos del drenaje deben ser mucho más amplios que los del agua, sobre todo si tienen desechos sólidos como los de los excusados.

Las uniones entre un tubo de drenaje y otro pocas veces se hacen en ángulo recto, sino generalmente en ángulo de 45 grados.

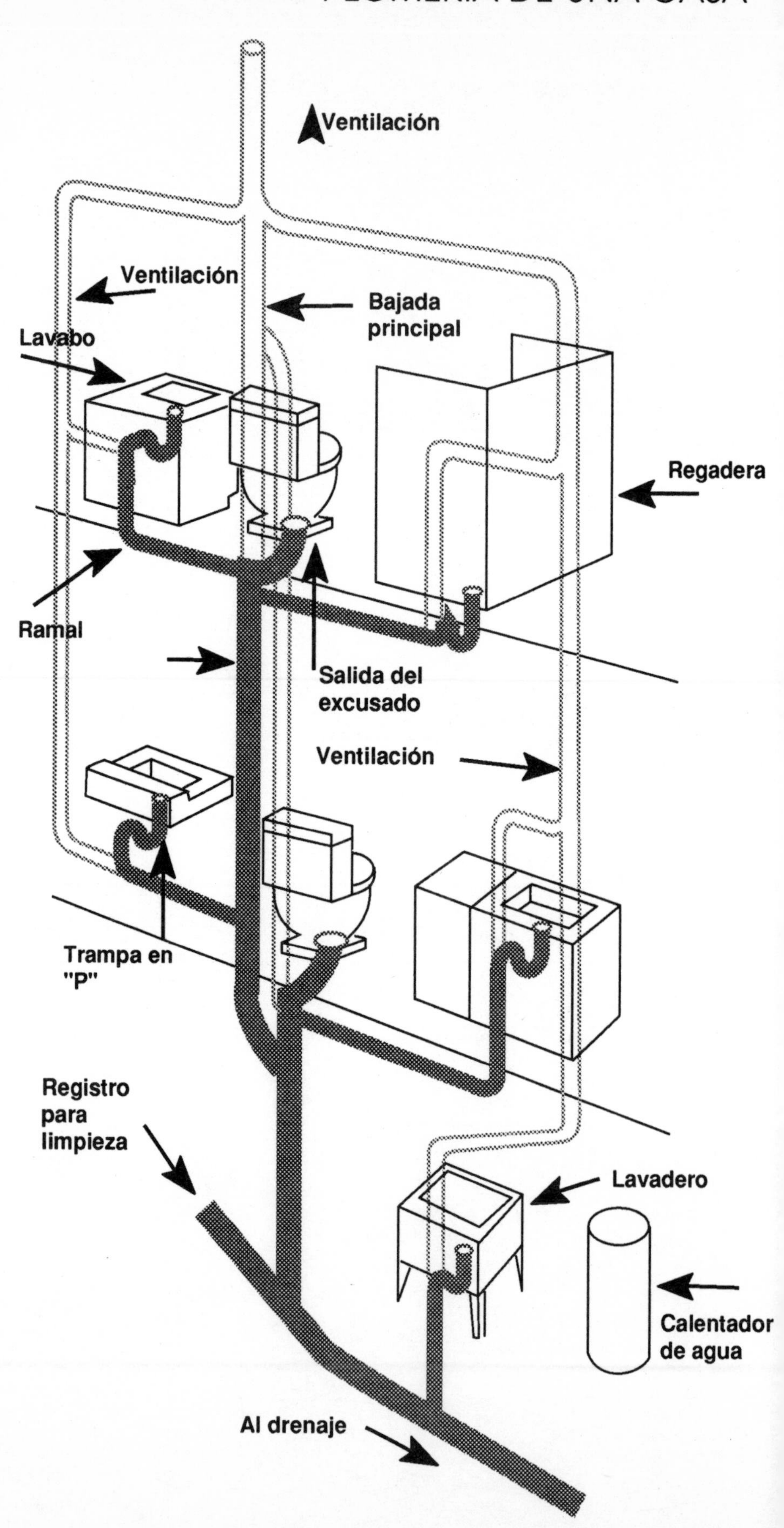

El drenaje principal debe tener registros cada pocos metros para poder destaparse en caso necesario.

El sistema de drenaje debe tener ventilación para llevar los gases y olores hasta donde no molestan y para mantener la presión atmosférica nivelada dentro de los tubos de drenaje. La ventilación principal es un tubo vertical que termina en el techo.

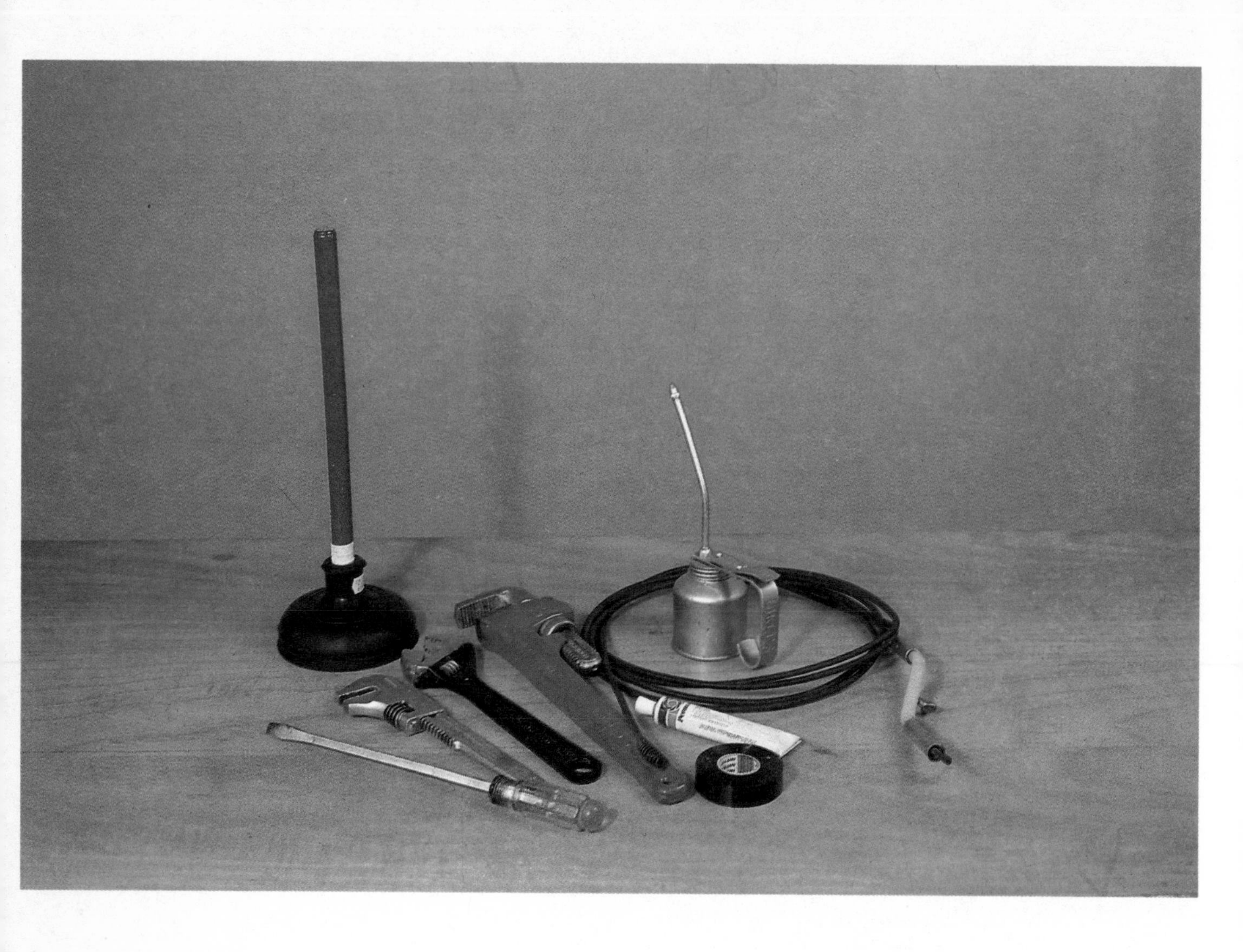

Para hacer pequeñas reparaciones sólo son necesarias una llave para tubo o llave "stilson", una llave ajustable o perico, una bomba de hule para destapar caños, una sonda de resorte, un desarmador, aceite, cinta de aislar y sellador en pasta para plomería. Para ejercer el oficio de plomero se necesitan algunas herramientas más.

HERRAMIENTAS

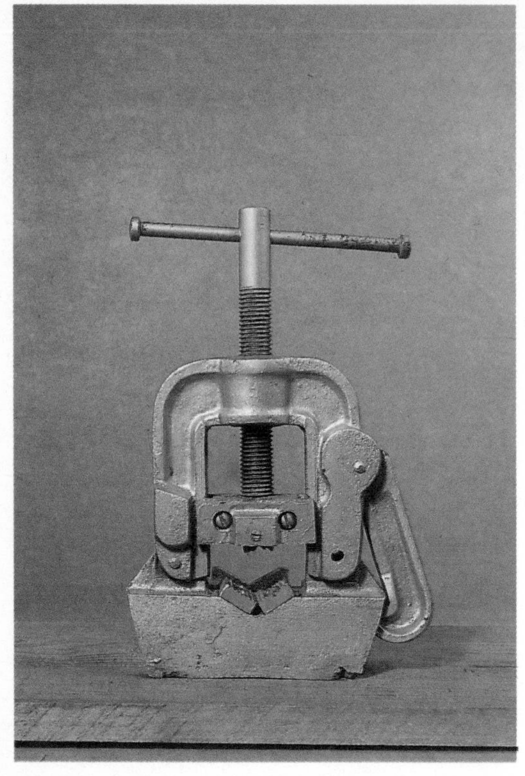

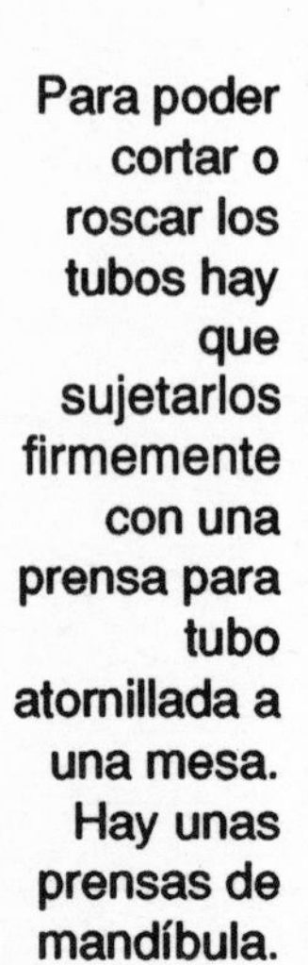

Para poder cortar o roscar los tubos hay que sujetarlos firmemente con una prensa para tubo atornillada a una mesa. Hay unas prensas de mandíbula.

Y otras prensas de cadena.

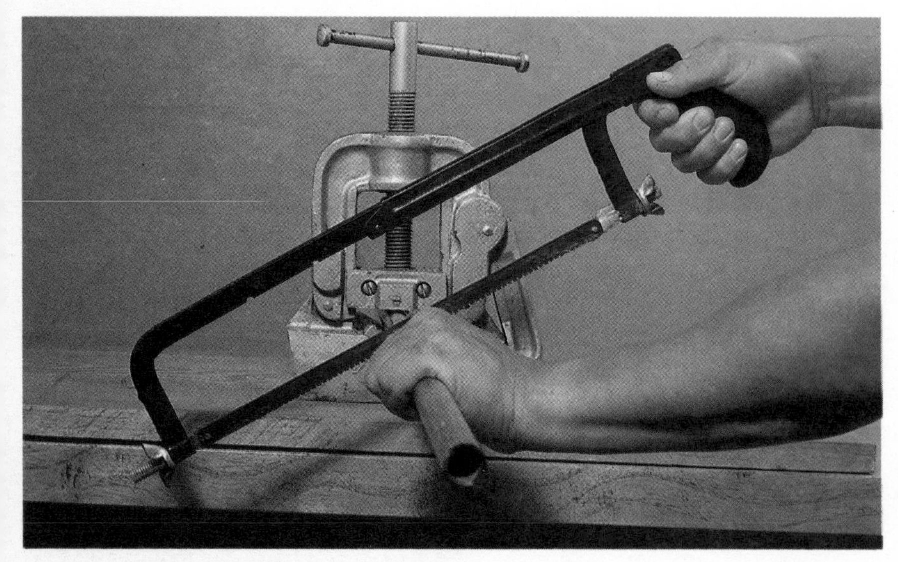

Los tubos se cortan con una segueta montada en un arco, fijos en la prensa.

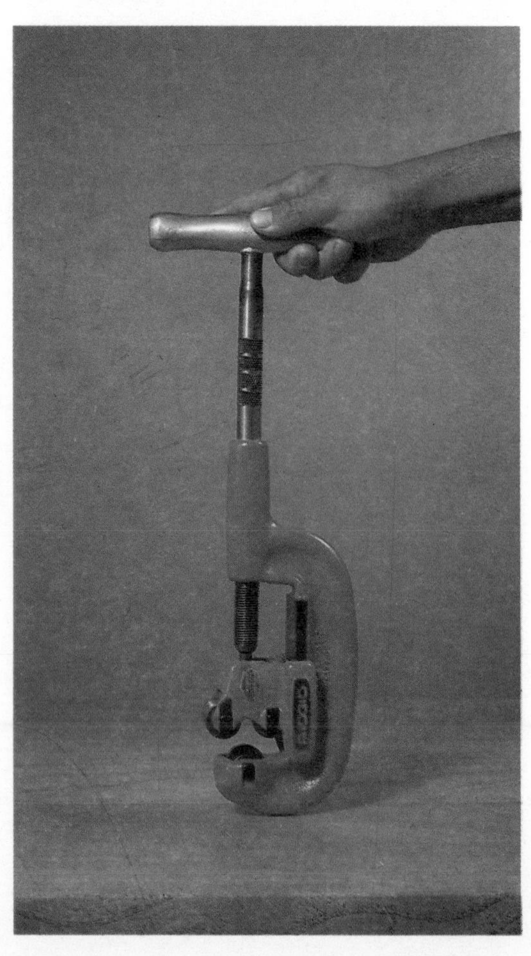

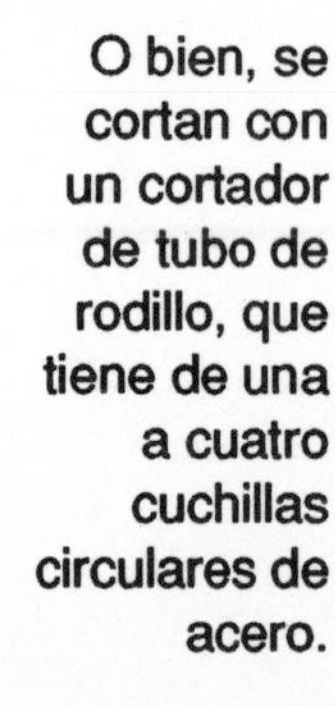

O bien, se cortan con un cortador de tubo de rodillo, que tiene de una a cuatro cuchillas circulares de acero.

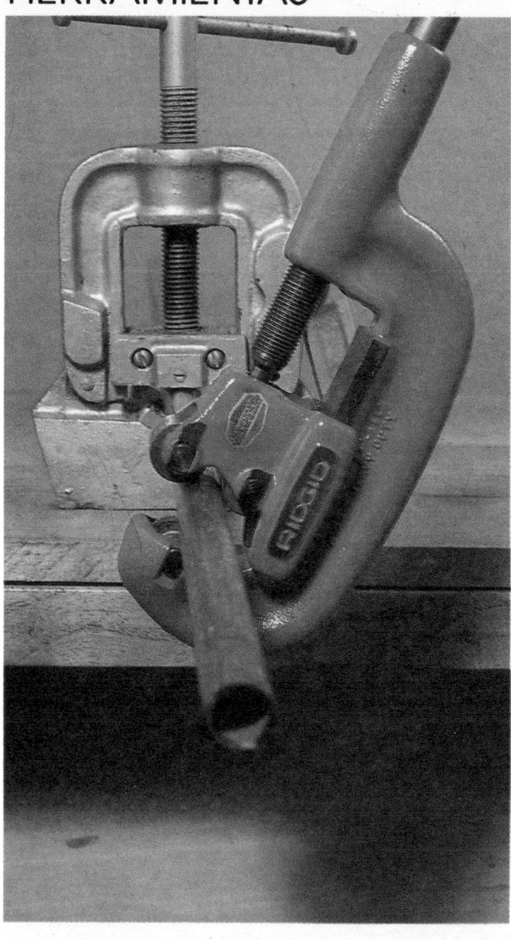

Para cortar, se coloca el tubo entre las mandíbulas, como si fuera una prensa y se gira el tornillo de ajuste, para que la cuchillas hagan presión sobre el tubo.

Enseguida, se gira el cortador alrededor del tubo, mientras la cuchilla abre un pequeño surco en la pared del tubo.

La profundidad del surco aumenta en cada vuelta, al girar el tornillo y apretar más y más la cuchilla.

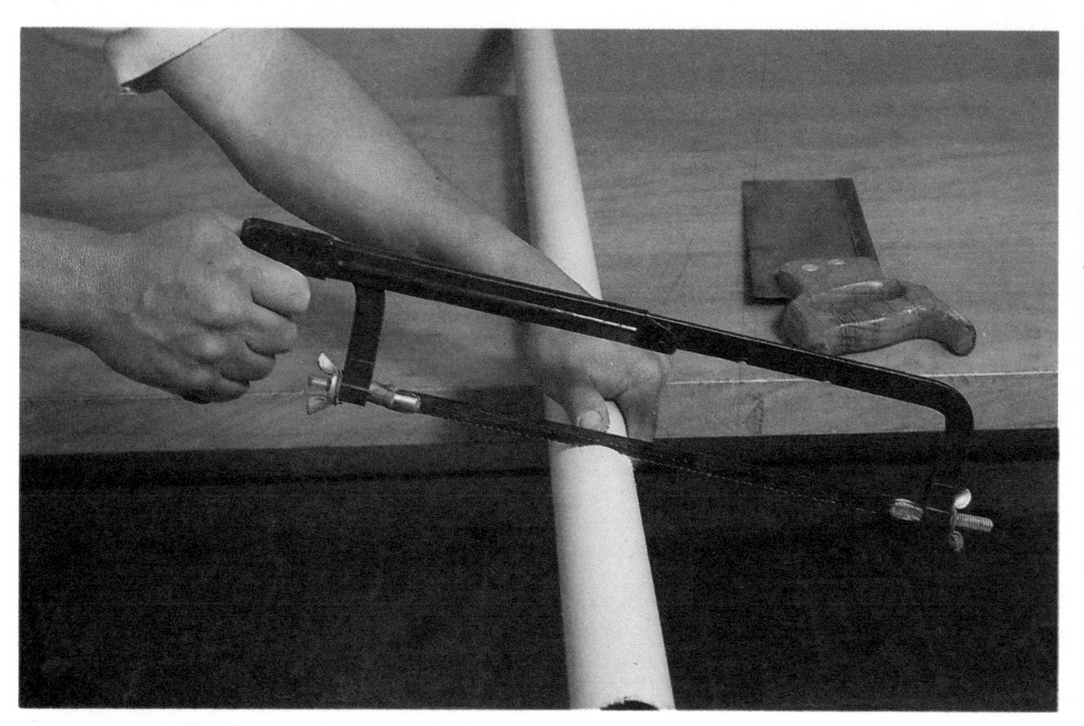

Los tubos de PVC se pueden cortar con una segueta o con un serrucho de costilla y una caja de ingletes.

Para quitar las rebabas de metal que quedan en la la parte interior del tubo después de cortado, se usa una lima de media caña o limatón.

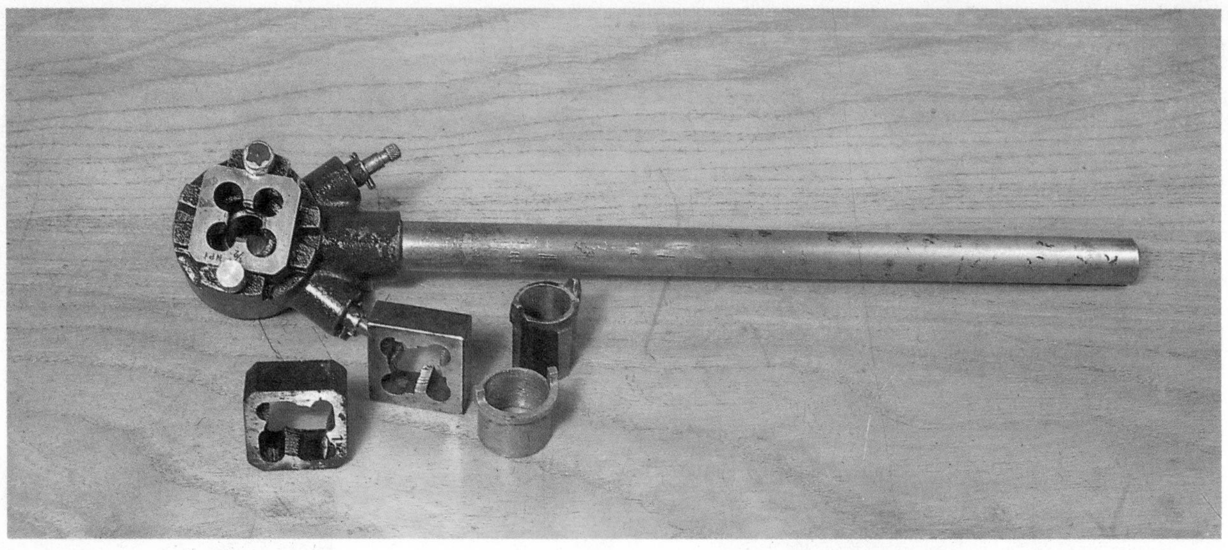

Para unirse unos con otros, los tubos de hierro galvanizado requieren una rosca exterior que se hace con una terraja o tarraja.

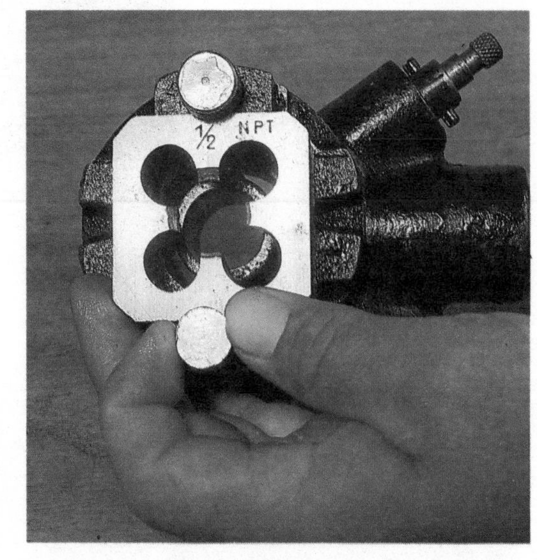

La terraja puede ser de dados ajustables o de dados intercambiables, que es la más usual en trabajos pequeños.

El dado de la terraja tiene cuatro peines dentados de acero y se coloca al centro, en la punta de la terraja. Se usa un dado distinto para cada diámetro o grueso de tubo.

Para lograr que el tubo penetre exactamente en ángulo recto y tenga una rosca perfecta, en la terraja, antes del dado, se pone una guía de acero del diámetro exterior del tubo.

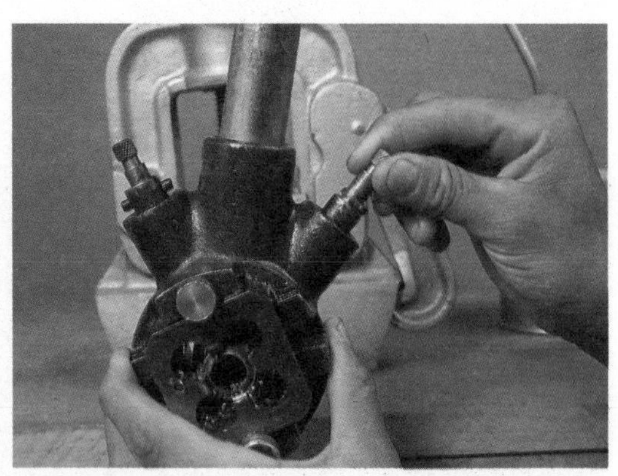

Para girar en un sentido y en otro, la terraja tiene unos tornillos o trinquetes de orientación, con una flecha que indica la dirección en que la terraja puede girar.

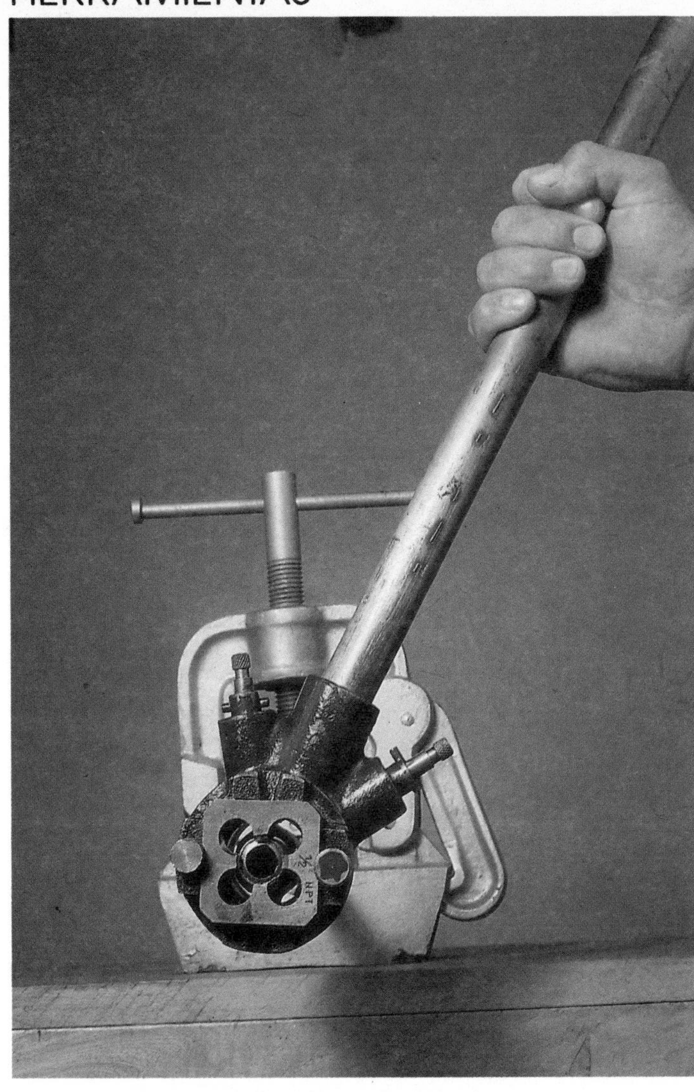

Para abrir o hacer rosca, ambos trinquetes deben quedar hacia la derecha. Para retroceder o salir de la rosca, los dos trinquetes deben quedar a la izquierda.

Para calentar las piezas que se van a soldar y para fundir el plomo y el estaño, se emplea un soplete de gasolina, que es una herramienta práctica, pero que cada día se usa menos, en favor de los sopletes de gas propano o de gas butano, que son más sencillos en su manejo.

El soplete de gasolina tiene un depósito de latón o bronce para almacenar la gasolina, una boquilla en la que se calienta y por la que sale a presión gasolina en forma de gas, para mezclarse con el oxígeno, en el quemador o punta de la boquilla.

Para llenarlo de gasolina, el tanque tiene un orificio con un tapón. Para dar presión a la gasolina que sale, tiene una bomba. Para lograr que la presión se mantenga en límites seguros, tiene una válvula de seguridad que deja escapar el aire cuando la presión sube demasiado y resulta peligrosa.

La mezcla de vapor de gasolina y aire produce temperaturas muy elevadas que permiten fundir el plomo y el estaño.

El soplete más comúnmente usado es el de gas butano, que tiene una manguera que se conecta con un tanque, una boquilla con quemador, una llave para regular la salida del gas y un mango. La manguera se conecta a un tanque de gas licuado de 5 a 15 kilos que se puede llevar de un sitio a otro.

Para hacer conexiones en tubos de hierro fundido o de plomo se necesitan uniones con plomo fundido, que se derrite al calentarlo en unos crisoles o calderos de hierro y en unas cucharas para fundir y vaciar.

Para calentar el plomo y el crisol se utiliza un soplete, una estufa de gasolina o una pequeña fragua.

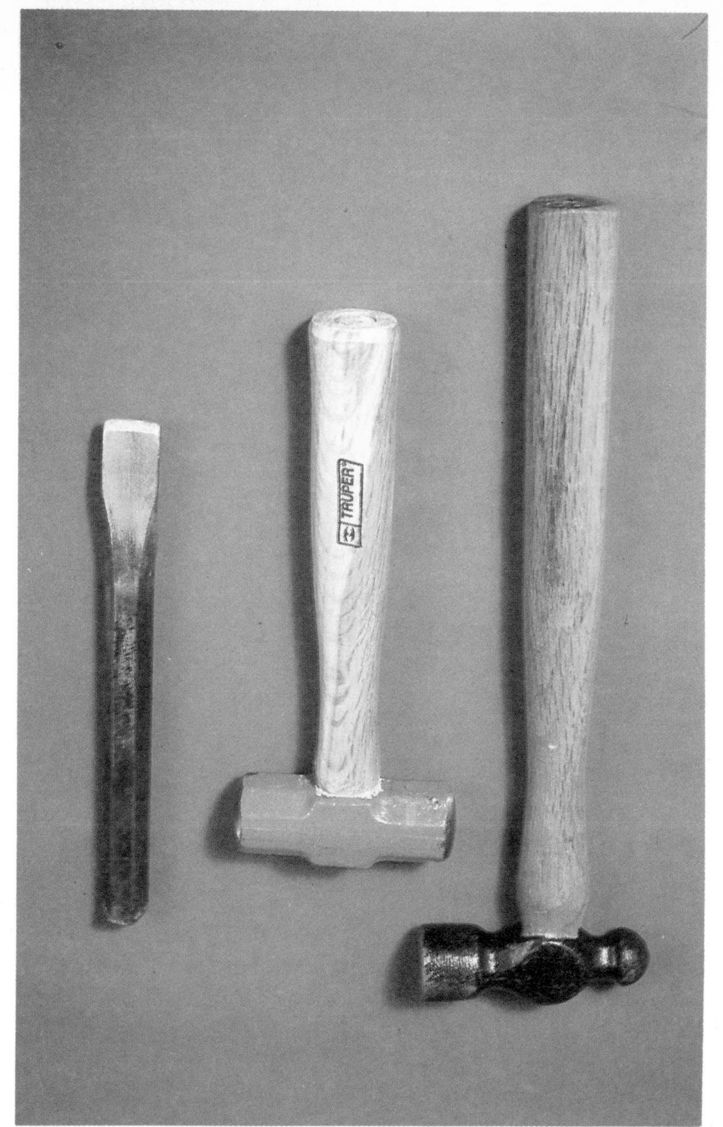

Para abrir agujeros o hacer ranuras en las paredes de mampostería se utiliza el cincel común y un mazo o martillo de bola. El cincel está hecho con acero de seis lados y tiene la punta ligeramente más ancha que la empuñadura, con filos ligeramente curvos a ambos lados.

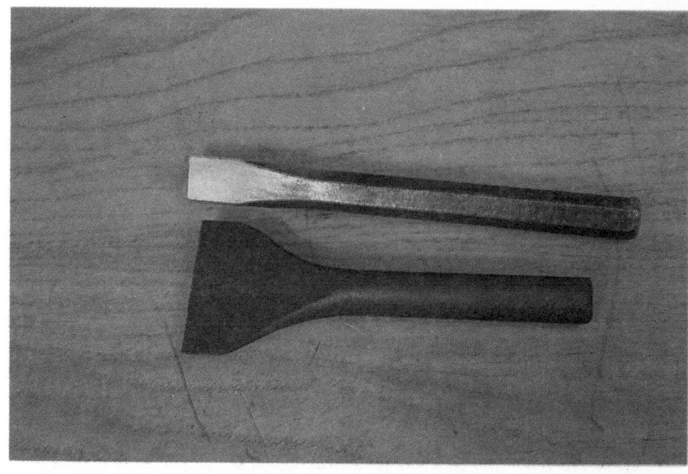

Para cortar tubo y láminas de plomo se emplea el cincel ancho, que también tiene un mango de acero de seis lados y una punta con borde cortante mucho más ancha.

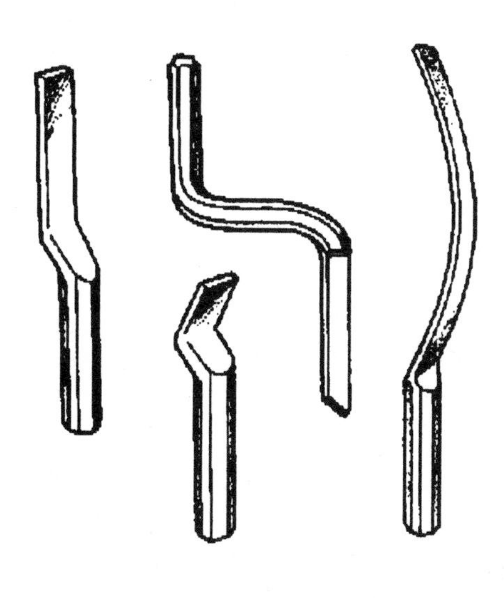

Hay además un cincel calafateador, que no se usa para trabajar en los muros, sino para meter el relleno de estopa alquitranada dentro de las campanas y conexiones de fierro fundido.

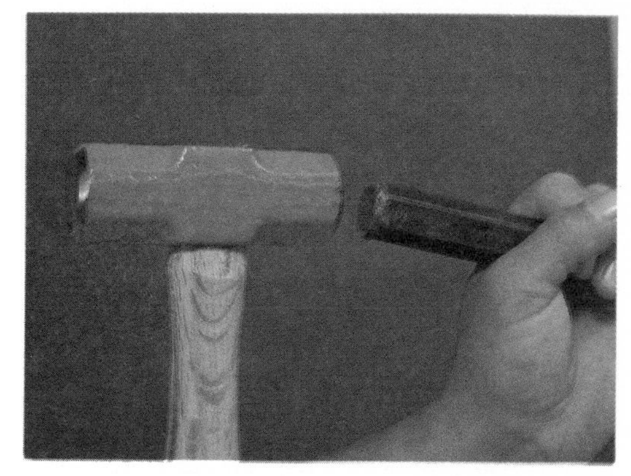

Para golpear los cinceles se usa un mazo cuadrado con dos caras.

La llave del plomero es la llave para girar tubos o llave "stilson". Tiene una mandíbula fija y otra móvil que se abre y cierra al girar un anillo regulador. Las dos mandíbulas tienen surcos o dientes que se encajan en el tubo y lo agarran cada vez más, al girar el mango.

Las llaves "stilson" también se emplean para girar tuercas dañadas.

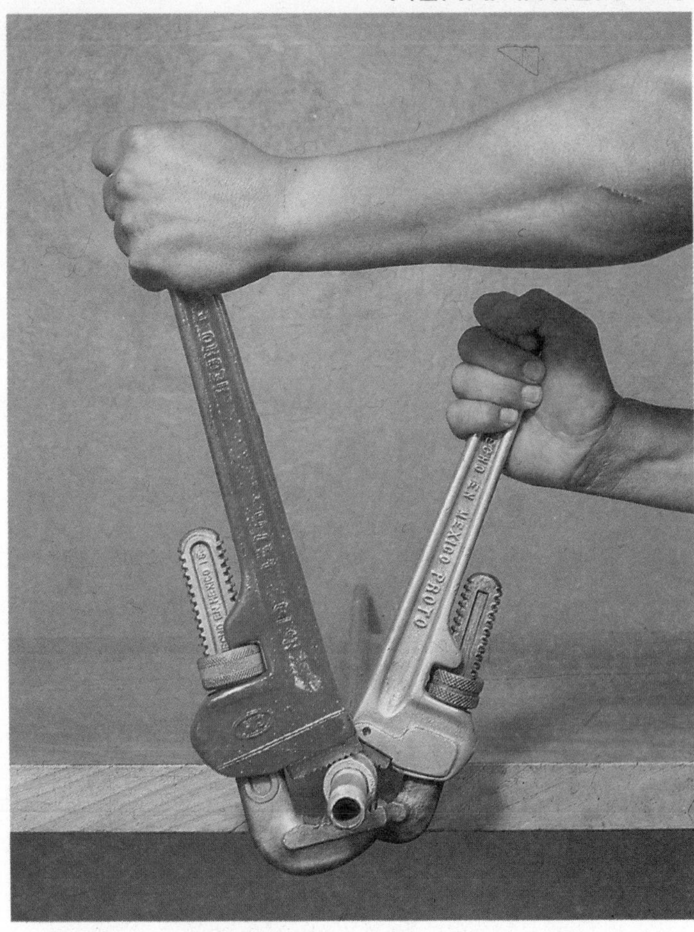

Para ejercer más fuerza al trabajar el tubo, las llaves "stilson" se usan en pares. Una se pone en sentido contrario a la otra. Una se empuja y la otra se jala.

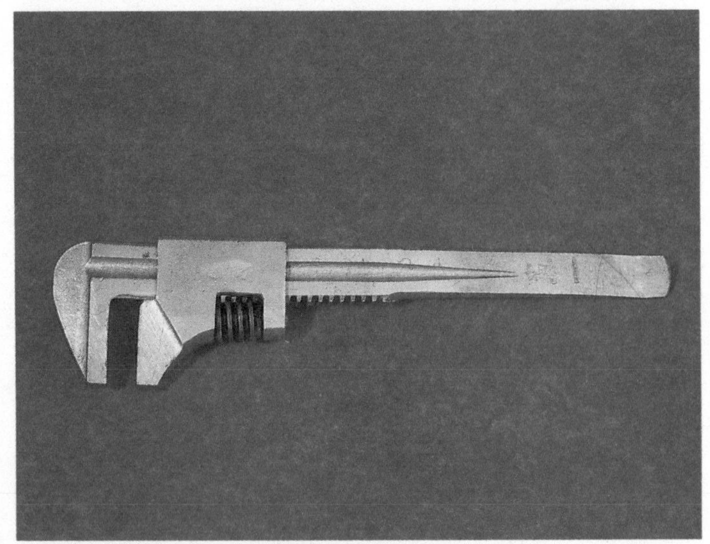

La llave inglesa se emplea para girar tuercas grandes. Es ajustable, con una mandíbula móvil que lleva en medio una pieza redonda ranurada que, al girarla, abre y cierra la mandíbula. El fondo de la boca es recto, perpendicular a las mandíbulas.

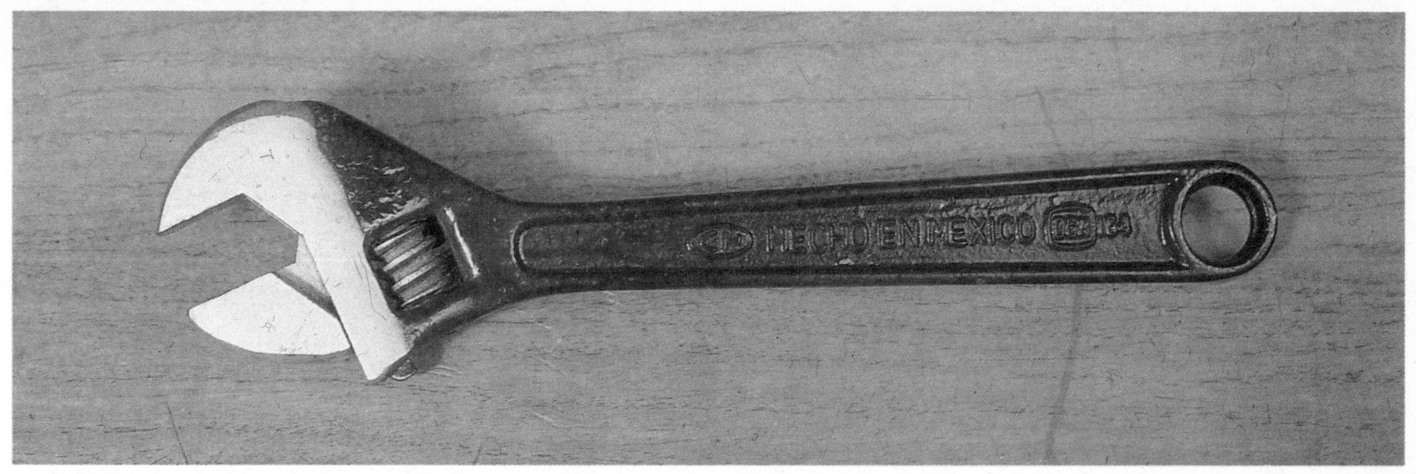

El perico es otra llave ajustable con una mandíbula móvil que se abre y cierra al girar un tornillo colocado en ella.

El ángulo de las mandíbulas respecto al mango generalmente es de 15 grados, aunque hay algunas que lo tienen a 45 grados. El fondo de la boca está formado por dos ángulos de 45 grados, para acoplarse mejor a las tuercas de seis lados.

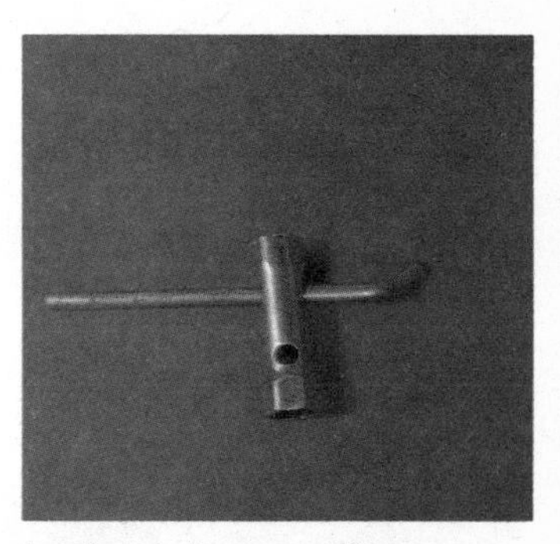

La llave de casquillo es útil para poder armar y desarmar algunas llaves de regadera.

Las llaves españolas o llaves de dos bocas vienen en las medidas exactas de los tornillos hexagonales, ya sean en milímetros o en pulgadas. No son ajustables, por lo que la boca que se escoja debe corresponder precisamente con la tuerca. Son las herramientas más adecuadas para apretar y aflojar tuercas, sin deformarlas.

El nivel de manguera o nivel de agua sirve para determinar la diferencia de altura entre dos puntos distantes. Es indispensable al trazar la pendiente de las tuberías de drenaje.

El nivel de manguera o nivel de agua se hace con una manguera, generalmente de plástico transparente, que se llena de agua. El agua se nivela automáticamente.

El nivel de burbuja es una barra recta con uno o varios tubos pequeños dentro de los que flota una burbuja de aire. Cuando la barra está completamente horizontal o vertical, la burbuja queda entre las líneas centrales del tubo. Se utiliza principalmente para colocar los muebles a nivel.

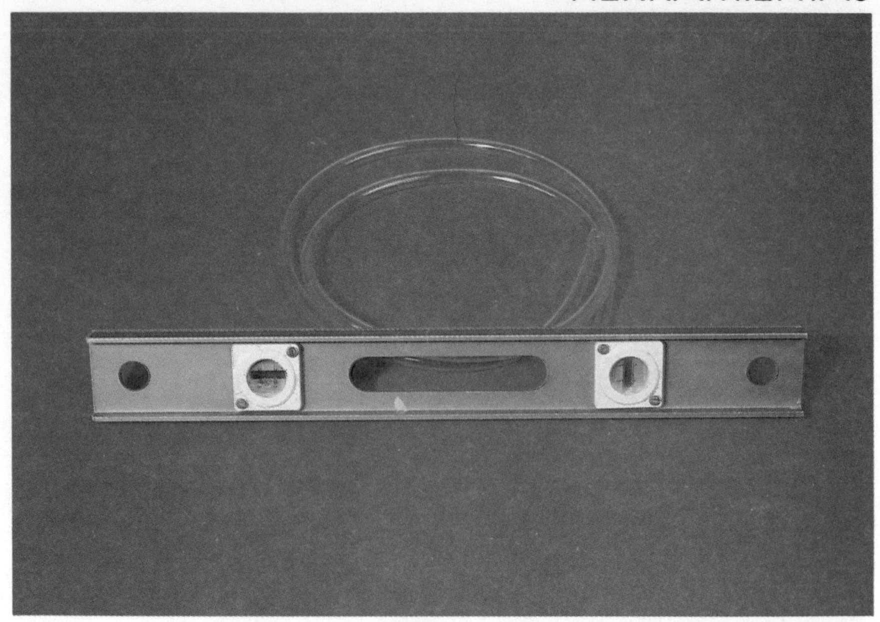

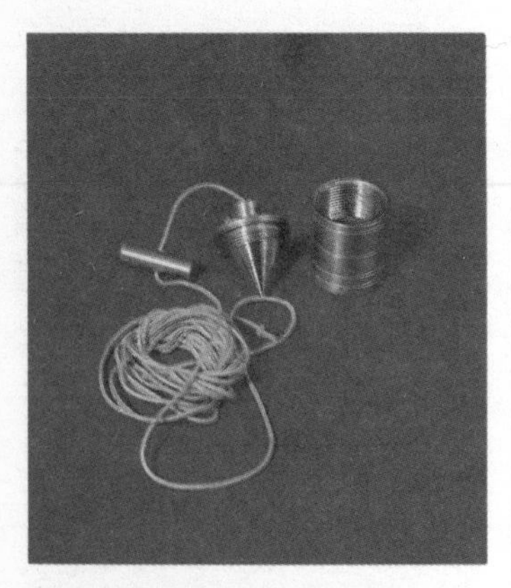

La plomada es muy útil para dar el plomo o línea vertical en los muros y así colocar verticalmente los tubos.

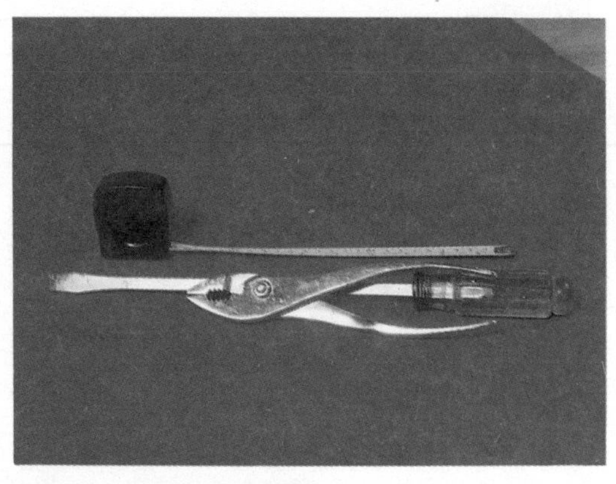

Las pinzas de mecánico, junto con el destornillador y la cinta métrica, son herramientas indispensables.

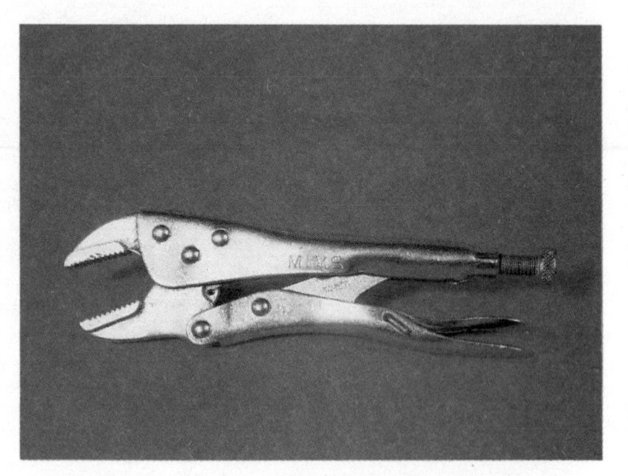

Las pinzas de presión son muy útiles al instalar los muebles y, particularmente, al cambiar la válvula del excusado.

La aceitera es necesaria para aceitar y aflojar las uniones oxidadas o muy viejas y para lubricar las roscas de las llaves, a fin de que giren con mayor suavidad.

La bomba de succión de hule es indispensable para destapar cañerías tapadas.

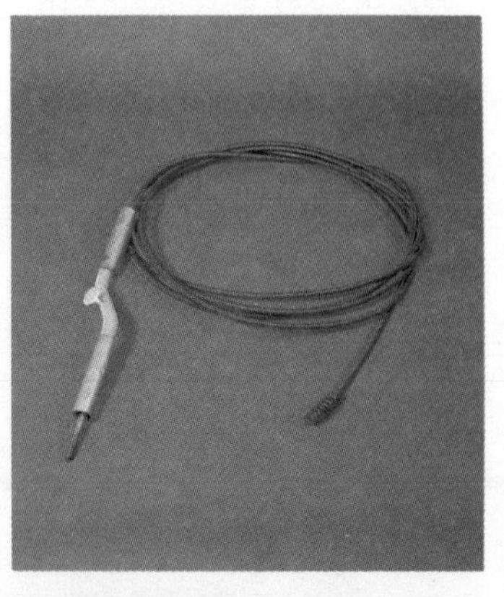

También para destapar las cañerías tapadas es muy útil la sonda de resorte.

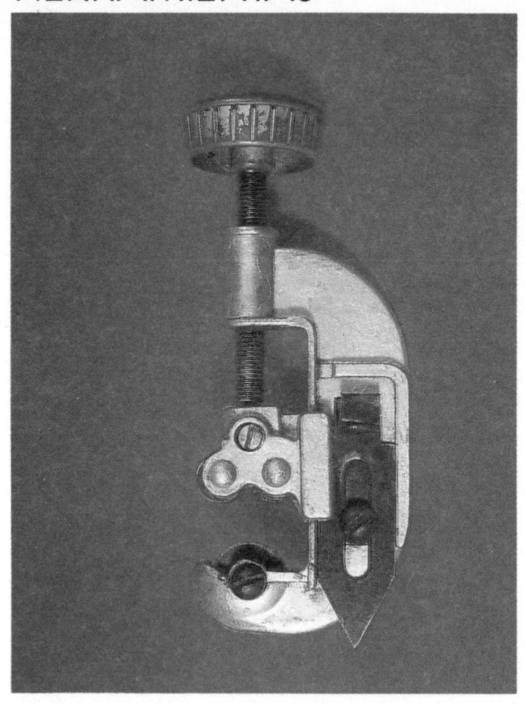

El tubo de cobre casi siempre se corta con un cortador más pequeño que el usado para tubo galvanizado, con una sola cuchilla y dos rodillos guías.

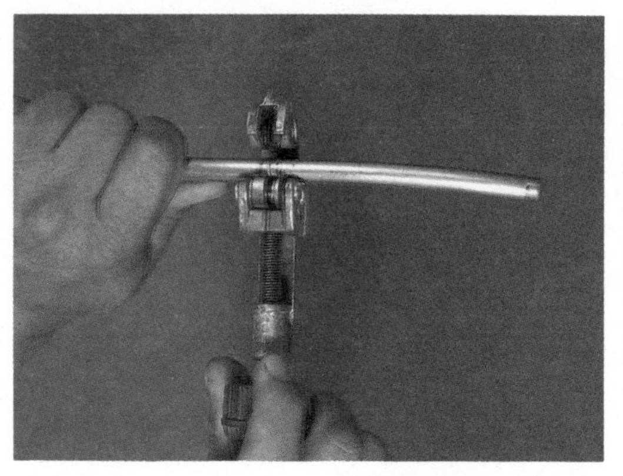

El tubo se corta colocándolo dentro de las mandíbulas, al apretar la cuchilla más y más, cada vez que se da vuelta al cortador alrededor del tubo.

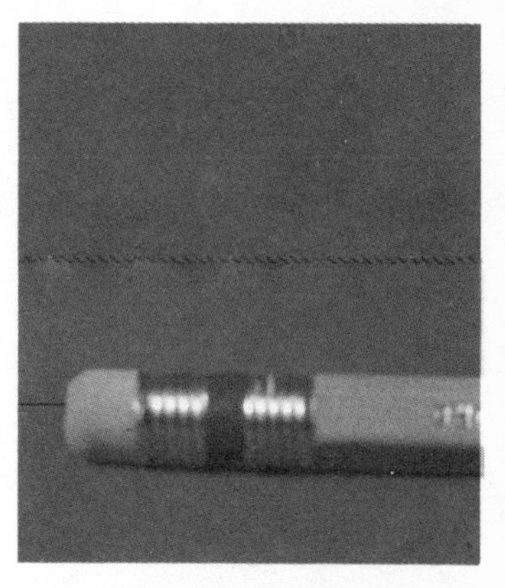

Para cortar el tubo también se usa una segueta fina, con 32 dientes por pulgada.

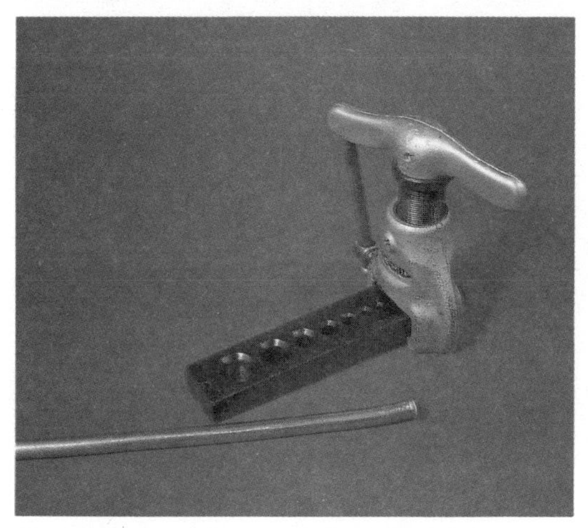

Para hacer perfectamente selladas las uniones del tubo de cobre flexible es necesario avellanar o expandir la punta del tubo con un avellanador.

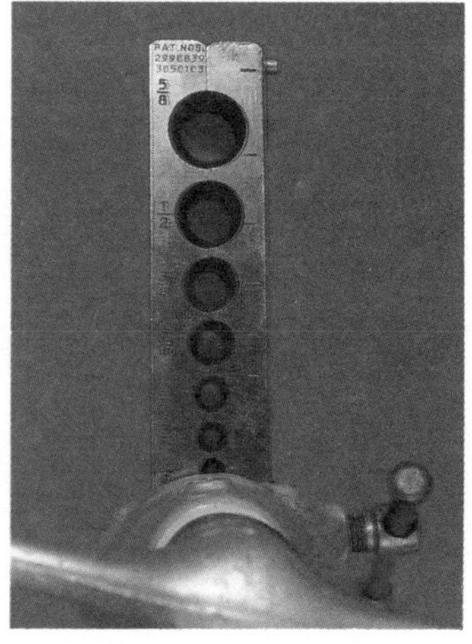

El avellanador tiene un par de mordazas con una bisagra en un extremo y varios orificios para aprisionar tubos de diverso diámetro.

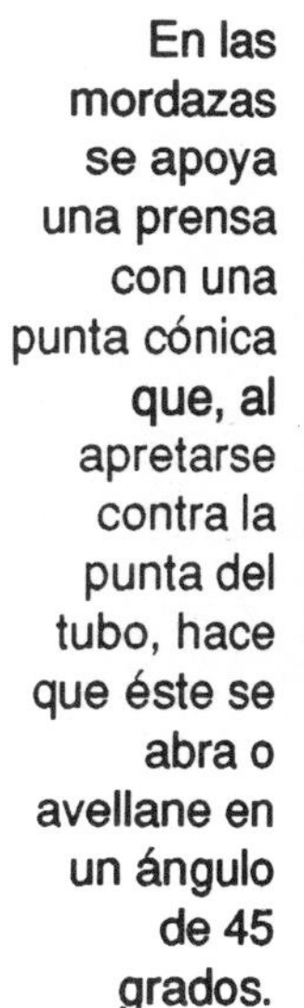

En las mordazas se apoya una prensa con una punta cónica que, al apretarse contra la punta del tubo, hace que éste se abra o avellane en un ángulo de 45 grados.

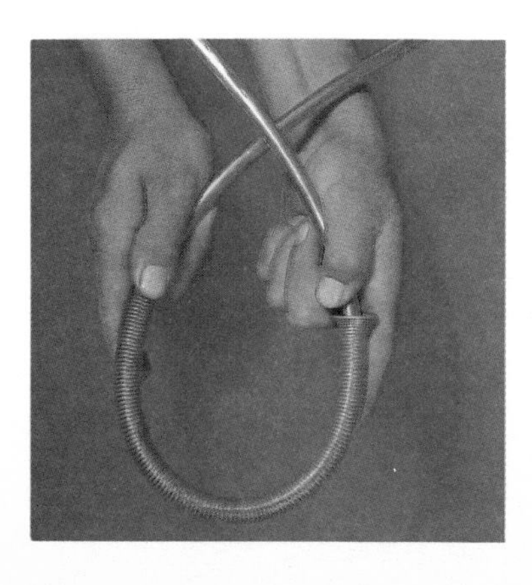

Para doblar el tubo de cobre flexible se usa un doblador de tubo de resorte o "gusano", con el que se logran curvas muy cerradas, sin que se deforme el tubo. También se puede usar un doblador de tubo de disco y palanca, muy útil cuando el número de dobleces es muy grande.

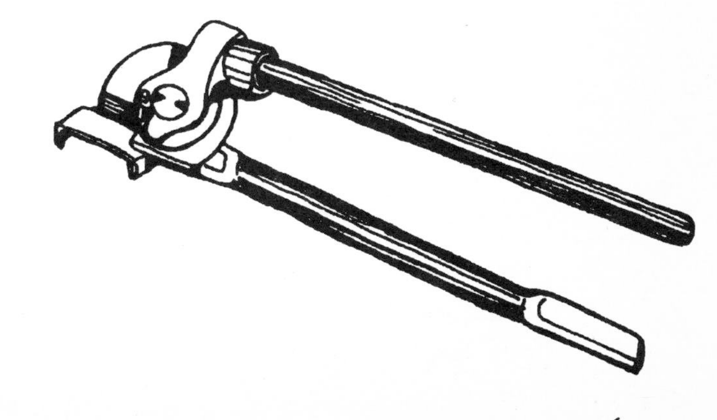

El tubo galvanizado es un tubo de hierro al que se le ha dado un baño de zinc, para que no se oxide. El baño de zinc se da en un proceso llamado galvanoplastia.

El tubo galvanizado no se debe doblar, ni en frío, porque se rompe la costura —pues el tubo es una delgada plancha de acero doblada en círculo y luego soldada—, ni en caliente, porque se pierde la capa de zinc y se oxida.

TUBO GALVANIZADO

Por eso, para cambiar de dirección, unirse a otros tubos o cambiar de diámetro, se usan unas piezas especiales llamadas conectores, que se embonan en el tubo mediante una rosca.

Cada tramo de tubo debe tener rosca en sus dos extremos o puntas. Como al hacerse la rosca, el acero pierde la capa de zinc, las puntas se pueden oxidar. Para protegerlas mientras están almacenadas, las puntas se pintan.

Los tubos se venden en tramos de 6 metros en diámetros de 1/2, 3/4, 1, 1-1/4, 1-1/2 y 2 pulgadas.

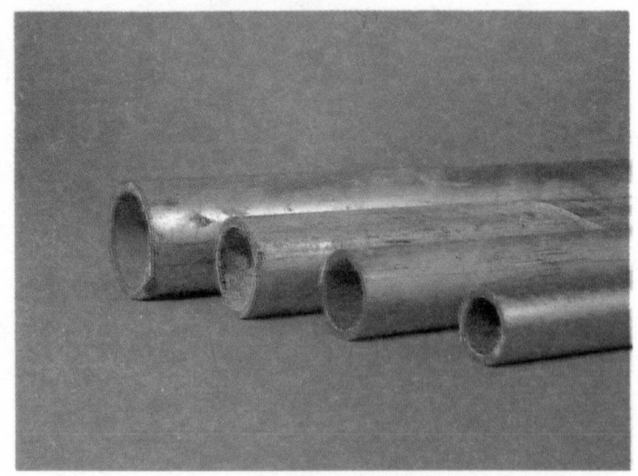

Las conexiones están hechas con fierro moldeable, que pesa poco menos que el acero del tubo, se venden reforzadas y sin reforzar.

Estos tubos se cortan con una segueta para metal duro, de 24 dientes por pulgada. Para sostener el tubo se usa una prensa de tubos.

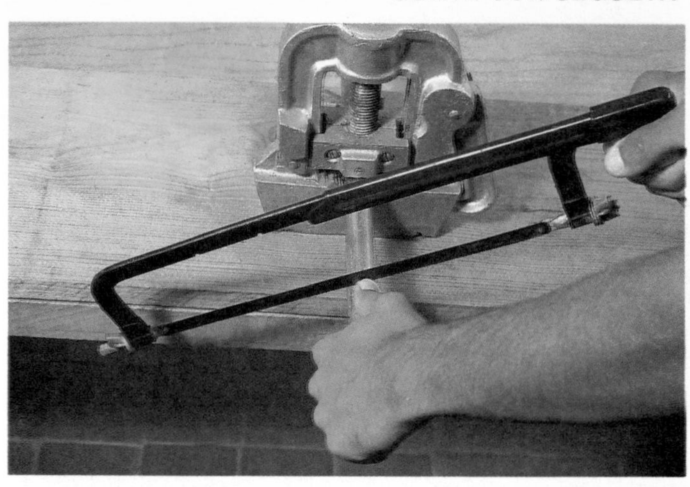

Los dientes de la segueta deben ir orientados hacia adelante, con la hoja bien tensa, sobre el lugar en que se va a cortar, guiándola con el dedo pulgar.

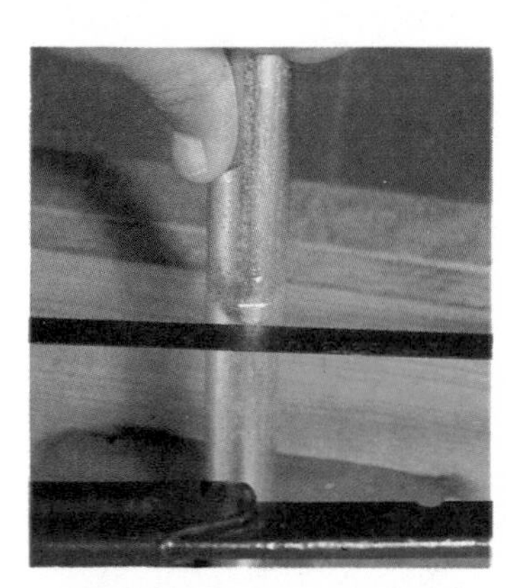

Mueva la segueta en un vaivén corto hasta que se produzca una pequeña muesca.

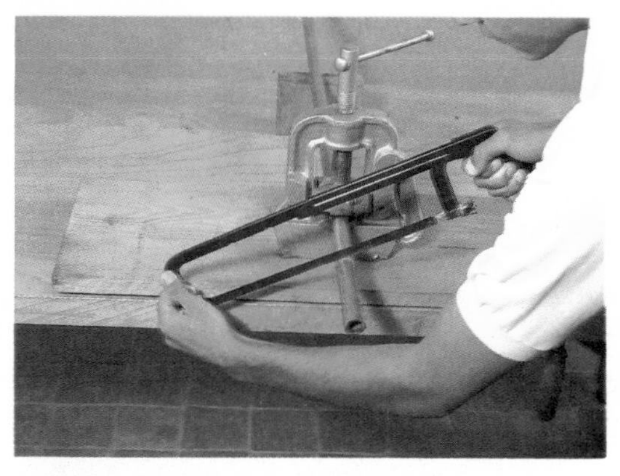

Empuje el arco apoyándose con las dos manos y corte con un movimiento en vaivén largo.

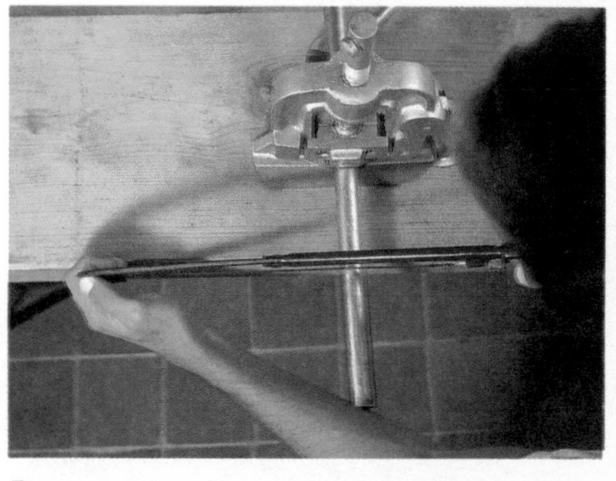

Durante el corte, la segueta debe permanecer perpendicular al tubo.
El cuerpo no se debe mover, sino sólo los brazos.

Para prensar el tubo gire el tornillo al revés de las manecillas del reloj, hasta que las mandíbulas permitan la entrada del tubo.

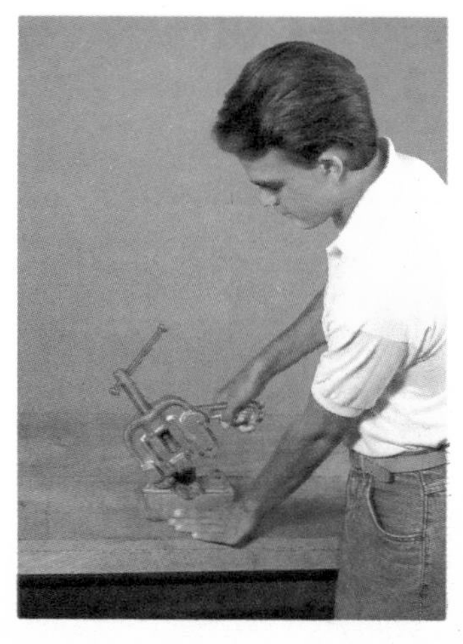

Levante el trinquete o gancho de seguridad y abra hacia un lado la parte superior de la prensa, para que pueda entrar el tubo.

Ponga el tubo sobre la quijada inferior de la prensa. Si el tubo está entero o muy grande, debe colocarle una calza de madera abajo, entre el tubo y la mesa, para evitar que se doble. Deje fuera un tramo del largo suficiente para poder realizar el trabajo.

Cierre la mandíbula superior. Coloque el trinquete en su lugar y apriete el tornillo de la prensa en el sentido de las manecillas del reloj, hasta que el tubo esté firme. No apriete demasiado para que no se rompa la costura del tubo.

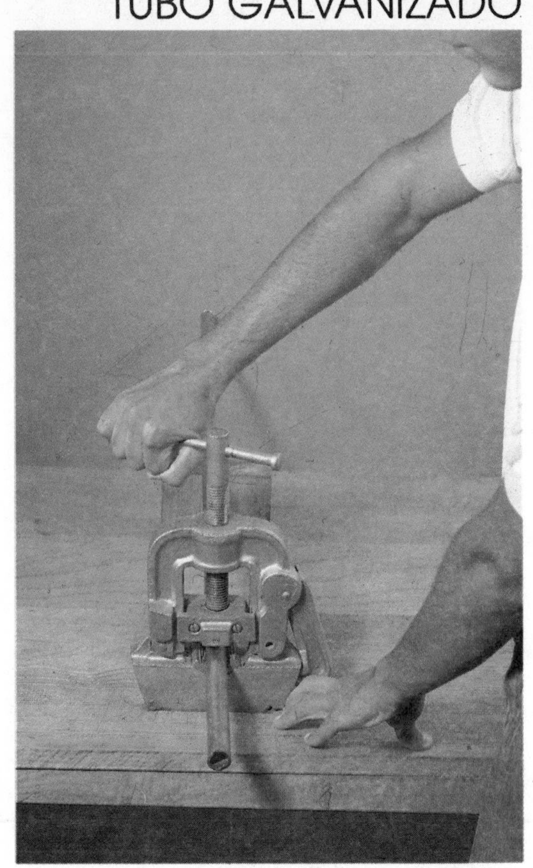

Hay unas prensas de cadena en las que, para colocar el tubo, se hace girar la palanca en sentido contrario al sentido de las manecillas del reloj.

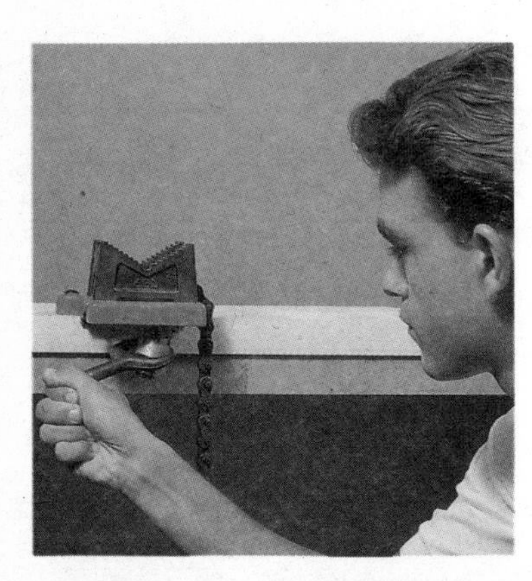

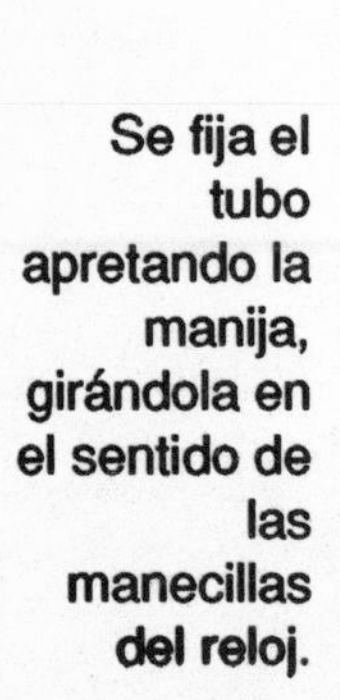

Se fija el tubo apretando la manija, girándola en el sentido de las manecillas del reloj.

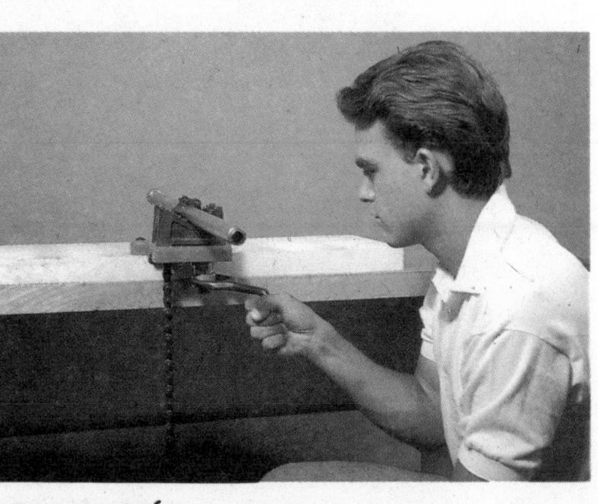

Se pasa la cadena encima del tubo y se encaja en el eslabón.

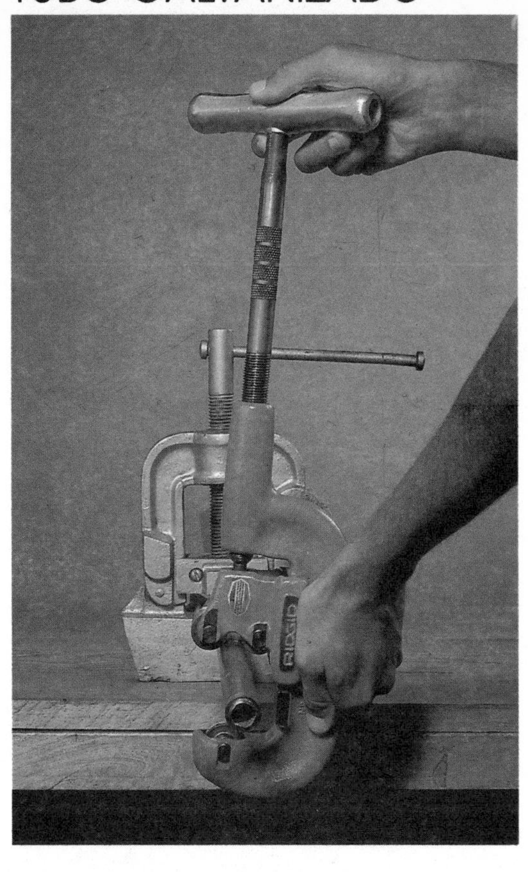

Para cortar el tubo también se puede emplear un cortatubo. Para usarlo se abren las mandíbulas, hasta que el tubo quepa y se asiente entre los rodillos guías y la cuchilla del tornillo cortatubos.

Coloque la cuchilla exactamente en el punto en que se desea cortar y apriete el tornillo, hasta que la cuchilla penetre un poco en el metal. No mucho, porque si penetra demasiado, se atora.

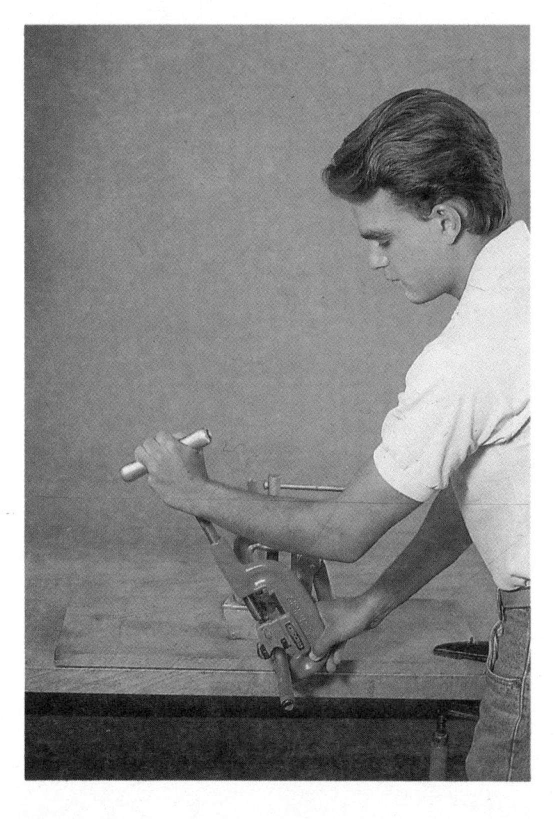

Gire el cortatubos alrededor del tubo una vuelta completa y apriete un poco más la cuchilla.

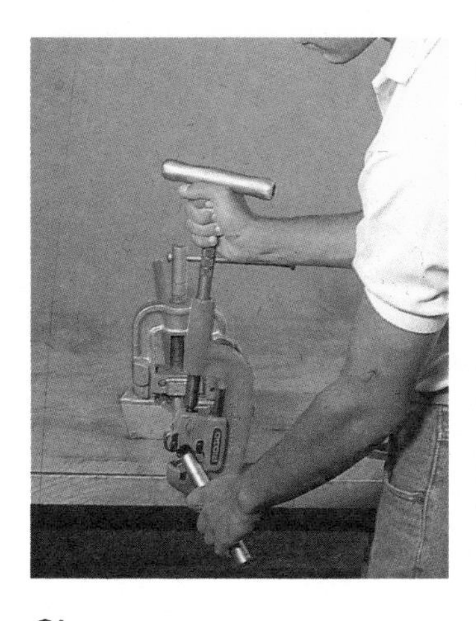

Gire nuevamente y repita hasta que se corte el tubo.

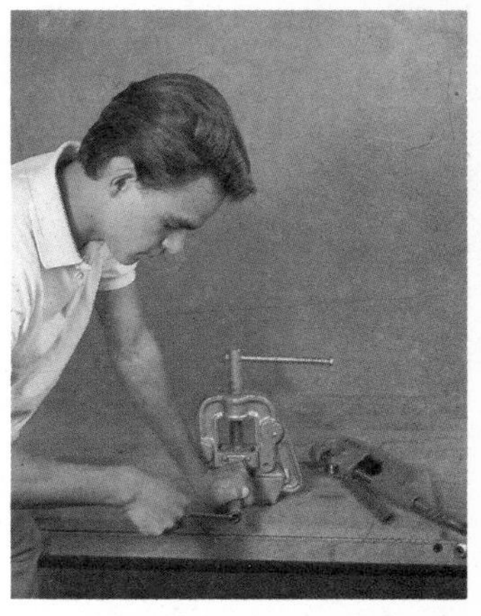

Se quitan las rebabas con una lima de media caña o limatón.

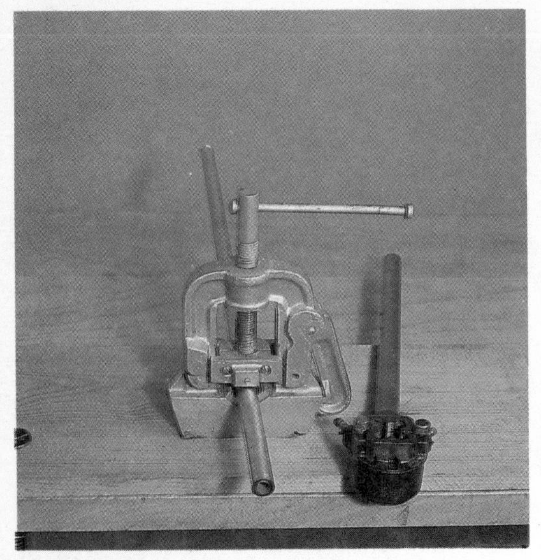

Para roscar, se fija el tubo a la prensa.

Se elige el dado y la guía de la terraja adecuados para el diámetro del tubo que se va a roscar.

Se aflojan los tornillos que sujetan el dado a la terraja.

Se coloca la guía.

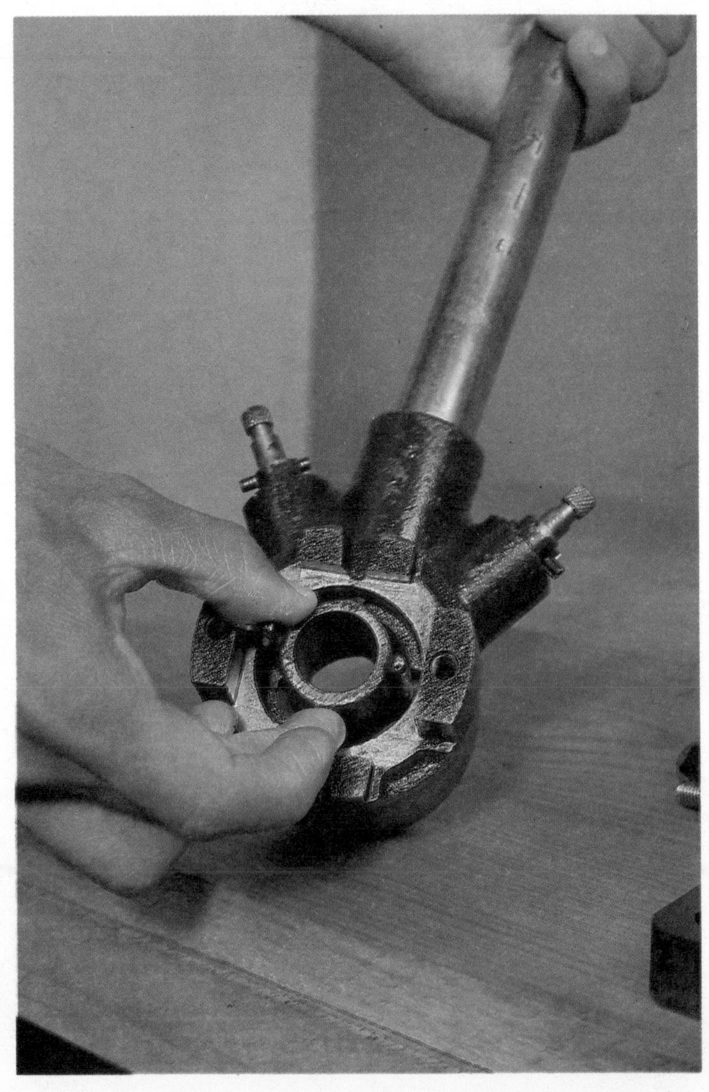

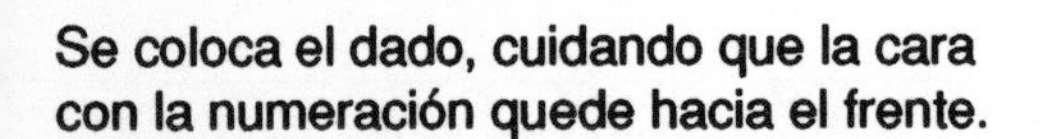

Se coloca el dado, cuidando que la cara con la numeración quede hacia el frente.

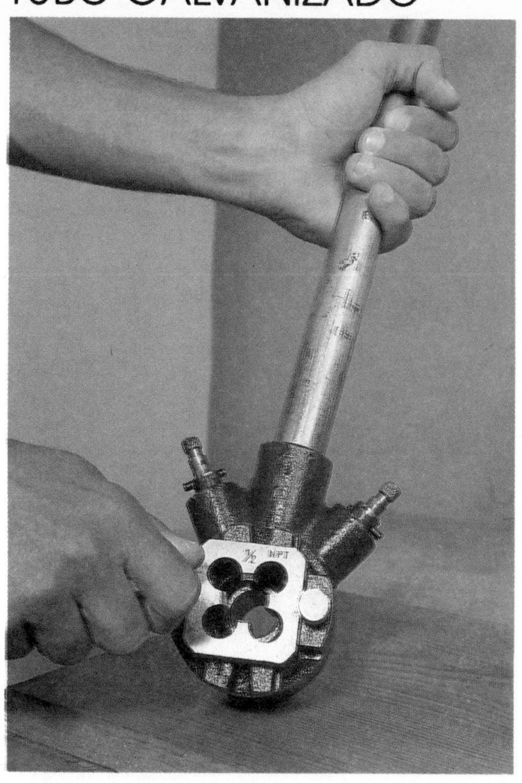

Fije la guía y el dado, apretando los tornillos.

Oriente los trinquetes, colocando las flechas en el mismo sentido que el giro de la terraja.

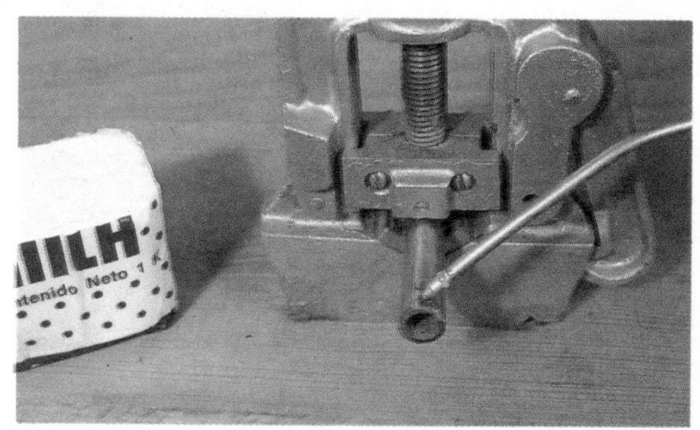

Ponga un poco de aceite o manteca de cerdo o vegetal en la punta del tubo.

Coloque la terraja en el extremo del tubo para roscar, metiéndola por el lado de la guía.

Se gira la terraja en sentido de las manecillas del reloj, a la vez que se empuja, manteniendo el dado prensado contra el tubo, para que penetre en el tubo y comience a hacer la rosca.

Los surcos de la rosca son más profundos en la punta del tubo que donde termina la rosca.

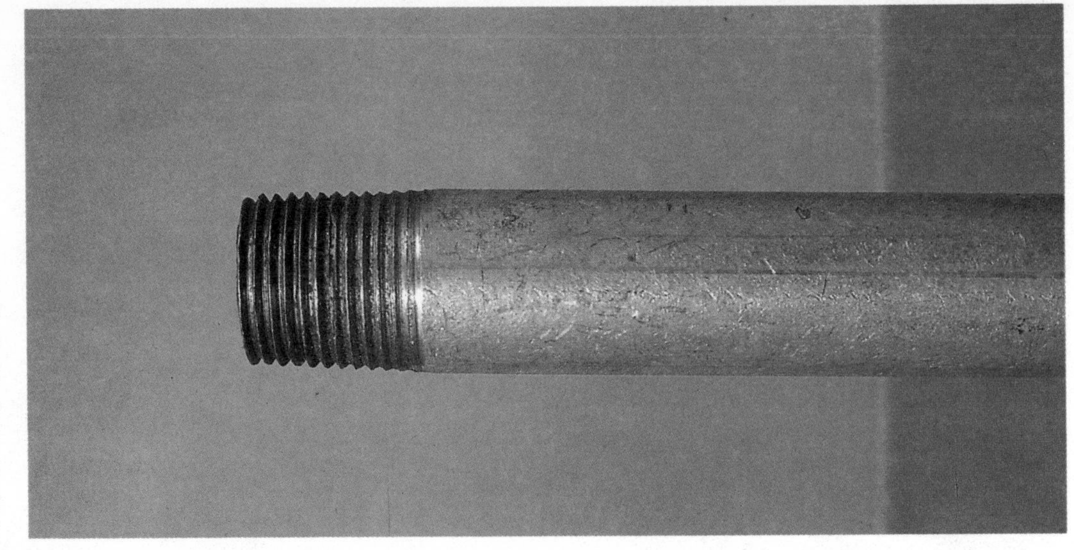

Así está hecho el dado, con una inclinación que permite que la rosca se haga con facilidad, pues el primer peine del dado penetra poco en el metal, mientras que los últimos peines, penetran completamente.

Esa ligera inclinación en la rosca ayuda a que el sello entre la conexión y el tubo sea perfecto.

Gire la terraja dos a tres vueltas completas, luego, regrese la terraja un cuarto de vuelta, ponga aceite y dé otra vuelta completa.

Continúe dando una vuelta y regresando hasta que el tubo asome por el otro lado del dado.

Para sacar la terraja se gira a la izquierda, en sentido contrario a las manecillas del reloj.

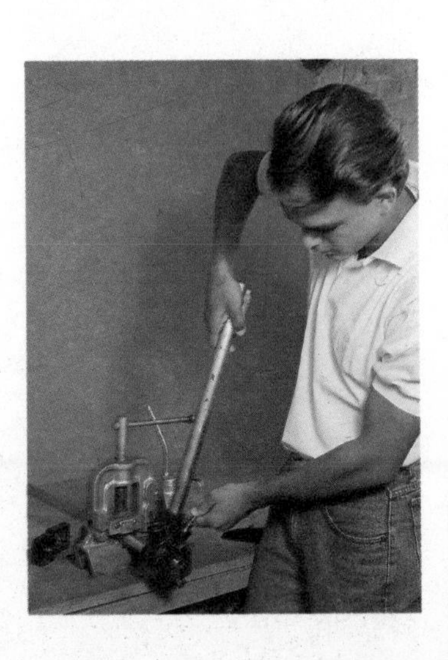

Con un cepillo se quitan las virutas de metal revueltas con aceite.

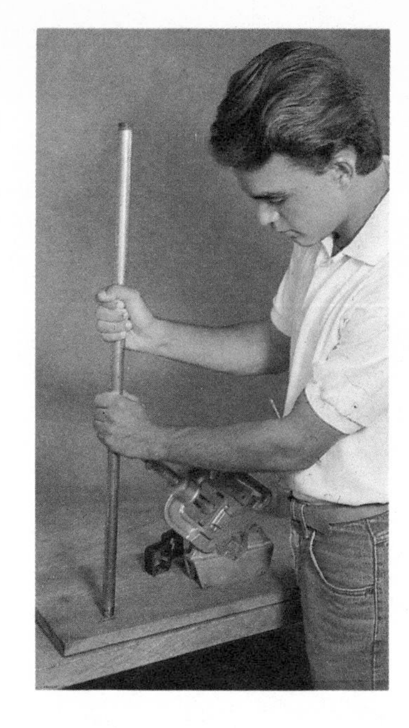

O bien, para quitar las rebabas con aceite, se pone vertical y se golpea contra una madera.

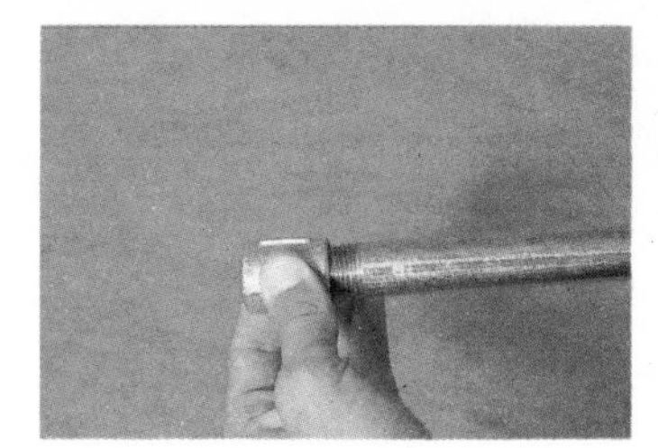

Si el roscado está bien hecho, las conexiones se podrán meter con la mano hasta la tercera o cuarta vuelta de la rosca.

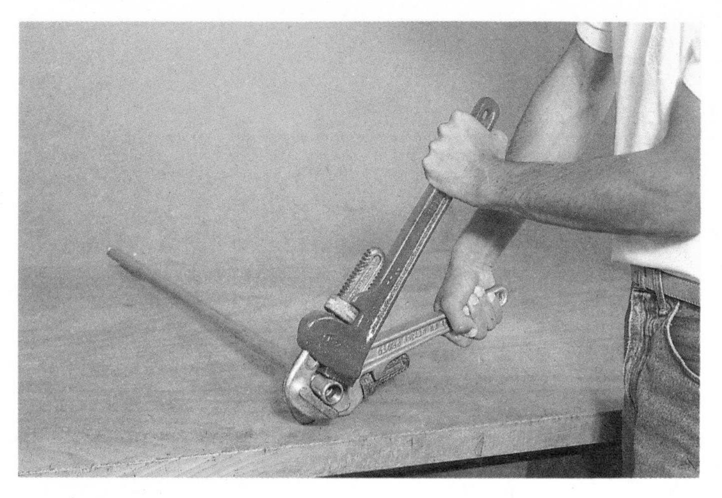

A partir de allí habrá que meterlas con una llave "stilson".

Cuando la conexión no entra con la mano, es que la rosca tiene un filo aplastado. Para arreglarlo se repasa en la terraja.

TUBO GALVANIZADO

Para unir dos tubos galvanizados entre sí se usan los coples y las tuercas unión.

Para extender un poco más una línea, se usan los niples, que se consiguen desde 2 hasta 24 pulgadas.

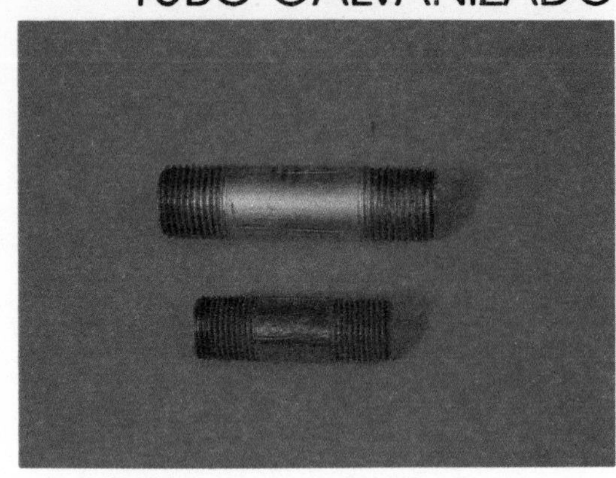

Para hacer quiebres se usan los codos de 45 y 90 grados.

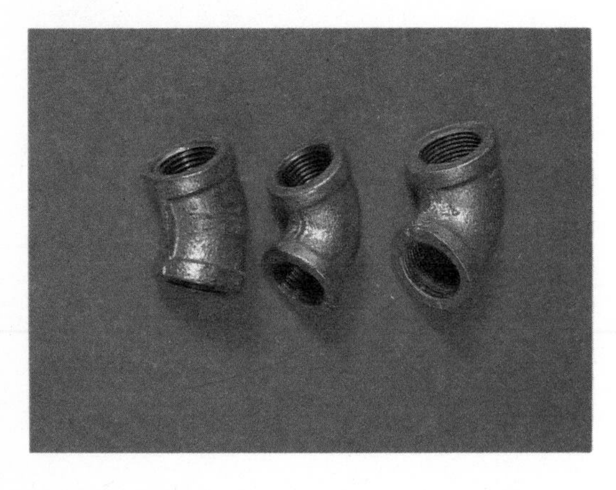

Para interconectar un tubo a otro que corre se usan "Tes" y "Yes".

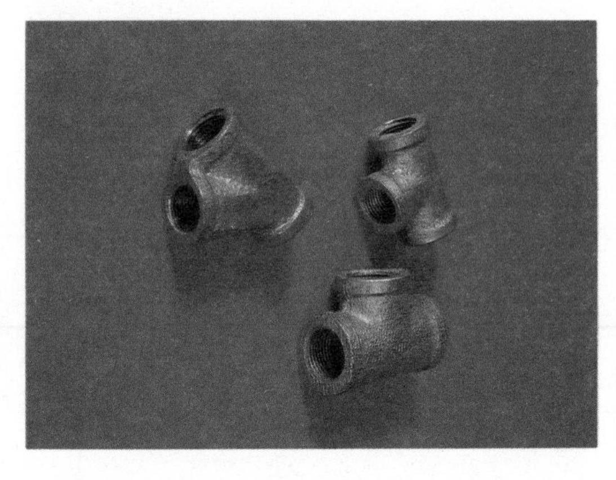

Para pasar de un diámetro de tubo a otro mayor o menor, se usan los reductores de campana y los reductores de "bushing"

Para ayudar a que sea perfecto el sello entre dos roscas, la del tubo y la de la conexión, se pone pasta para plomería, en la rosca del tubo.

O bien, se ponen unas vueltas de cinta de "teflón" y enseguida se enrosca la conexión.

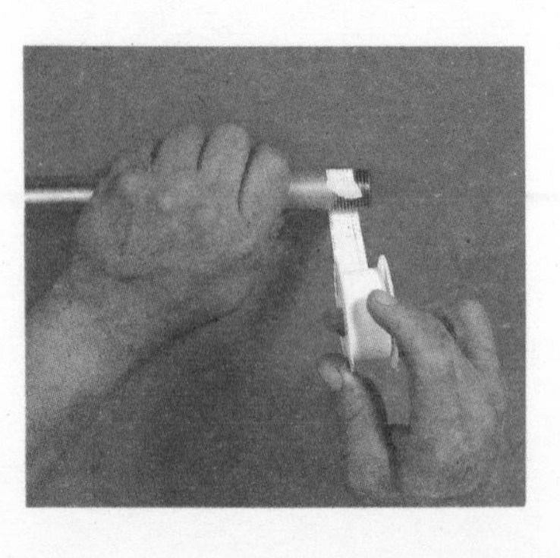

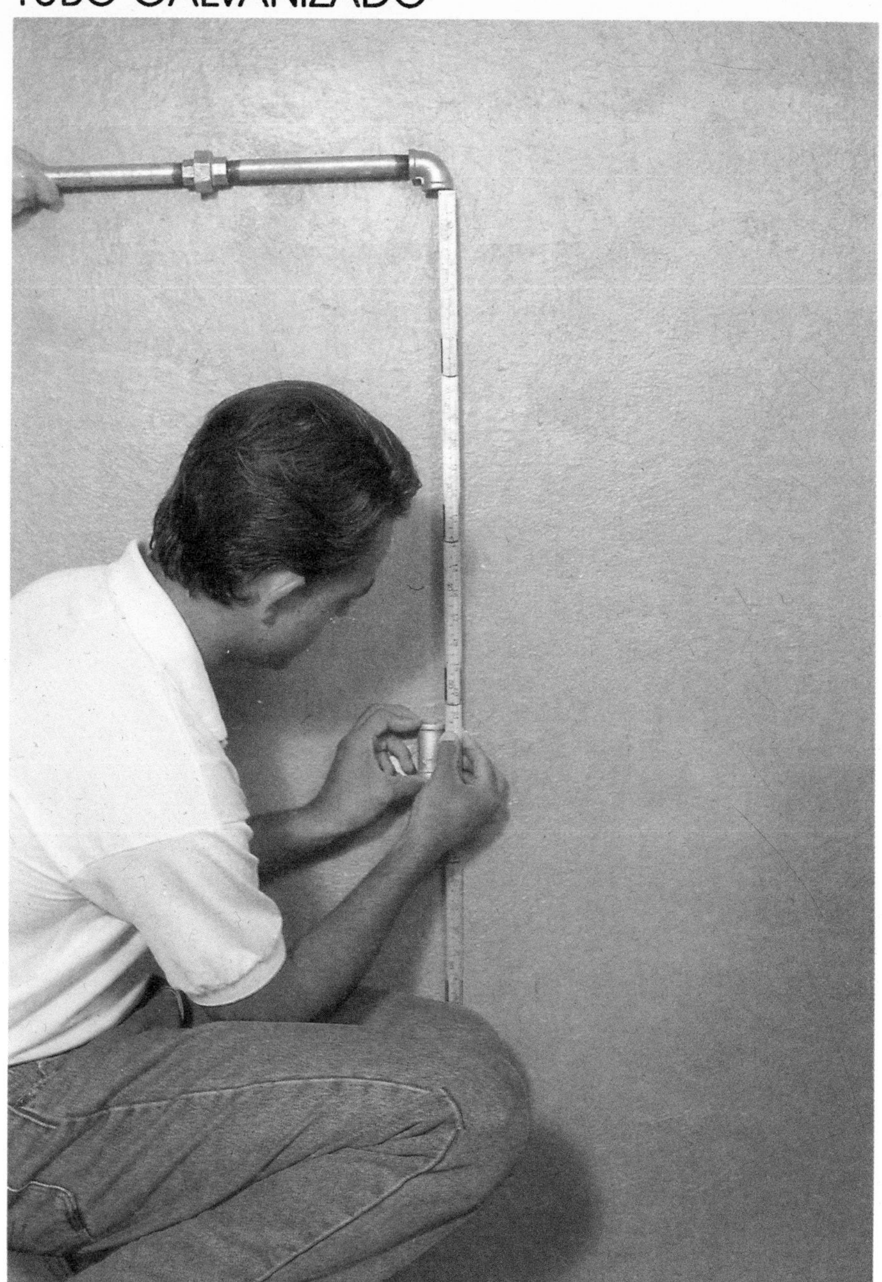

Al cortar un tubo se deben hacer las medidas precisas, porque muchas veces las conexiones de distintas marcas tienen distintos largos.

MEDICIÓN

La manera más fácil de medir es con el método de cara a cara o de borde a borde. Mida la distancia exacta entre el borde de una conexión y el borde de la otra conexión, en el otro extremo del tubo.

Enseguida, recurra a la tabla de profundidad de la rosca, para saber el largo extra que es necesario dejar para meter la rosca del tubo en ambos lados.

Diámetro del tubo en pulgadas	Diámetro del tubo en milímetros	Distancia que penetra la rosca en la conexión
1/2	13 mm	13 mm
3/4	19 mm	13mm
1	25 mm	16 mm
1-1/4	32 mm	16 mm
1-1/2	38 mm	16 mm
2	51 mm	19 mm

Por ejemplo, si la medida de borde a borde es de 1.50 m y se usa un tubo de 3/4 de pulgada de diámetro, la tabla muestra que se necesita 1/2 pulgada, o sea, 13 mm, para embonar la conexión a un lado, por lo que a ambos lados sería una pulgada, es decir, el largo del tubo debe ser de 152.6 cm.

Otra manera más precisa es ir midiendo las distancias de centro a centro del tubo.

A esa distancia se le quita la distancia del centro al borde de cada conexión.

Luego, se agregan las medidas de los tramos de tubo que entran en la conexión, consultando la tabla de profundidad de la rosca. Doble esa cantidad, porque la rosca va en ambos extremos del tubo.

Debido a la precisión que se requiere para medir, cortar, roscar y colocar el tubo galvanizado, durante muchos años la plomería era algo que sólo podían hacer los plomeros expertos. También se decía que la plomería era el arte de medir bien los tubos.

Sin embargo, los tubos modernos de cobre y de plástico hacen que la plomería resulte accesible a todos.

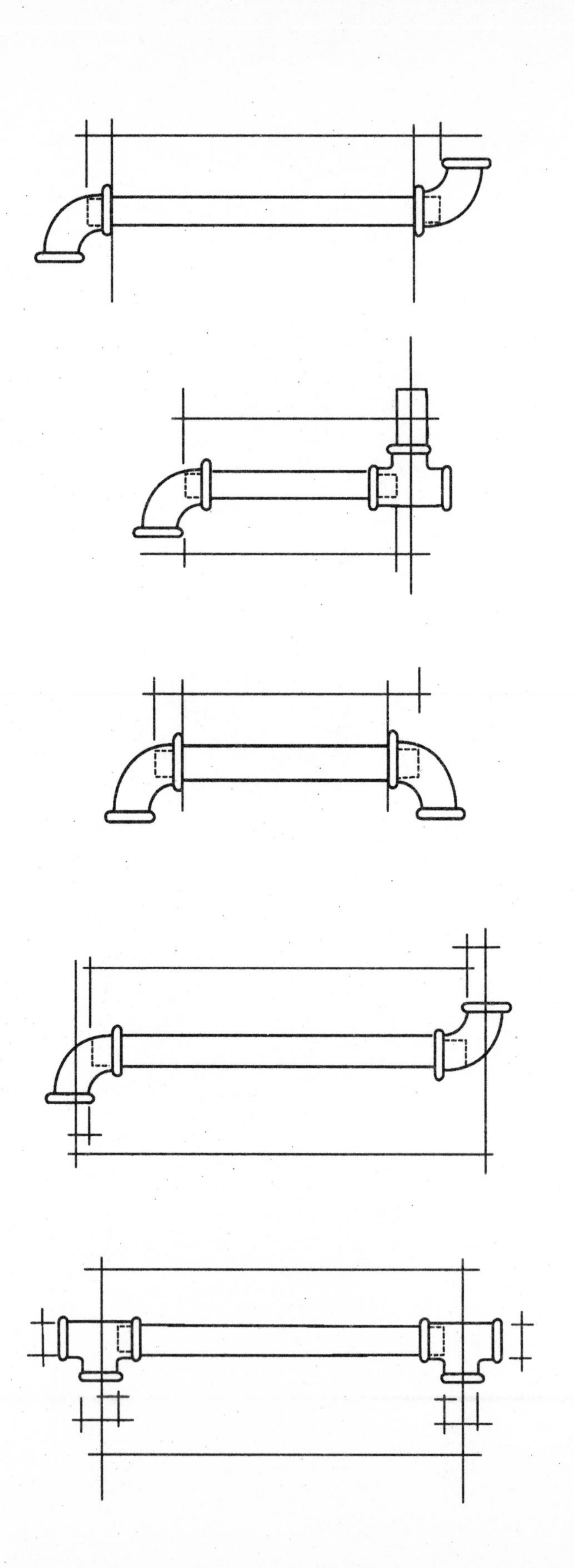

TUBO GALVANIZADO

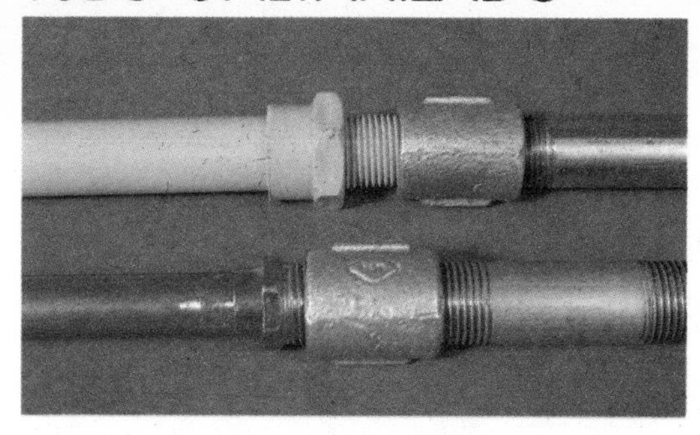

Además, hay conectores o adaptadores mediante los cuales se pueden hacer las conexiones entre los tubos galvanizados y los de cobre o los de plástico, con lo que se evita el roscado y se facilita la medición cuidadosa.

Cuando en una tubería existente es necesario cambiar un tramo, es preciso usar, además de los coples, una tuerca unión, ya que de otra manera el tubo no podrá colocarse, pues al apretarlo de un lado se aflojaría del otro.

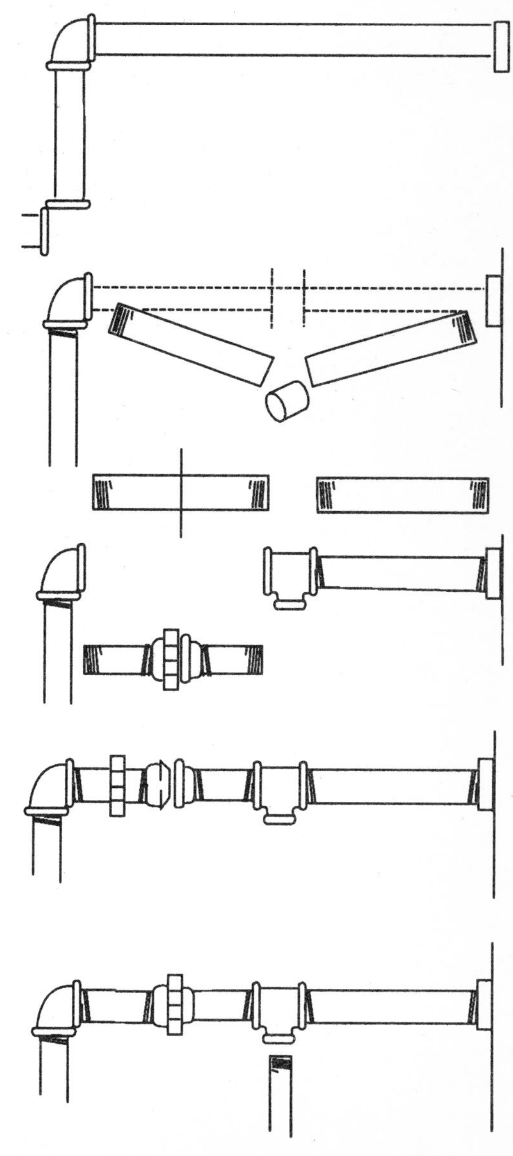

Para conectar un tubo sobre otro que corre se hacen dos cortes

Luego, se desenroscan para hacer rosca en el otro extremo y hacer un corte más y las roscas correspondientes

Se coloca el tubo de la derecha y se le atornilla una Te.

En el tubo cortado de la izquierda se pone una tuerca unión.

Se atornillan los dos tramos con la tuerca unión.

Se agrega un tubo vertical con rosca, para meterlo dentro de la Te y se aprietan bien todas las tuercas

El tubo de cobre que se usa para las tuberías de agua no tiene costura y es más ligero que el tubo de hierro, además de que es más fácil de trabajar y muy durable.

Aunque es más caro, se trabaja con rapidez, por lo que tiene un menor costo de colocación.

TUBOS DE COBRE

Los tubos de cobre son más delgados que los galvanizados, por lo que ocupan menor espacio en las paredes y las ranuras que hay que abrir en ellas son más pequeñas.

El tubo de cobre se produce rígido, en tramos de 6 metros de largo y desde 3/8 de pulgada de diámetro, hasta 2 pulgadas, o sea 5 centímetros.

También se produce flexible, que se vende por metro o en rollos de 30, 60 y 100 pies de largo. Son los tubos más usados en las instalaciones de gas.

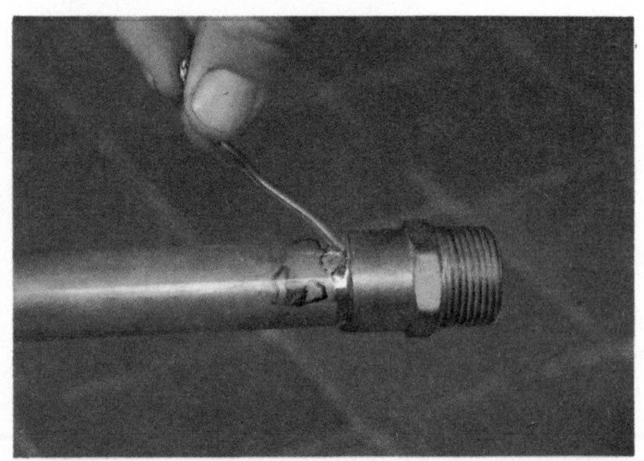

Los tubos rígidos se unen entre sí mediante conexiones de bronce que se sueldan, por lo que las tuberías quedan como una sola pieza.

Las conexiones de bronce entran muy ajustadas, por lo que entre el tubo y la conexión quedan apenas unas milésimas de centímetro, suficientes para que la soldadura fundida penetre y forme una unión hermética, tan resistente como los metales de las piezas que une.

La soldadura normal se fabrica en cordón o alambre de 3 milímetros de grueso que se vende en carretes de 450 gramos. Se usa la del número 50, que es una liga o mezcla de 50% de estaño y 50% de plomo, que se funde a una temperatura de 138 grados.

La soldadura se aplica sobre una pasta fundente o pasta no corrosiva, que se vende en latas de 60 a 450 gramos.

La soldadura penetra en el espacio pequeñísimo que queda entre el tubo y la conexión, llenando todo, inclusive subiendo por capilaridad, igual que el petróleo sube por la mecha de una lámpara.

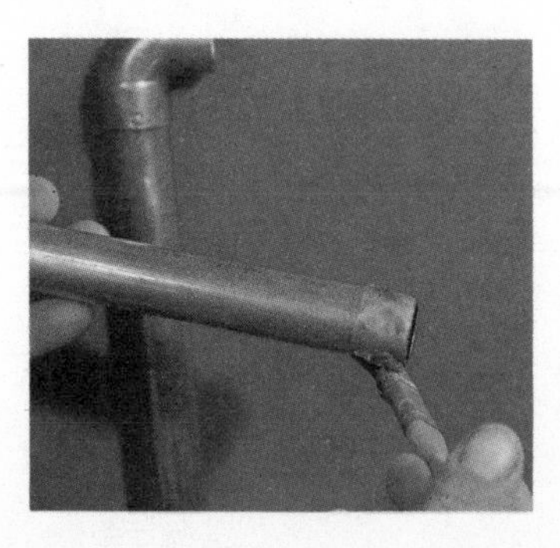

El fundente se aplica en las superficies que se van a soldar para proteger los metales de la oxidación, dando paso libre a la soldadura, que penetra fácilmente entre la conexión y el tubo, cuando hay suficiente calor.

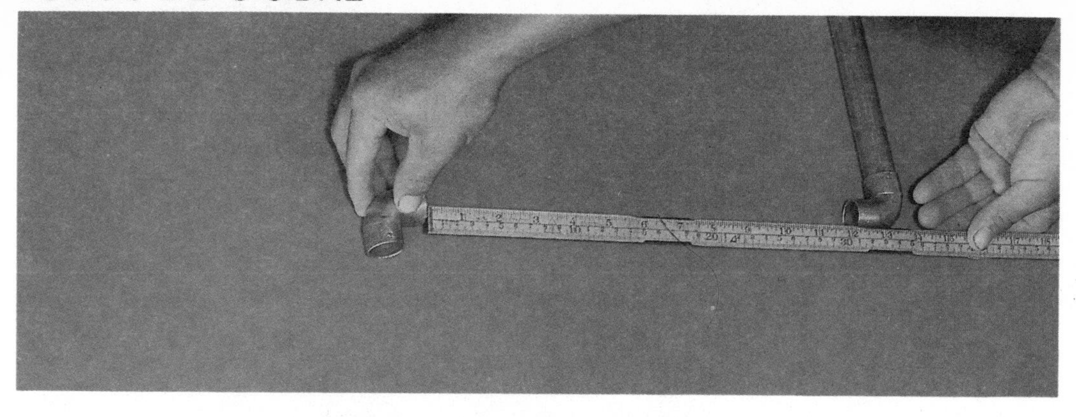

Para calcular los tamaños del tubo al ir a cortarlo, primero se mide la distancia cara a cara o borde a borde de las conexiones. Para ello lo mejor es usar un metro de carpintero.

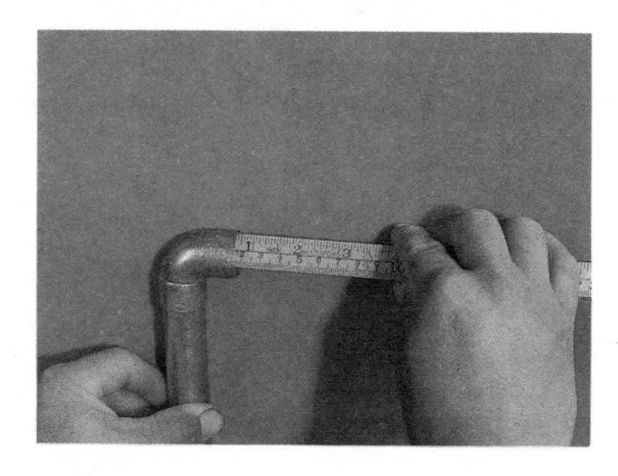

Luego se mide el tramo que penetra el tubo dentro de la conexión, hasta el tope.

Esas distancias se agregan a las distancias de borde a borde.

El tubo se puede cortar con segueta, para lo que conviene tener un trozo de madera con una ranura en V, sobre la que se apoya el tubo mientras se corta, cuidando que el corte sea totalmente a escuadra, recto, para evitar fugas en la soldadura.

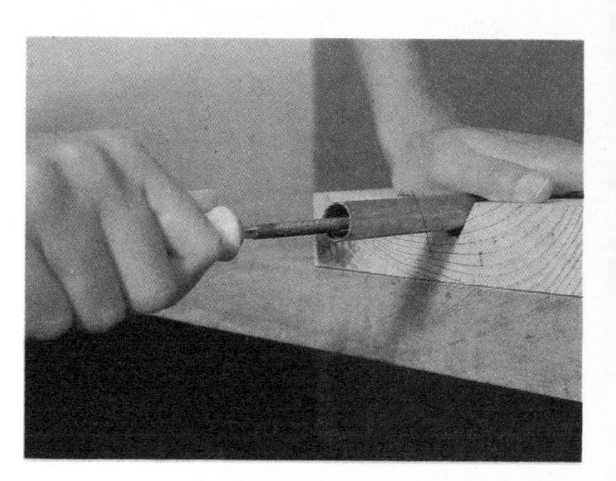

Con una lima se quitan las rebabas que deja el corte de la segueta.

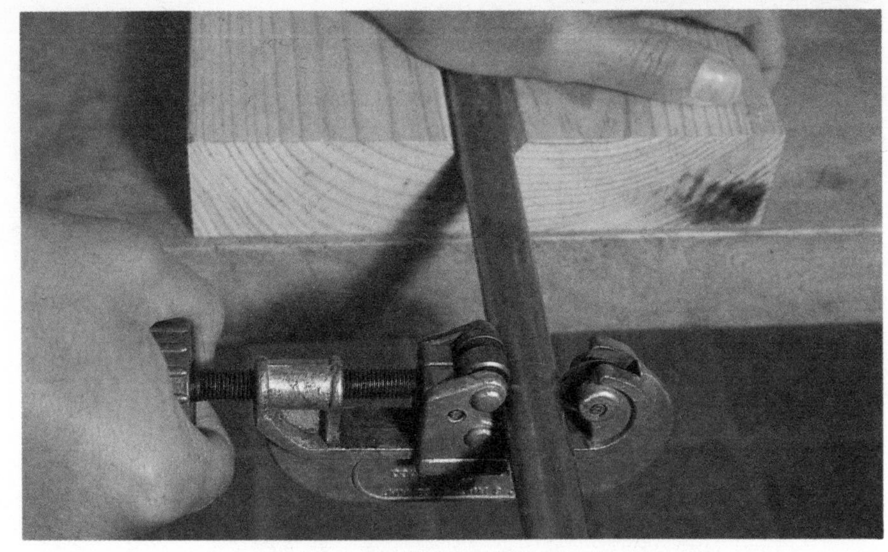

Sin embargo, la manera más práctica de cortarlo es con un cortador para tubos de cobre. Para ello se coloca la cuchilla exactamente sobre el punto en que se quiere cortar.

Se aprieta la cuchilla, girando el tornillo en el mismo sentido que las manecillas del reloj, hasta que penetra ligeramente en el tubo.

Se da una vuelta completa al cortador alrededor del tubo, y enseguida se aprieta un poco más la cuchilla, para que penetre un poco más.

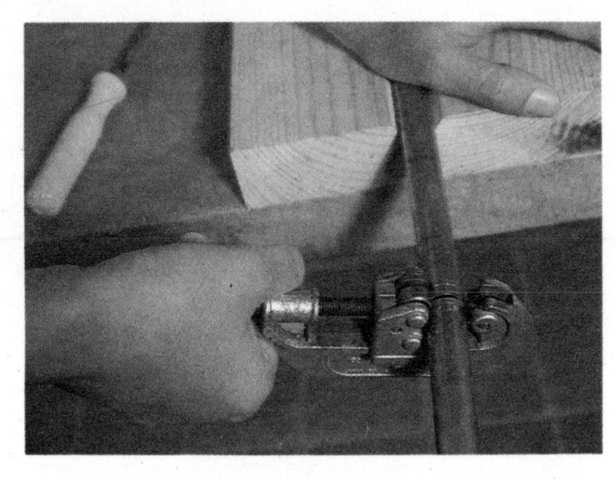

Continúe dando vueltas y apretando la cuchilla, hasta que el tubo se corte.

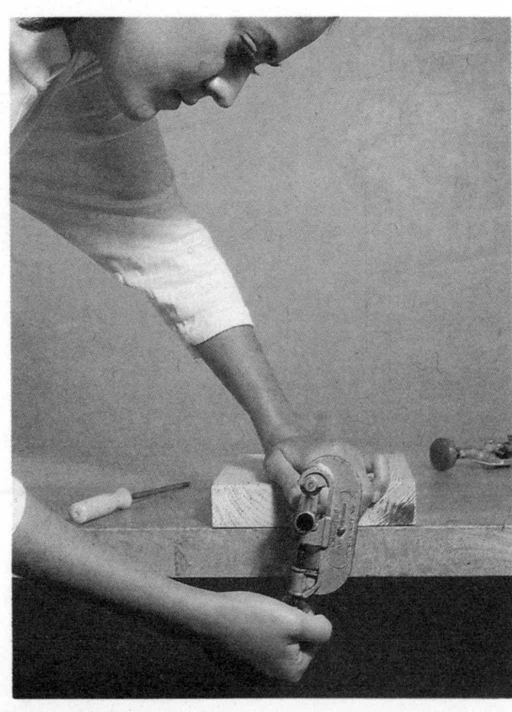

El propio cortador lleva una pieza especial, llamada rima, para quitar las rebabas.

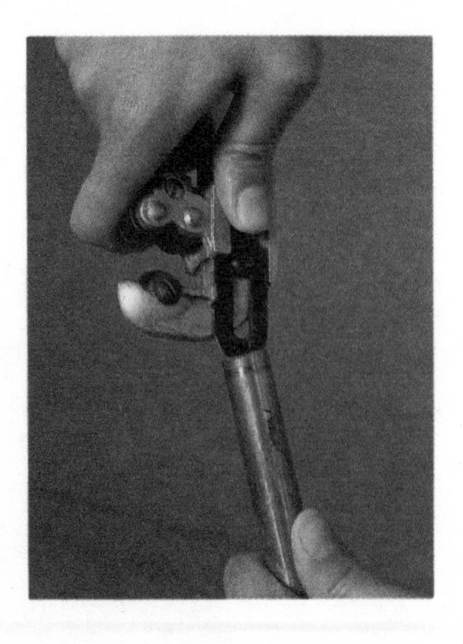

Las puntas del tubo en los tramos que entrarán en la conexión se deben limpiar bien, con lana o fibra de acero o con lija de cinta.

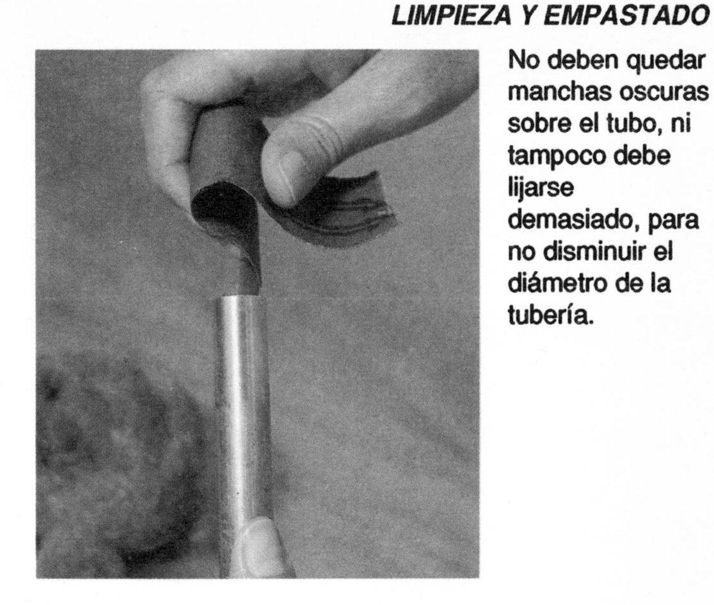

No deben quedar manchas oscuras sobre el tubo, ni tampoco debe lijarse demasiado, para no disminuir el diámetro de la tubería.

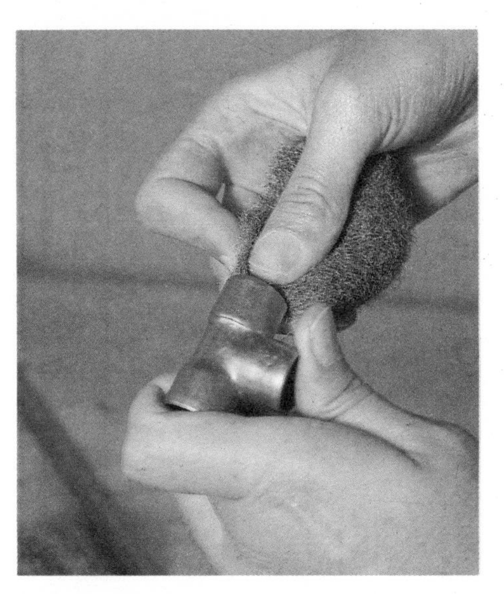

También con una lija o fibra de acero debe limpiarse el interior de las conexiones.

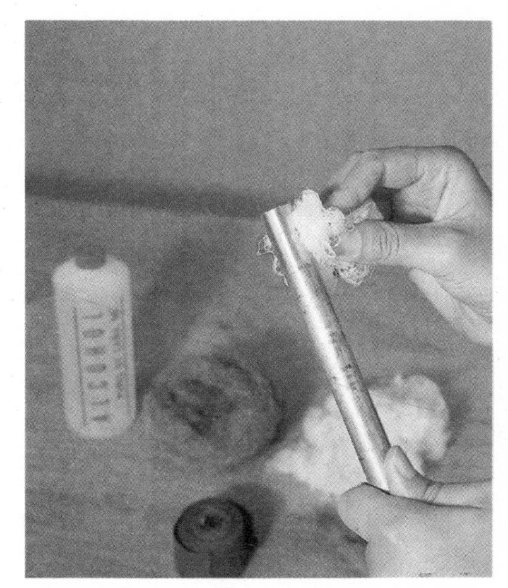

Una vez que se han limpiado las puntas de los tubos ya no deben volver a tocarse, pues la marca de las manos puede afectar la calidad de la soldadura. Si acaso se tocaran deberán limpiarse otra vez con estopa y alcohol o gasolina.

Enseguida, con una brocha o cepillo pequeño se pone pasta fundente en el exterior del tubo.

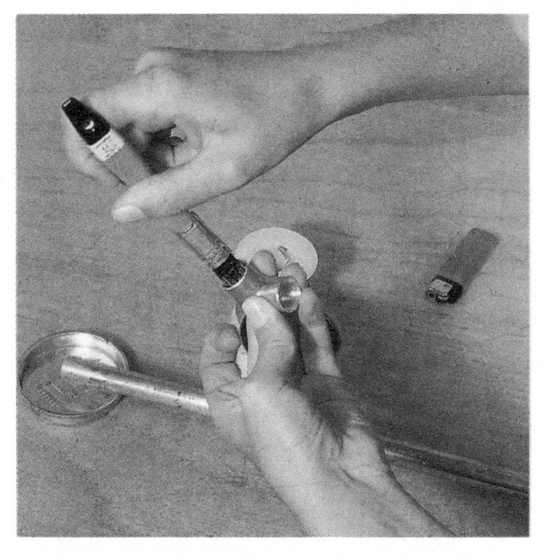

Luego, en el interior de la conexión.

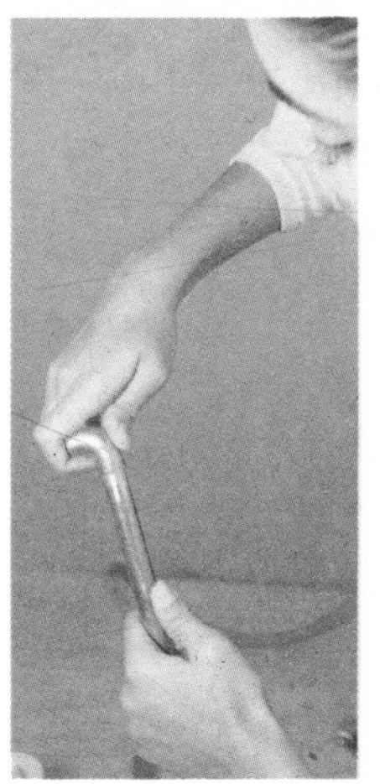

Se mete la conexión en el tubo, hasta el tope, y se gira en una dirección y luego en la otra, para que se extienda mejor la pasta fundente.

Enseguida, se carga el soplete con gasolina hasta tres cuartos del tanque y se cierra la llave de la boquilla.

Después, se llena de alcohol la charola para calentamiento.

Se enciende el alcohol y cuando se han consumido tres cuartas partes, se bombea 10 veces para dar presión a la gasolina.

En el momento preciso en que se consume todo el alcohol y se apaga la flama en la charola, se abre ligeramente la llave de la boquilla y se acerca un cerillo a la punta. No abra demasiado aprisa, porque en lugar de encenderse el soplete, se apagará el cerillo.

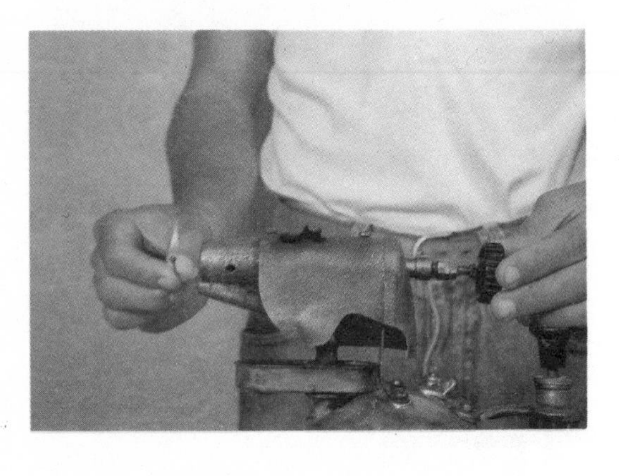

En vez de cerillo puede utilizar un trozo de periódico enrollado.

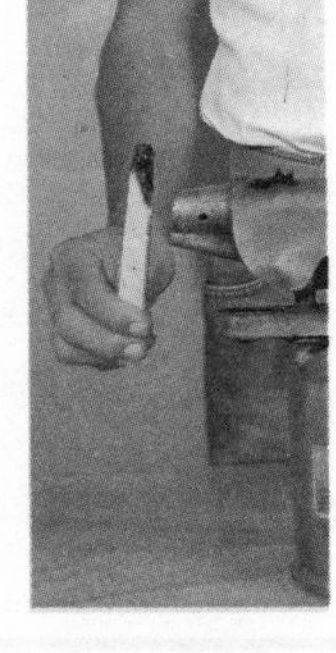

Ya que encendió, se abre más la válvula, hasta que la flama alcanza a tener un azul intenso en la punta.

SOPLETE DE GAS BUTANO

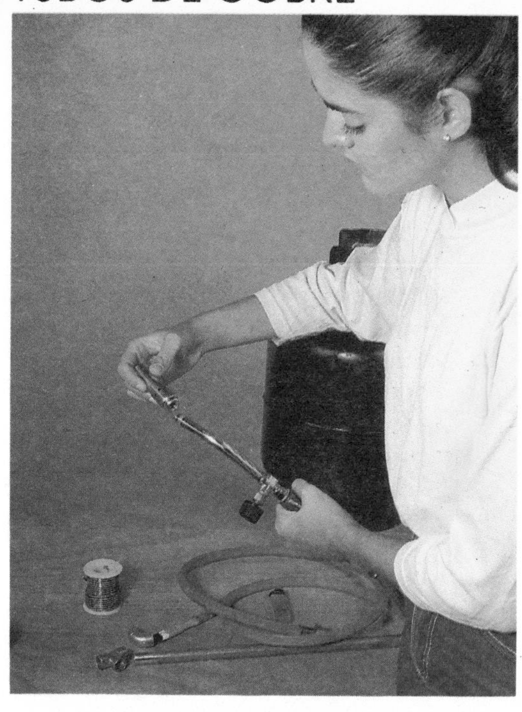

Para encender un soplete de gas butano, primero se conecta la boquilla a la manguera.

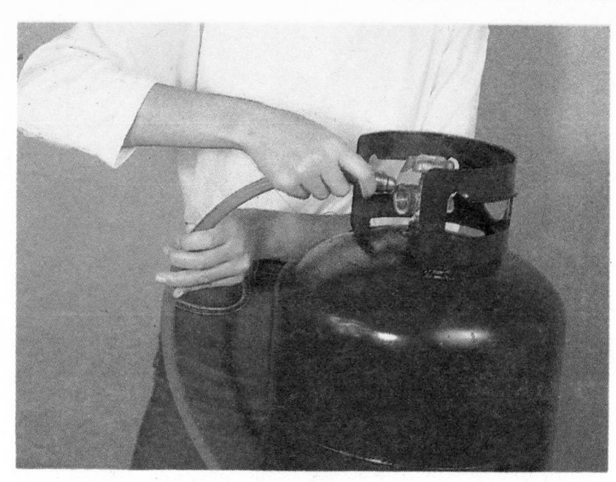

Enseguida, se embona la manguera al tanque de gas.

Luego se aprieta bien con una llave de tuercas.

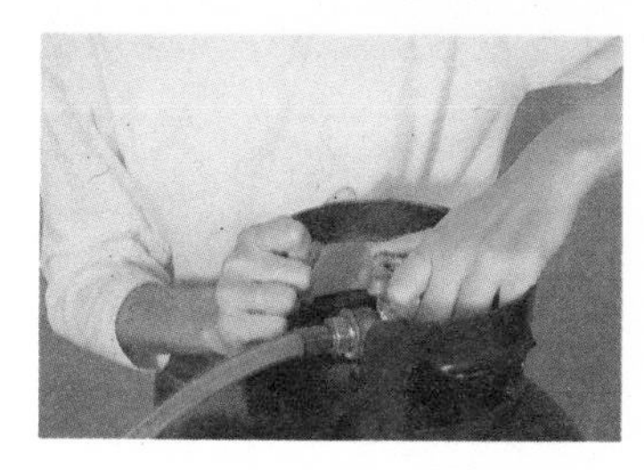

Después se abre la llave del tanque.

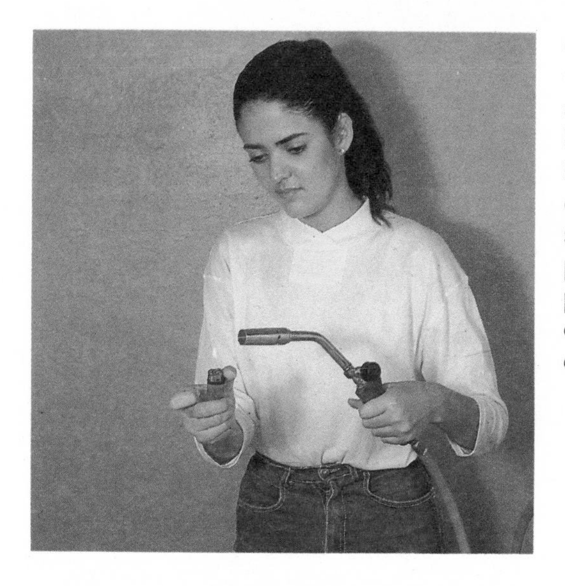

Se enciende un cerillo y se acerca a la punta de la boquilla, cuya válvula se abre poco a poco, para que encienda.

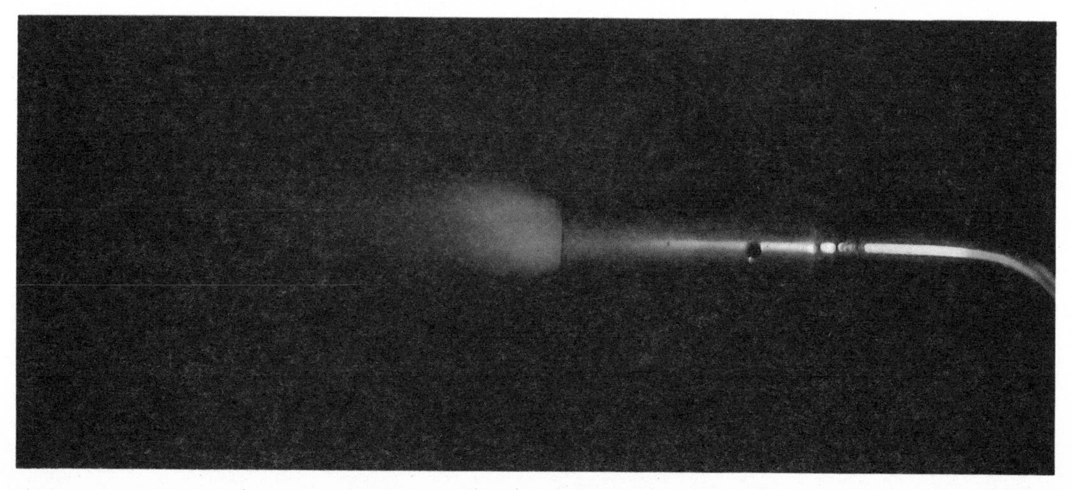

Ya que encendió se abre más y más la válvula, hasta que la flama llega a tener color azul y el largo adecuado para el trabajo.

A continuación se aplica la flama del soplete a la conexión, procurando que la caliente parejo, sin que el fuego directo llegue al tubo.

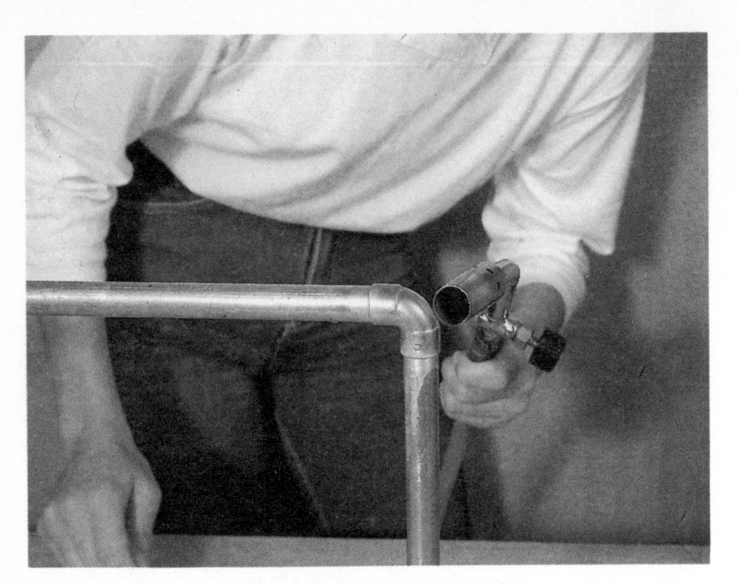

Una indicación de que la conexión y el tubo tienen la temperatura correcta es cuando la pasta empieza a hervir.

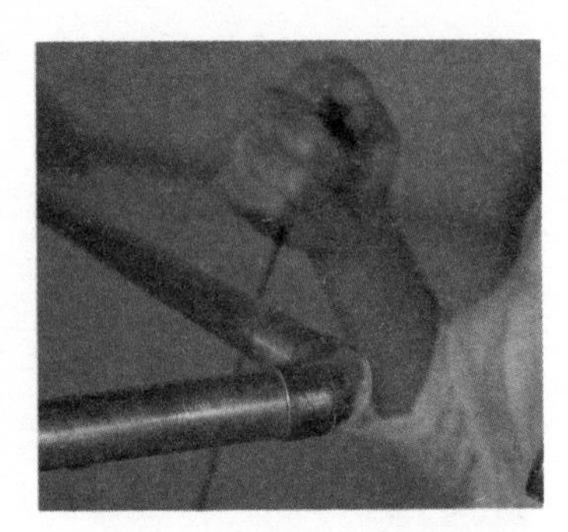

Otra manera de saber cuándo se ha alcanzado la temperatura correcta es poniendo el cordón de soldadura en contacto con la conexión. Cuando la soldadura empieza a derretirse es que ya se tiene la temperatura correcta.

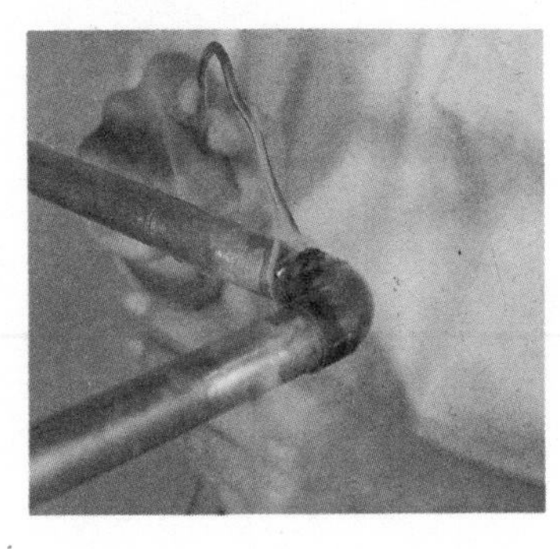

Cuando se tiene la temperatura correcta se retira el soplete y se pone la punta del cordón de soldadura en el borde de la conexión. La soldadura deberá derretirse al contacto con el metal caliente. No deje que la flama toque la soldadura. Si la soldadura no se derrite, quítela y caliente de nuevo la conexión.

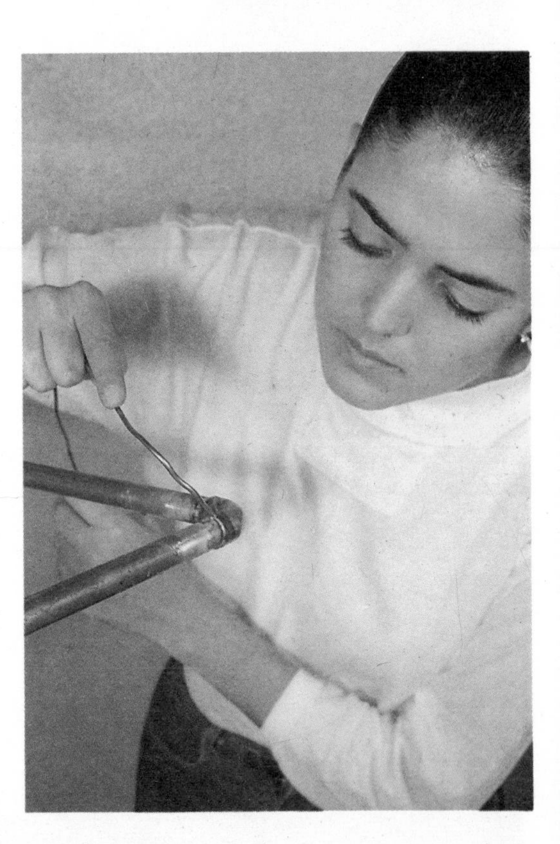

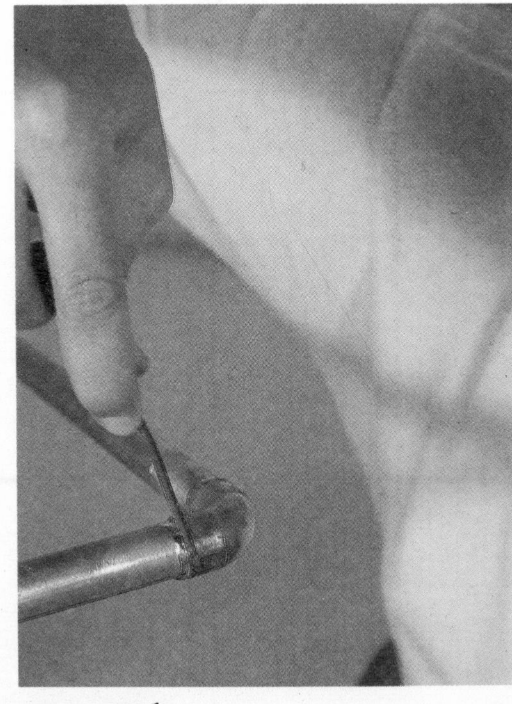

Cuando la conexión está bien caliente, la soldadura, ya fundida, correrá sola, metiéndose hacia los lados, arriba y abajo, entre los tubos y la conexión.

Aun si el cordón de soldadura se pone en la parte de abajo de una conexión, la soldadura subirá por ella y la sellará.

Cuando la soldadura empieza a acumularse alrededor del borde de la conexión, retire el cordón. Una vez que la soldadura empieza a penetrar, la conexión no debe volverse a recalentar, pues hay el riesgo de calentarla demasiado y evaporar la pasta fundente, con lo que la soldadura no correrá.

Si detrás del tubo que se está calentando hay algo que se pueda quemar, conviene poner una pieza de asbesto atrás, entre el tubo y lo que se puede quemar.

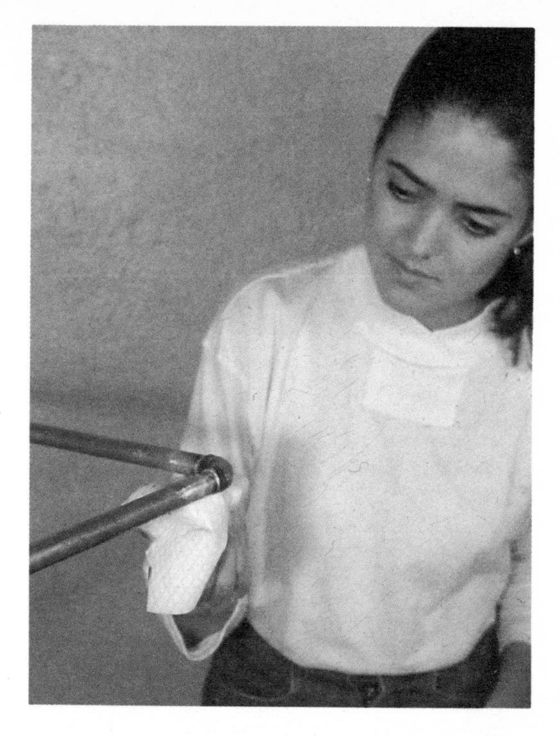

Limpie el sobrante de pasta y de plomo con un trapo grueso seco.

Para desoldar se aplica la llama del soplete sobre un extremo de la conexión, hasta que el calor funde la soldadura.

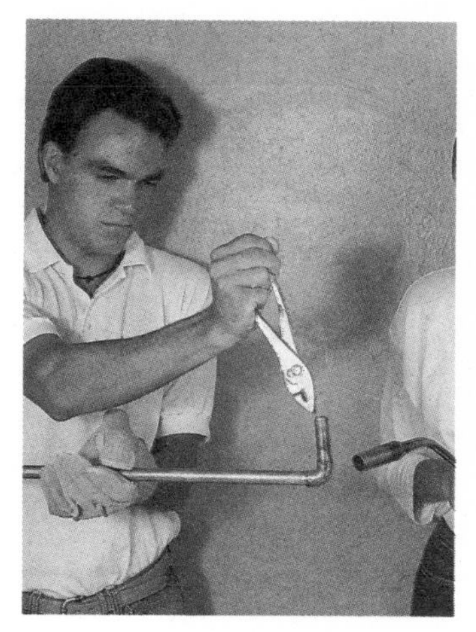

Ya que la soldadura comenzó a fundirse, se toma el tubo con unas pinzas y se jala la conexión, girándola un poco.

Finalmente se separa la conexión. Algunas veces es necesario poner trapos mojados sobre aquellos extremos que no se quieren desoldar.

El codo de 90 grados hace que el tubo rígido haga un quiebre en ángulo recto.

El codo de 45 grados hace que el tubo rígido tenga un quiebre intermedio.

La "T" proporciona una conexión para otro tubo.

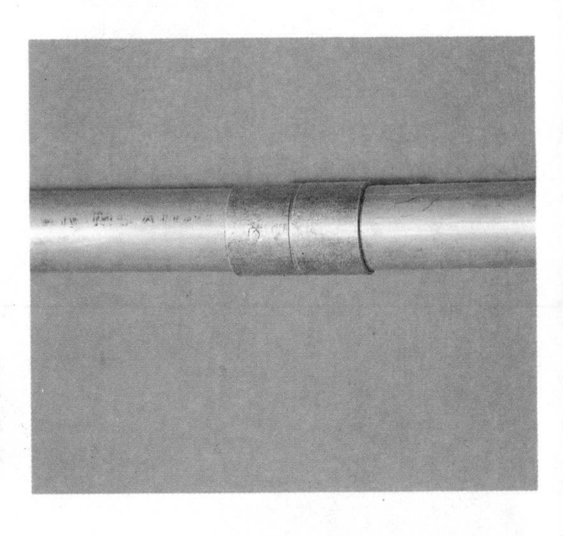

Cuando se necesita unir dos tubos en una línea recta, se usa un cople.

Un reductor acopla un tubo de mayor diámetro a uno menor.

Para conectar un tubo de cobre a otro galvanizado se usa un conector, que puede ser "macho", cuando su rosca penetra en la rosca de un cople galvanizado.

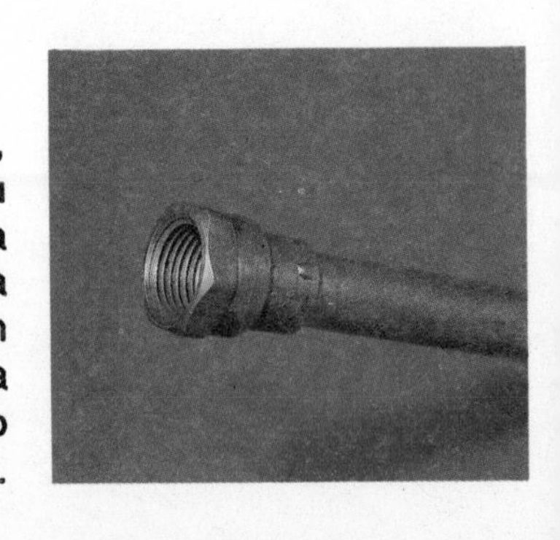

O "hembra", cuando su rosca permite la introducción de la rosca del tubo galvanizado.

Al utilizar el tubo de cobre flexible se desenrolla sólo la cantidad necesaria, poniendo una mano sobre la punta del rollo, mientras que con la otra se rueda el rollo para ir enderezando el tubo.

El tubo de cobre flexible se vende en diámetros de 3/8, 1/2 y 5/8 de pulgada y se corta con el cortador de tubos de cobre.

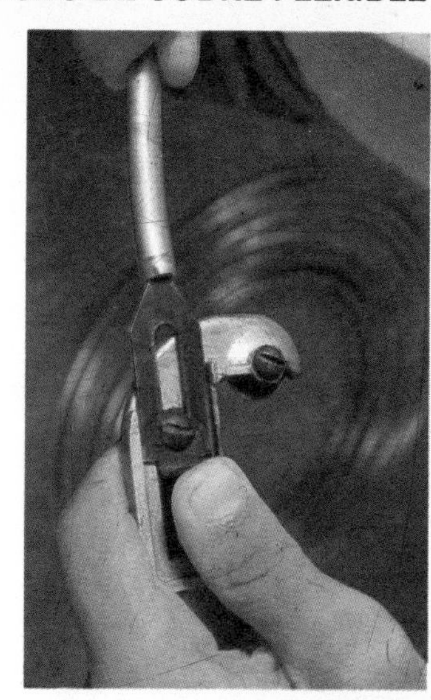

Ya cortado, se le quita la rebaba de la parte interior del tubo, utilizando la rima que lleva el cortador.

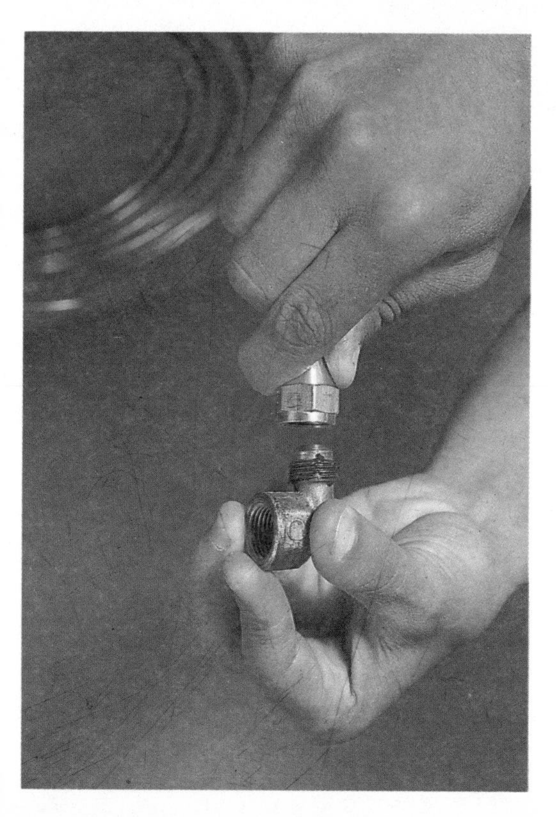

Los tubos flexibles se unen entre sí a base de tuercas cónicas, que luego se fijan a otros conectores con rosca, tales como niples, "tes", codos, conectores de campana y llaves de paso. El sello entre el tubo y la tuerca cónica se hace por la presión de la tuerca y el conector de bronce, sobre el cono de cobre del tubo.

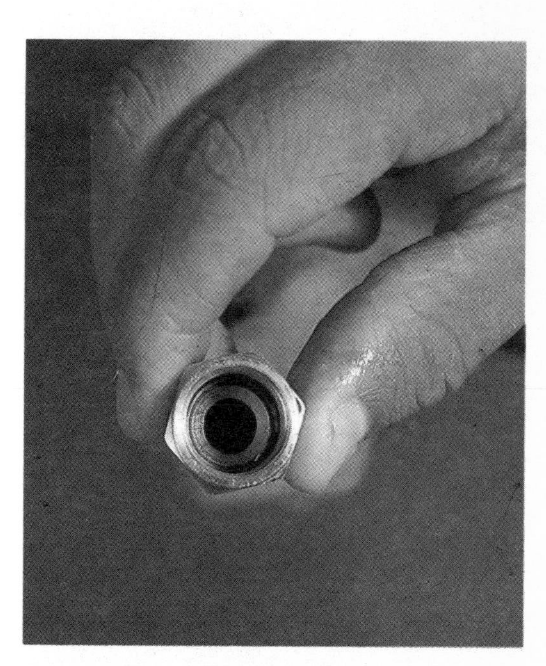

El sello entre la tuerca cónica y los conectores se hace a través de una rosca, mediante la que se embonan las tuercas y los conectores.

Para que el tubo embone en el cono de la tuerca su punta debe ensancharse o avellanarse a 45 grados.

Para avellanar, primero se mete la tuerca cónica dentro del tubo, cuidando que la parte abierta quede hacia la punta del tubo.

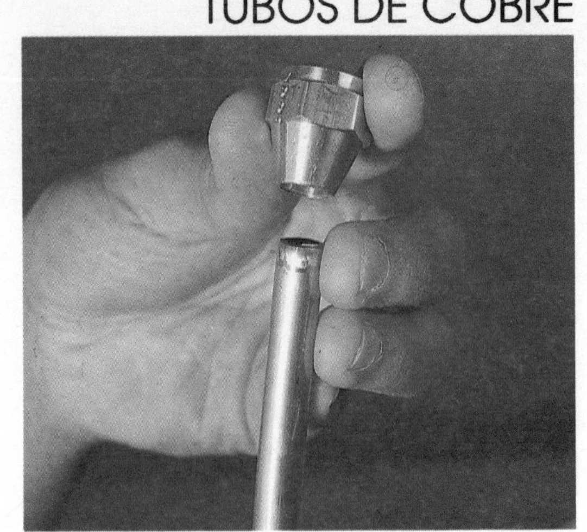

Enseguida, se mete el tubo en el orificio del avellanador que corresponde al diámetro del tubo, dejando que sobresalga 1/8 de pulgada sobre la superficie de las mandíbulas.

Se fija el tornillo del avellanador exactamente arriba del tubo.

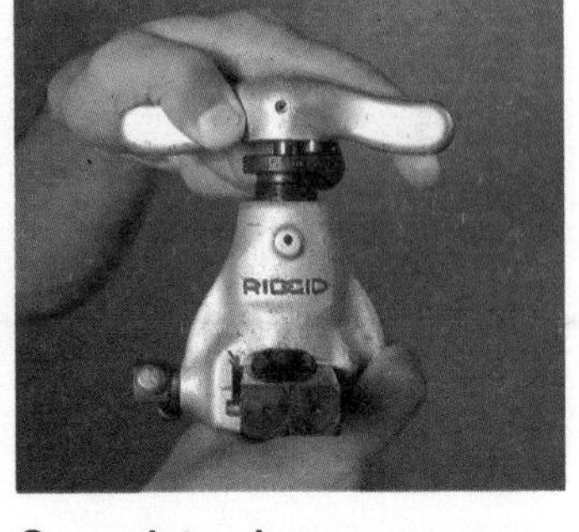

Se aprieta el cono expansor precisamente sobre el centro del tubo, hasta que se forma el bisel.

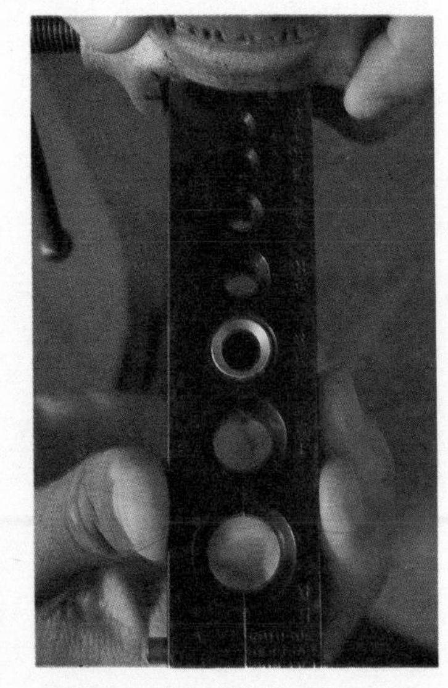

Se saca el tubo del avellanador.

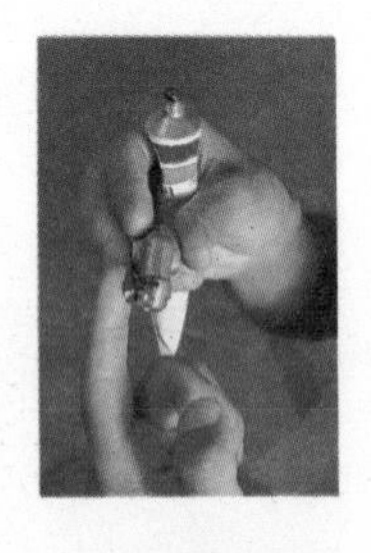

Para asegurarse de una unión perfecta, en la rosca de los conectores se pone un poco de pasta selladora para tuberías de gas, diferente de la usada para las tuberías de agua.

Enseguida se recorre la tuerca cónica hacia la punta del tubo.

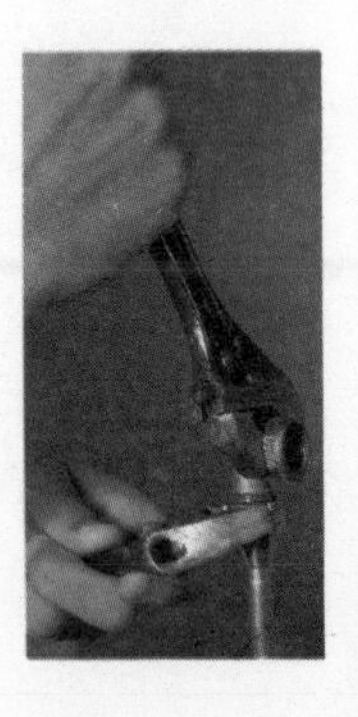

Luego, se embona la tuerca cónica con la conexión, girando la tuerca con los dedos hasta que la rosca se aprieta.
A partir de ese momento se continúa apretando con un par de llaves de tuerca, una que sostiene y otra que aprieta.

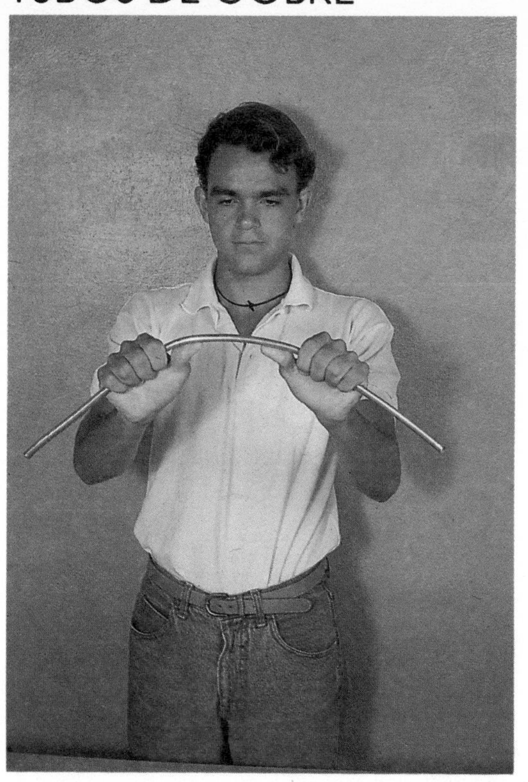

Una de las grandes ventajas del tubo de cobre flexible es que puede cambiar de dirección con sólo doblar el tubo con las manos.

Cuando se trata de curvas muy cerradas es necesario doblar el tubo con la ayuda de un doblador de resorte. Hay un doblador para cada uno de los diámetros principales de tubo.

El centro del doblador de resorte se coloca en el centro del doblez, mientras que con ambas manos se dobla el tubo.

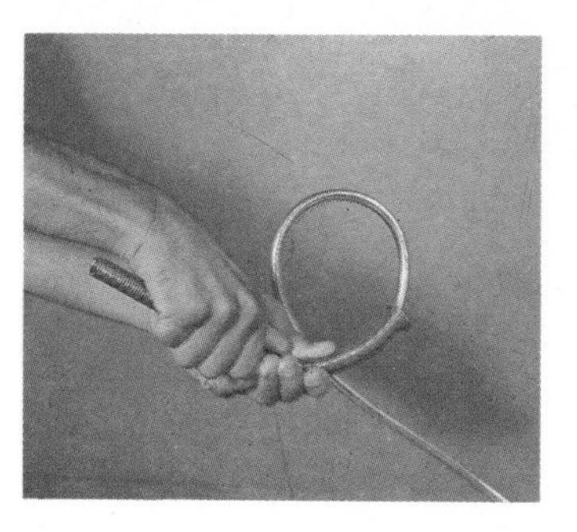

Ya que se terminó el doblez, se saca el doblador.

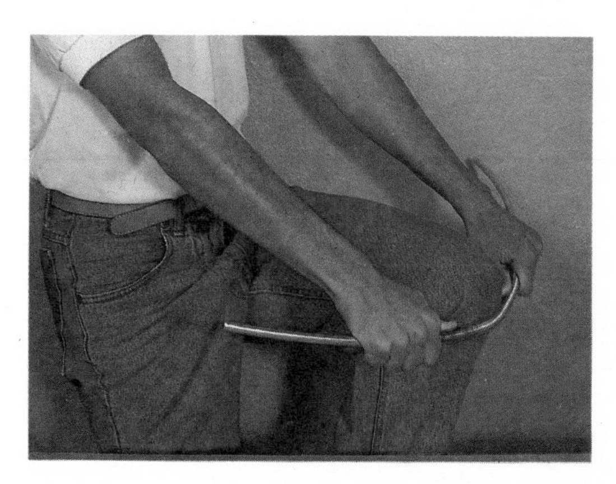

Si es necesario se puede utilizar la rodilla como apoyo adicional, mientras el tubo se jala con ambas manos.

La tubería de PVC o cloruro de polivinilo se ha hecho muy popular para los drenajes y para algunos abastecimientos de agua.
Es muy ligera, pues pesa apenas la octava parte de un tubo galvanizado. Es la más barata, es muy fácil de instalar y no se oxida.
La hay flexible y rígida. Las tuberías rígidas se unen entre sí a base de conectores que se pegan al tubo con cemento para plástico PVC.

TUBOS DE PVC

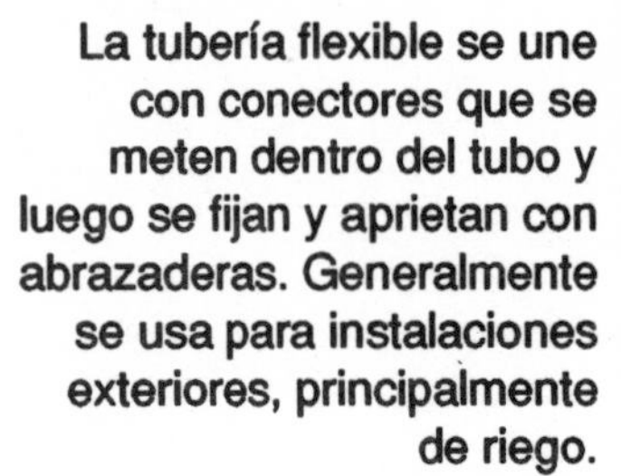

La tubería flexible se une con conectores que se meten dentro del tubo y luego se fijan y aprietan con abrazaderas. Generalmente se usa para instalaciones exteriores, principalmente de riego.

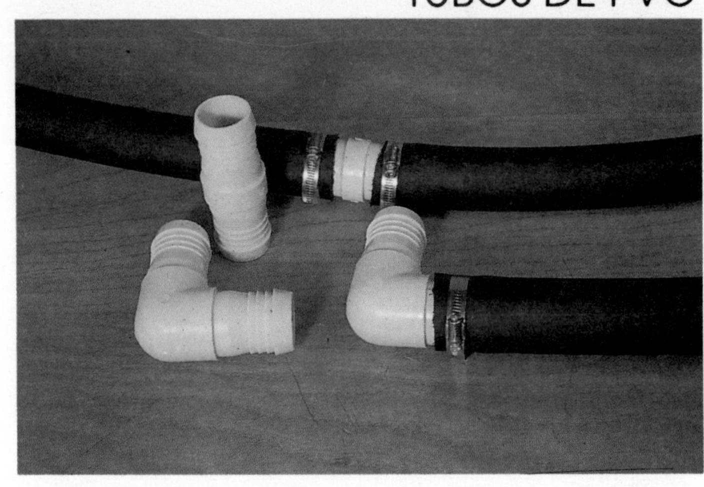

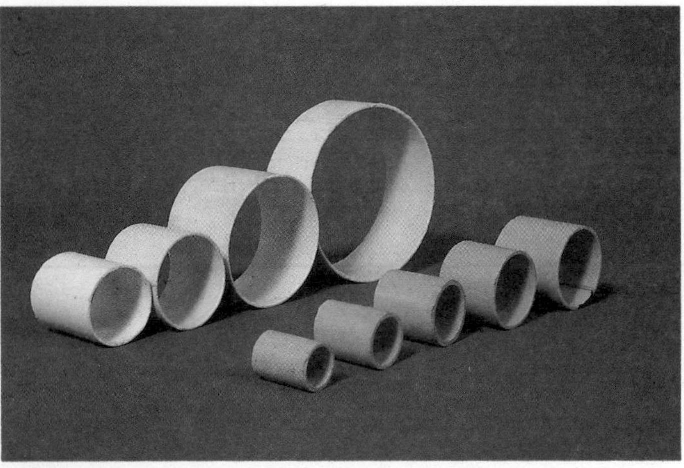

El tubo PVC rígido se produce en dos calidades: la sanitaria, que es utilizada en el drenaje, y la hidráulica, que es empleada para conducir el agua potable.

Los tubos de PVC sanitarios tienen paredes más delgadas puesto que no están sujetos a la presión del agua.

Además, las conexiones para tubos PVC sanitarios tienen las formas adecuadas para que el agua escurra fácilmente, con curvas amplias. Sus paredes, completamente lisas, facilitan grandemente el escurrimiento del agua por gravedad.

Los tubos PVC hidráulicos tienen paredes más gruesas para resistir las presiones del agua y aguantar fuertes impactos. Tienen conexiones normales y reforzadas.

Para cortar la tubería de PVC se usa una segueta o un serrucho de costilla, con dientes limpios y afilados, procurando que los cortes sean rectos para que ayuden al sellado de la tubería.

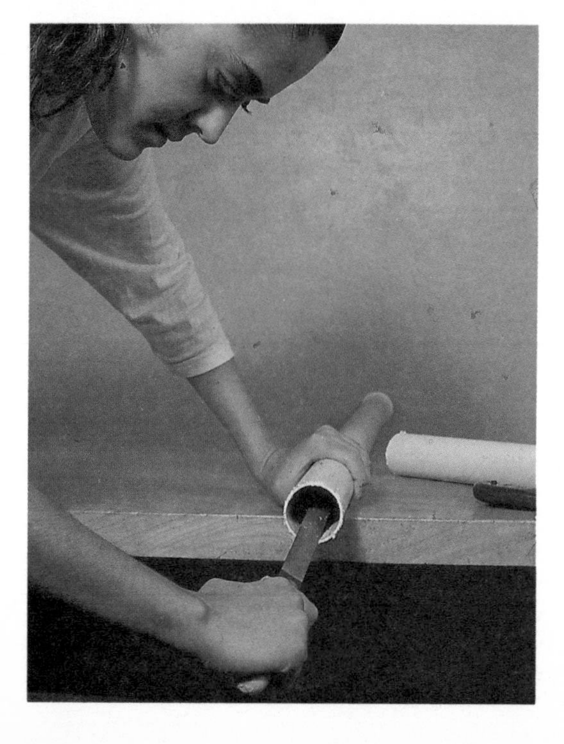

Con una lima se quita el reborde o rebaba que queda en la pared interior.

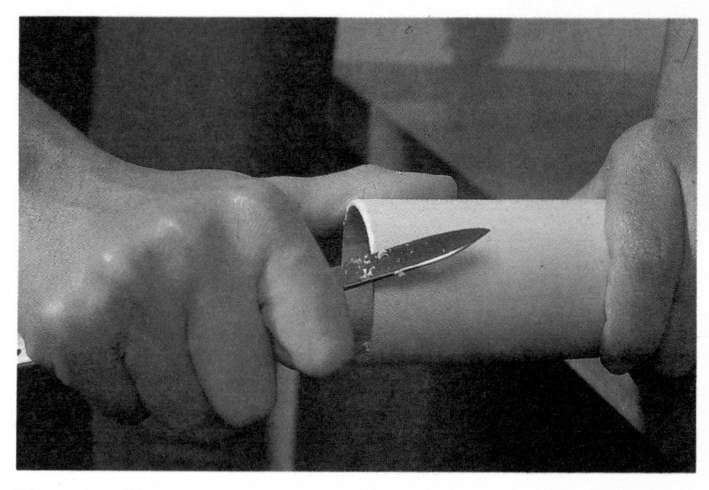

Y enseguida, con una navaja bien afilada, se quitan las rebabas de la pared exterior y se hace un pequeño bisel.

Con un poco de alcohol o gasolina y un trozo de estopa se limpia el extremo que se va a unir con cemento.

También se limpia el interior de la conexión para eliminar la grasa y la humedad.

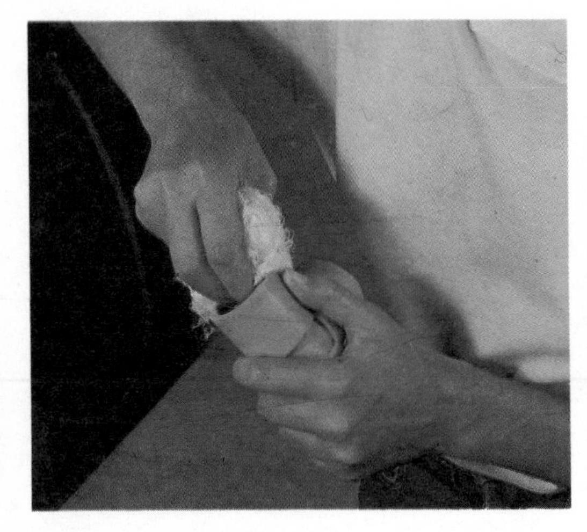

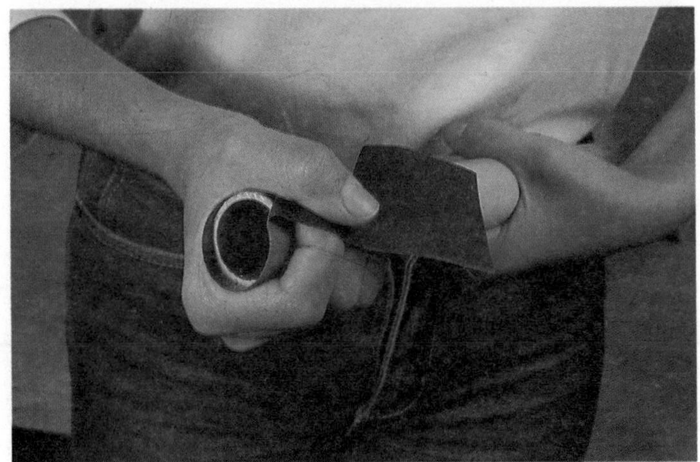

Enseguida, se pule un poco con lija fina para quitar suciedad y abrir pequeños poros en los que agarre mejor el cemento.

Antes de poner cemento coloque la conexión en el tubo, hasta la mitad. Si la punta se siente muy apretada, la junta quedará con poco cemento y no sellará bien. Conviene lijar un poco más el tubo. Si en cambio, queda muy floja, no hará una buena junta. Pruebe con otra conexión y cuando encuentre una que embone correctamente, ajuste la conexión hasta su posición final.
Con un lápiz haga una marca en el lugar preciso para que pueda ser vuelta a colocar en su posición correcta, una vez que haya aplicado el cemento.

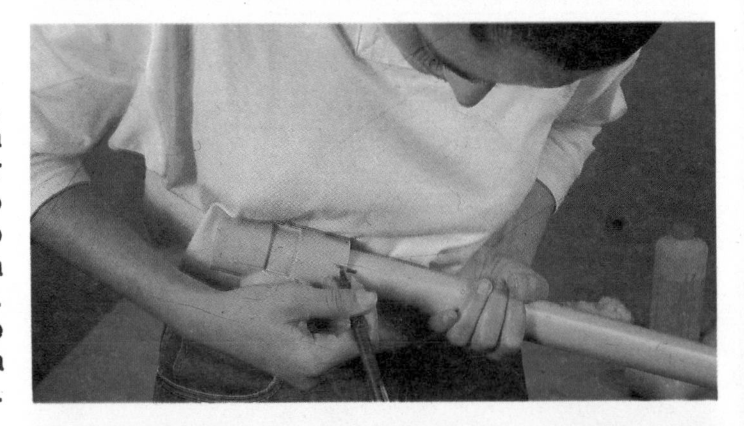

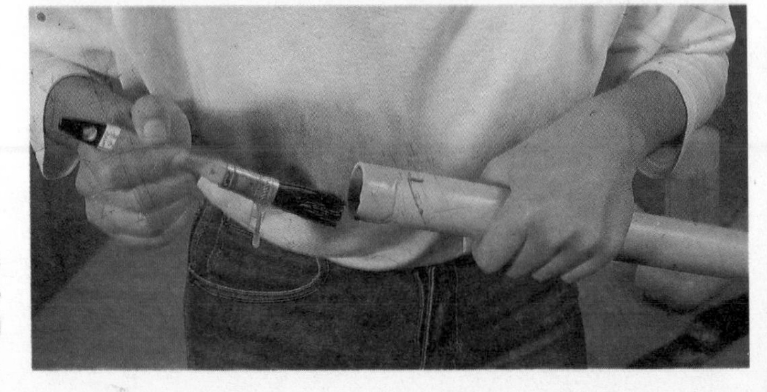

Con una brocha de cerdas naturales ponga cemento para PVC en el exterior del tubo .

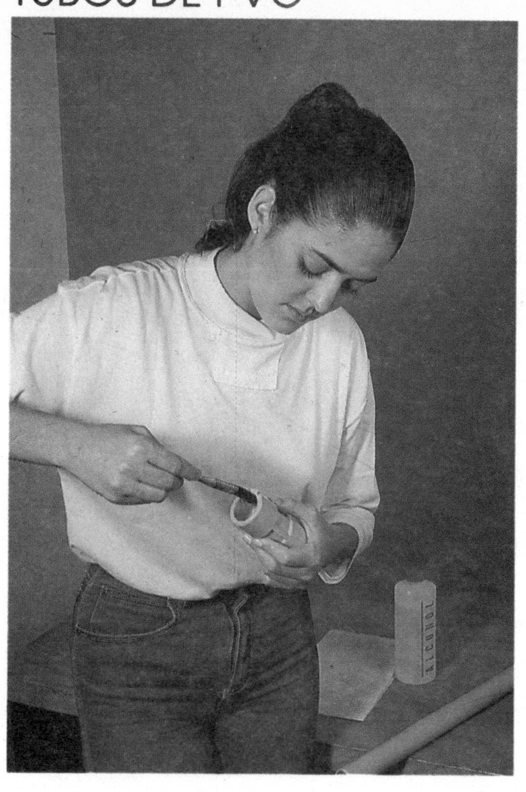

Enseguida, en el interior de la conexión.

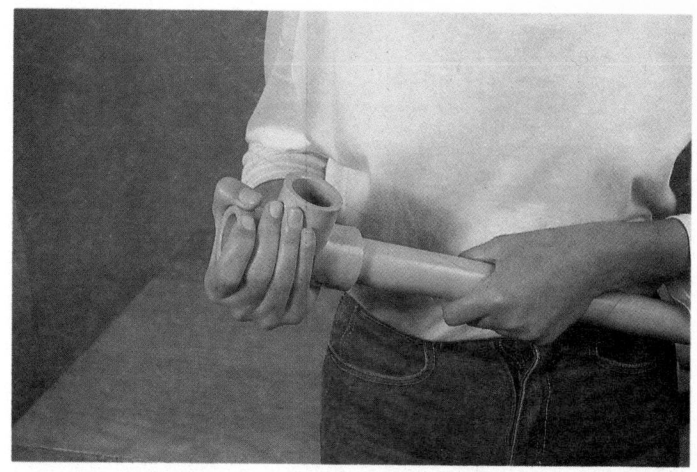

Deslice la conexión en el tubo hasta que tope con el borde interior y gire un poco, hacia un lado y hacia otro, para distribuir mejor el cemento.

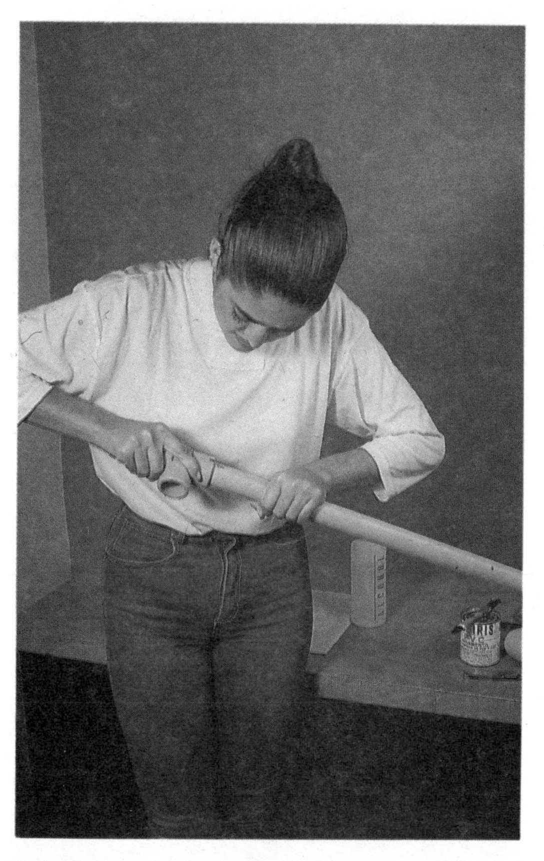

A continuación coloque la pieza exactamente donde hizo la marca.

Desde el momento en que se comienza a poner el cemento, hasta el momento en que se termina de embonar la conexión, no debe transcurrir más de un minuto.

Con un trapo, limpie el exceso de cemento que salga por la junta.

La conexión se deja sin mover por una hora, y después se manipula con cuidado. Sólo después de 8 horas se debe conectar el agua, aunque lo ideal es esperar 24 horas.

Hay unos tubos de PVC que tienen una punta lisa, mientras que la otra tiene una ampliación o boca, llamada campana, mediante la que se une, en juntas de macho y hembra, metiendo el extremo recto de un tubo en la campana del otro.

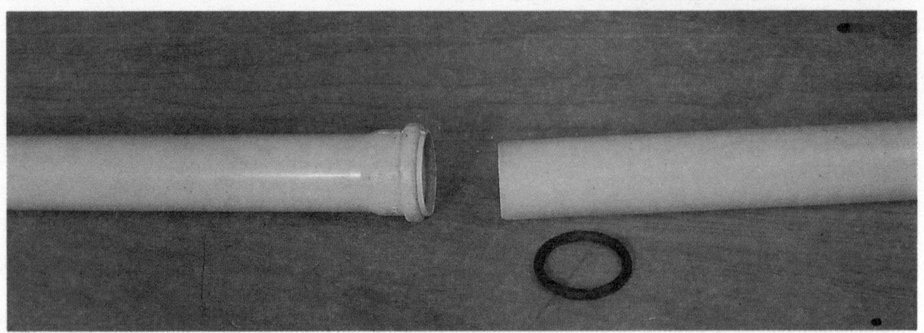

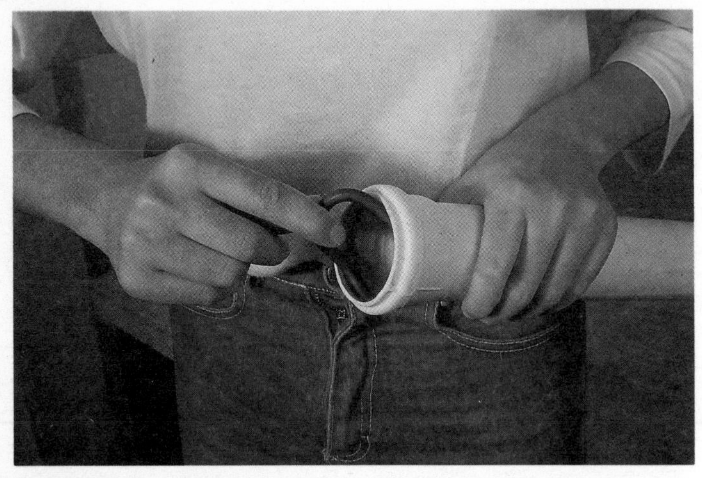

En algunos modelos, los tubos sanitarios e hidráulicos con junta de campana se sellan con unas juntas o rondanas de hule, que se meten en una ranura de la misma campana para cerrar la unión, sin que haya necesidad de cemento.

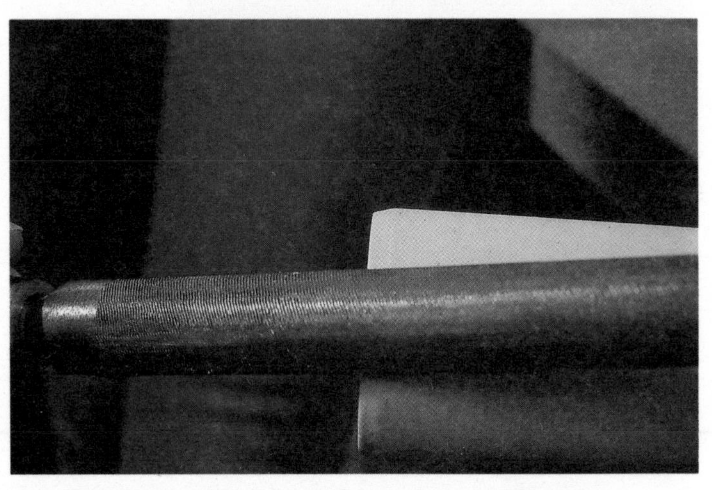

Para meter la espiga del tubo dentro de la campana, primero se bisela el borde exterior con una lima.

Enseguida, se pule el bisel y se quitan las rebabas con una lija fina.

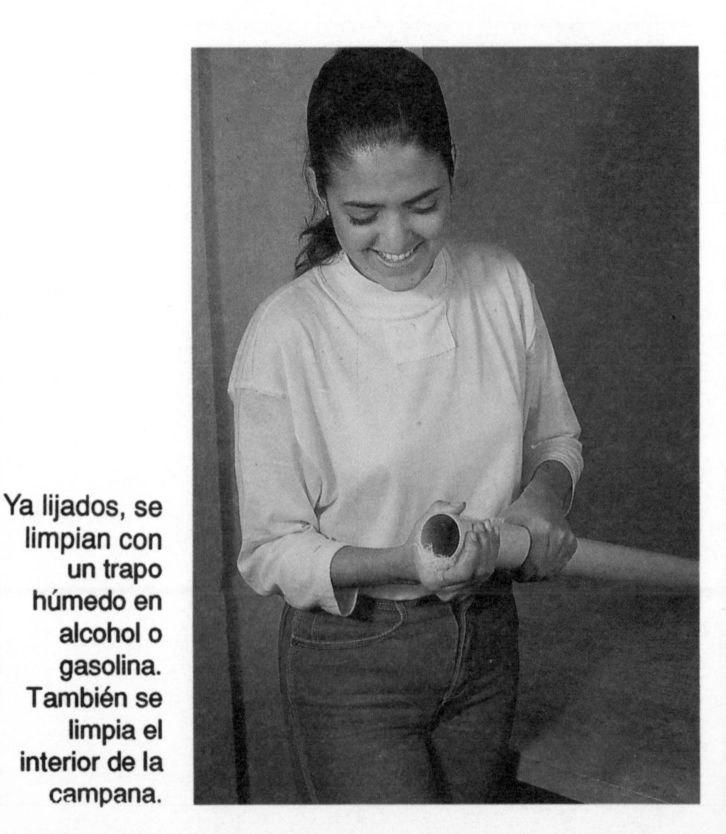

Ya lijados, se limpian con un trapo húmedo en alcohol o gasolina. También se limpia el interior de la campana.

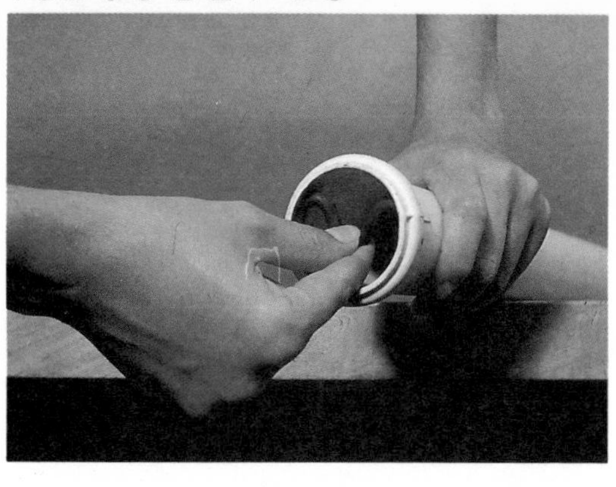

Enseguida se coloca la junta de hule en la ranura de la campana, doblándola un poco.

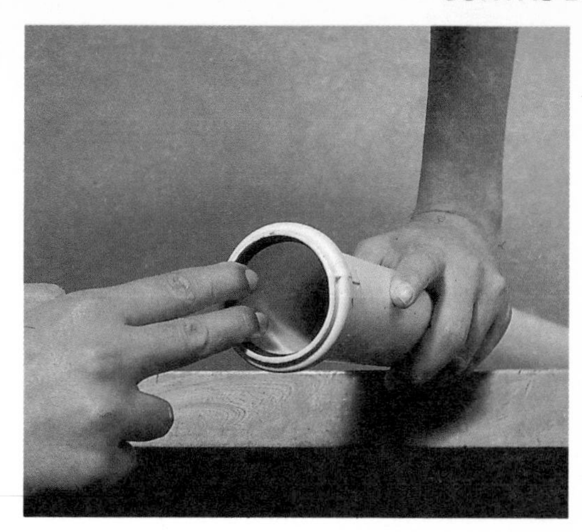

Ya que una parte de la junta entró en la ranura, se suelta la junta.

Y se termina de asentar con los dedos.

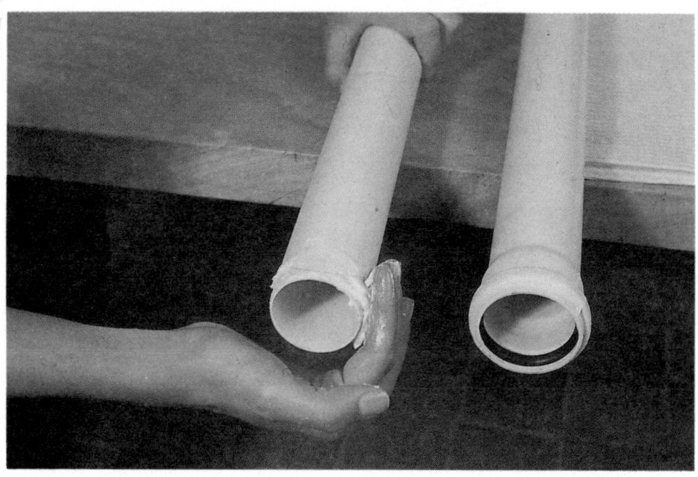

Luego, se embarra manteca de cerdo o manteca vegetal en la espiga o punta del tubo que se va a embonar.

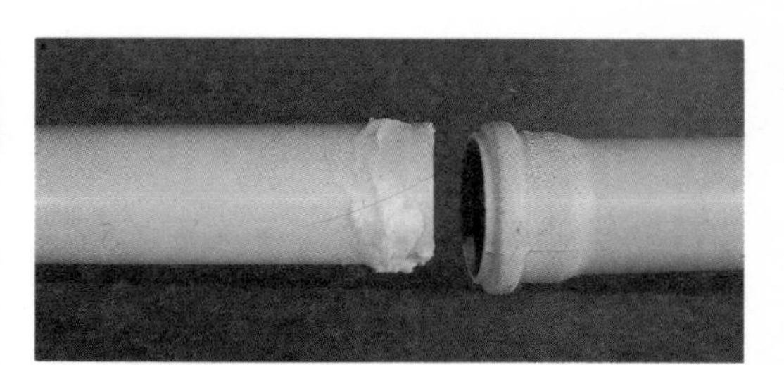

Se introduce la punta de la espiga en la boca de la campana.

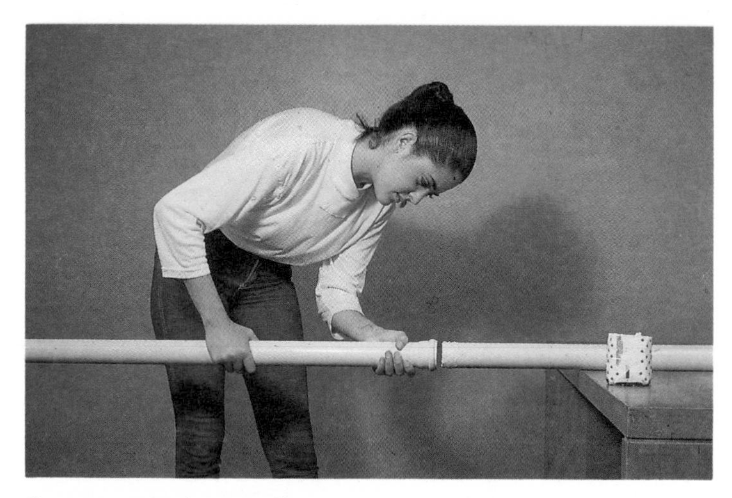

Se toma el tubo con firmeza y se empuja hasta el fondo, a que tope la espiga con el borde de la campana.

Ya que topó se jala hacia atrás, al revés, un centímetro, para que la junta tome su posición correcta.

Este tipo de unión es muy fácil y rápida de hacer, pero requiere una limpieza extrema.

TUBOS DE FIERRO FUNDIDO

TUBOS DE FIERRO FUNDIDO

El tubo de fierro fundido, que es muy durable, se usa sólo en drenajes, ya sea como tubo de bajada y ventilación o en líneas corridas de drenaje.

A pesar de su dureza, el fierro fundido es poco resistente a los golpes. Se puede cuartear con algún golpe al moverlo, de modo que antes de colocarlo conviene revisarlo.

Para revisarlo se golpea suavemente con un martillo. Debe sonar como campana. Si está roto, el sonido saldrá apagado y deberá desecharse el tubo.
Se consiguen en varios diámetros, de 2, 3, 4, 6, 8 y 10 pulgadas, en tramos de 1.60 metros. El diámetro más usado es el de 6 pulgadas.

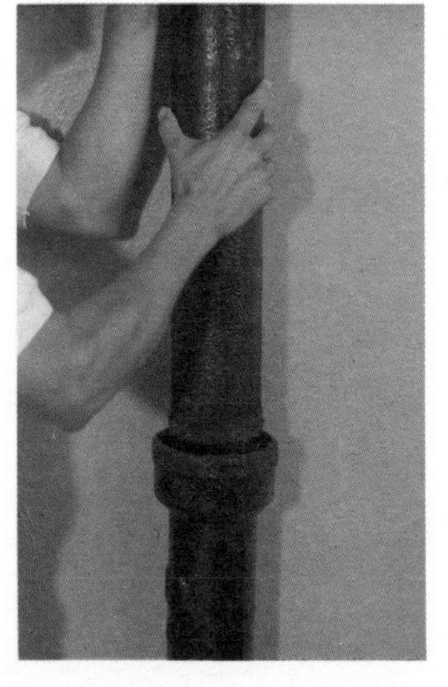

El tubo de fierro fundido tiene un extremo liso y otro con una ampliación o boca, llamada campana, mediante la que se une, en juntas de macho y hembra, metiendo el extremo recto de un tubo, en la campana del otro.

Para hacer la unión, el tubo se mete en línea recta. Cuando el tubo es colocado verticalmente cada pieza se coloca con la campana hacia arriba.

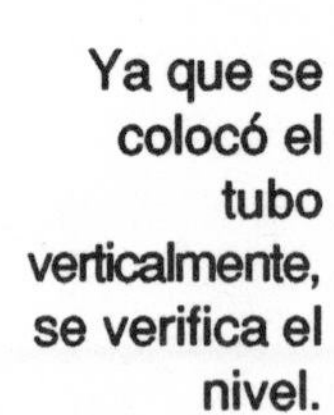

Ya que se colocó el tubo verticalmente, se verifica el nivel.

Luego, la campana se sella con un cordón de estopa alquitranada, que se mete en el hueco que queda entre la campana y el tubo. La estopa alquitranada se vende en rollos, semejando cuerdas.

El relleno de estopa alquitranada debe rodear totalmente el tubo, colocando una vuelta de estopa alrededor de la espiga. Antes de colocarla debe retorcerse bien.

Luego, meta el cordón con pequeños golpes de una espátula calafateadora y un martillo de bola. Comience por una punta del cordel, mientras sostiene el resto con su mano.

El calafate o calafateador, que tiene un extremo plano, muchas veces es una herramienta improvisada en la obra, con un trozo de alambrón de 1/4 de pulgada o una varilla de 3/8 de pulgada.

Continúe metiendo la estopa hasta que termine.

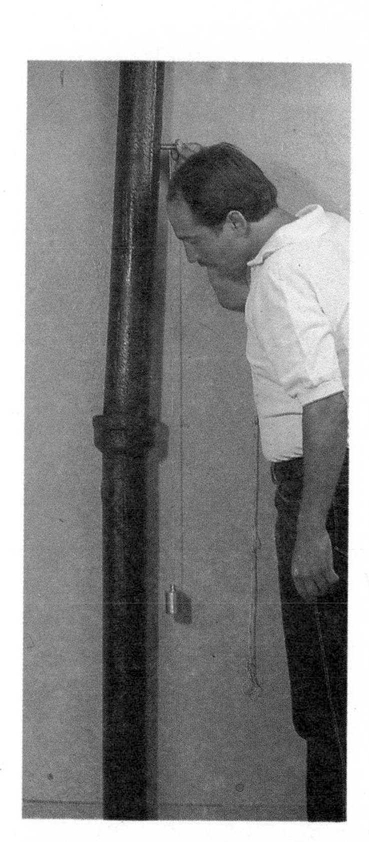

Compruebe la alineación del tubo.

Si no está perfectamente vertical, corrija la junta con el calafateador, moviéndolo alrededor de la junta mientras lo golpea repetidamente con el martillo, para que la estopa quede pareja alrededor del tubo.

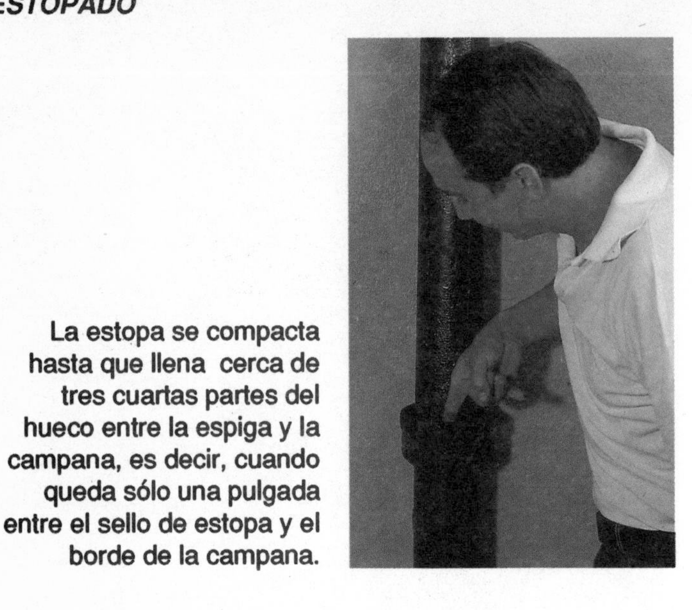

La estopa se compacta hasta que llena cerca de tres cuartas partes del hueco entre la espiga y la campana, es decir, cuando queda sólo una pulgada entre el sello de estopa y el borde de la campana.

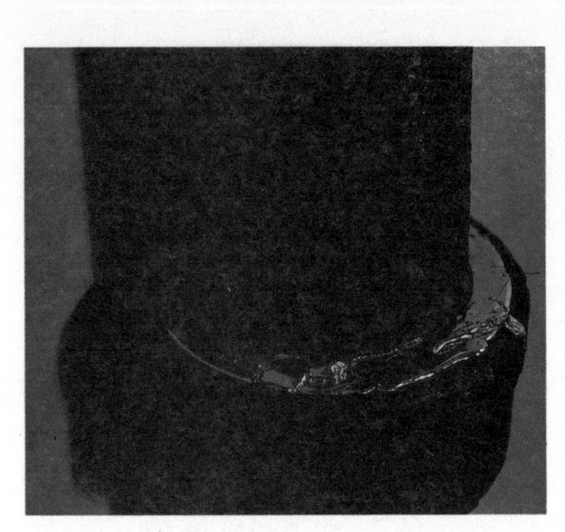

Ese espacio de una pulgada se rellena con plomo.

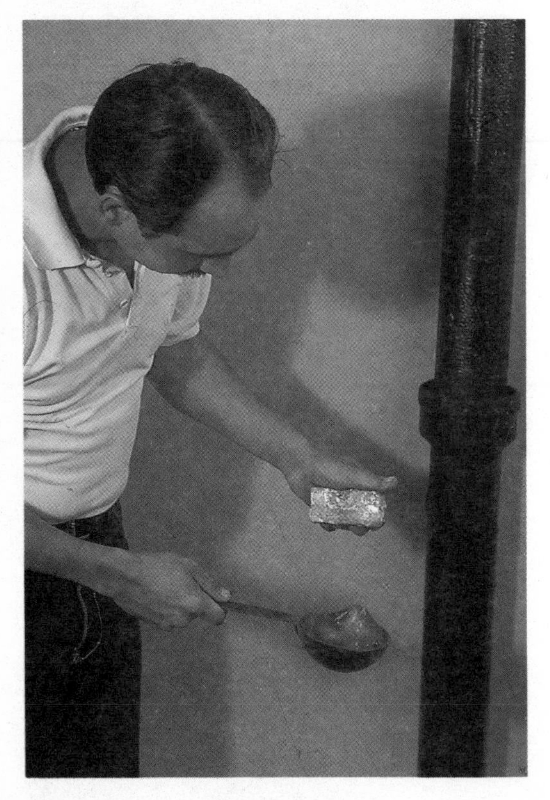

Se necesita medio kilo de plomo para cada pulgada de relleno. Se debe preparar suficiente plomo derretido para poder llenar una junta, de una sola vez.

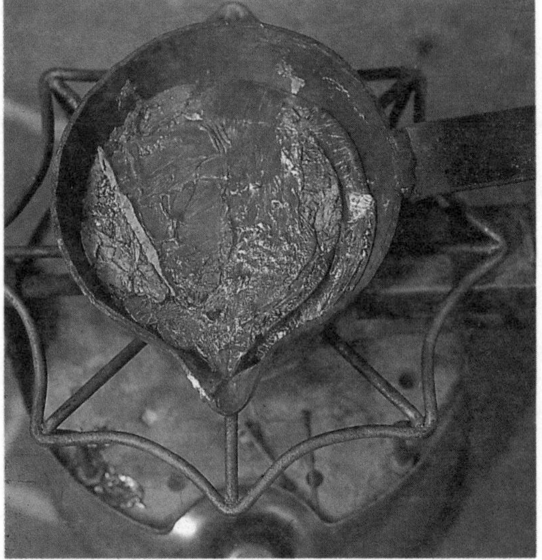

Caliente la soldadura hasta que se funda el plomo en un crisol, o directamente, en la cuchara vaciadora. Se puede calentar con un soplete o con una pequeña estufa de gasolina.

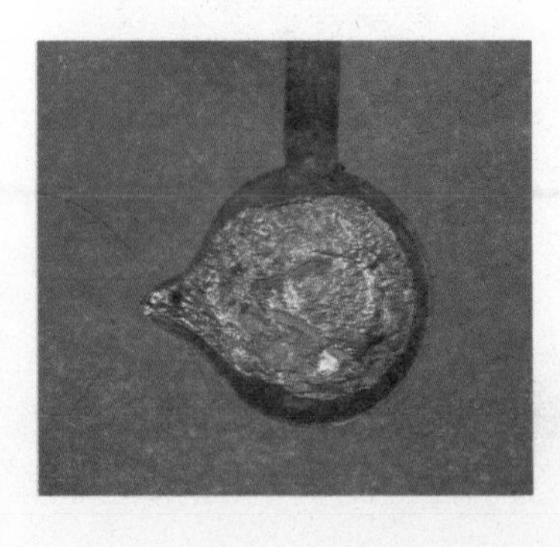

La cuchara o cucharón es de hierro fundido con uno o dos picos vertedores por los que sale el plomo.

Con unos guantes tome la cuchara vaciadora y vacíe el plomo fundido alrededor de la junta, hasta que quede parejo el borde.

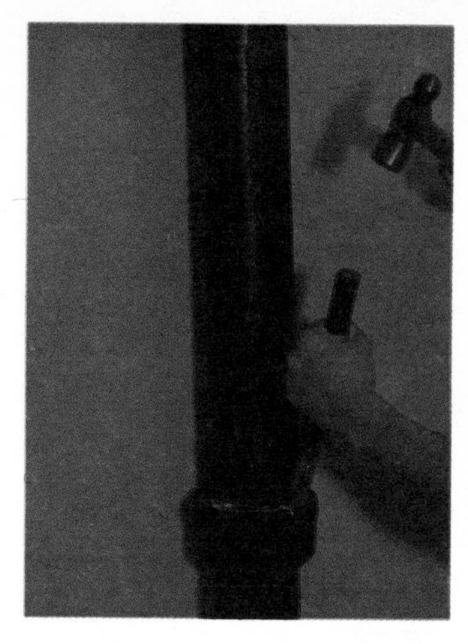

Mientras el plomo se enfría se debe compactar o comprimir para sacar el aire, utilizando un cincel y un martillo.

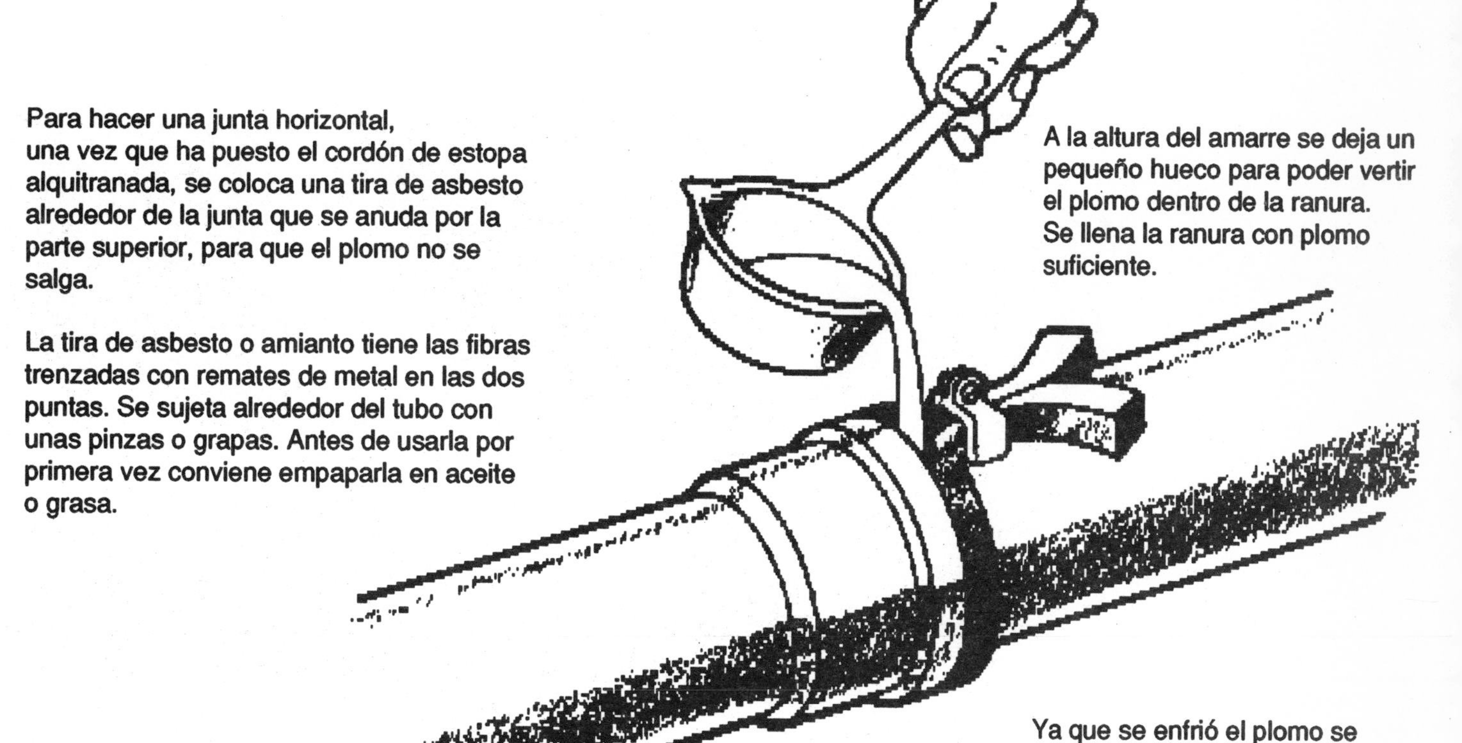

Para hacer una junta horizontal, una vez que ha puesto el cordón de estopa alquitranada, se coloca una tira de asbesto alrededor de la junta que se anuda por la parte superior, para que el plomo no se salga.

La tira de asbesto o amianto tiene las fibras trenzadas con remates de metal en las dos puntas. Se sujeta alrededor del tubo con unas pinzas o grapas. Antes de usarla por primera vez conviene empaparla en aceite o grasa.

A la altura del amarre se deja un pequeño hueco para poder vertir el plomo dentro de la ranura. Se llena la ranura con plomo suficiente.

Ya que se enfrió el plomo se quita la tira de asbesto y se quita también el plomo sobrante que haya quedado abajo.

Para cortar el tubo marque el lugar a donde quiere hacer el corte, ayudándose de un cartón y un lápiz.

Luego, se marca el corte con una pequeña muesca o ranura alrededor del tubo, que se hace con segueta.

Coloque la parte del tubo que va a cortar sobre una pequeña cama o base de arena o sobre pasto.

Apoye el filo del cincel contra la marca del tubo y golpee el cincel con el martillo.

Recorra el cincel, girando el tubo y golpeando, hasta que se separen las dos partes.

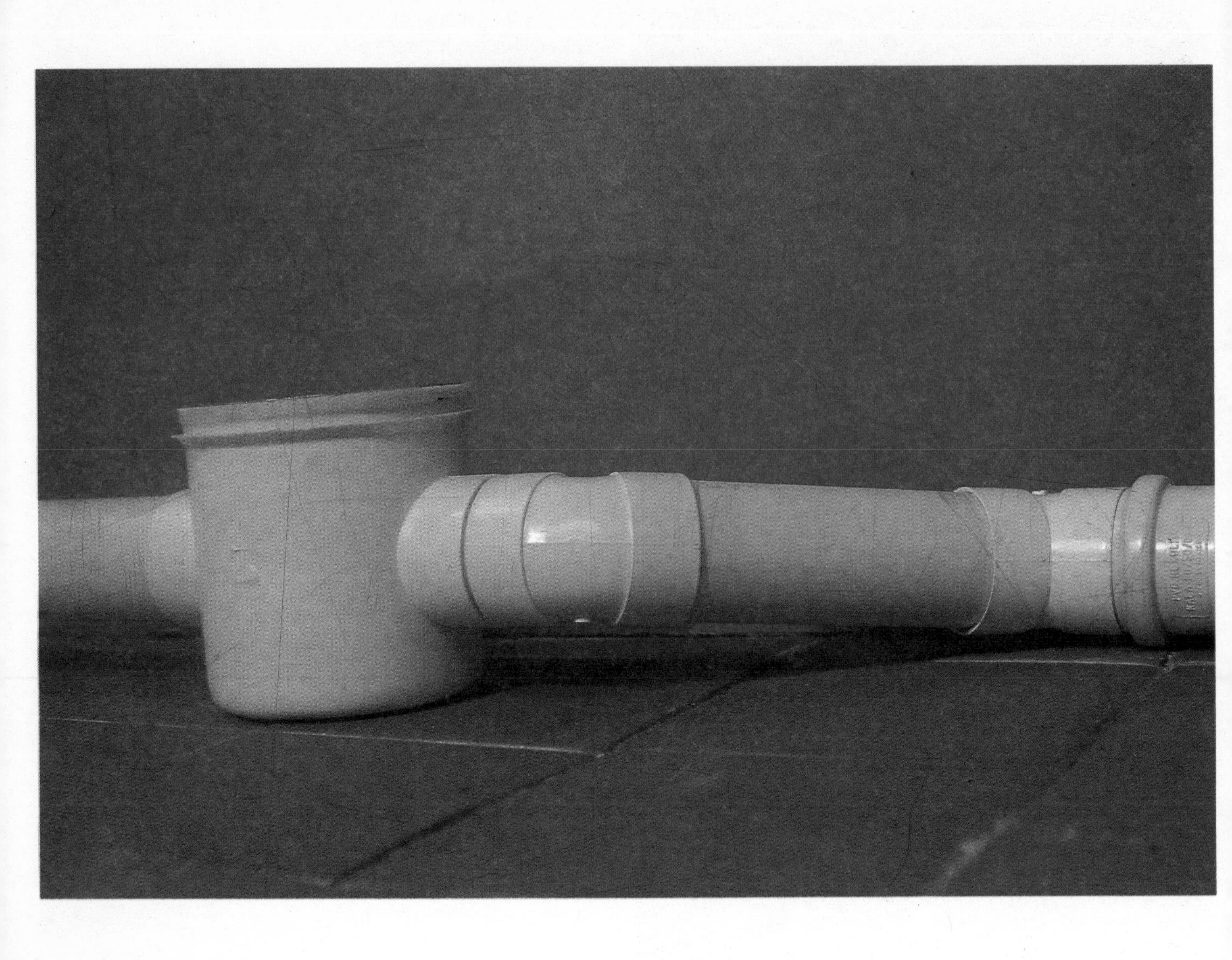

Las instalaciones de agua y drenaje se hacen a partir de un plano en que se indican, de una manera clara y suficiente, las características de la instalación, para que un plomero pueda hacerla.

El plomero deberá estudiar y analizar muy cuidadosamente el plano, y después seguir los pasos que más adelante se indican.

INSTALACIÓN DE DRENAJE

Los planos se dibujan muy detallados, con una simbología común, para que todos los plomeros y constructores la entiendan.

SIMBOLOGÍA

Alimentación general de agua fría de la toma a los tinacos y cisternas.

Tubería de agua fría.

Tubería de agua caliente.

G G

Tubería de gas.

Punta de tubería con tapón hembra.

Punta de tubería con tapón macho.

Desagües individuales de muebles.

Desagües de tubo de fierro fundido.

Tubería de albañal de cemento.

Además de los símbolos se usan algunas claves o iniciales.

A	Ramal de drenaje
AL	Alimentación
BAN	Bajada de aguas negras
BAP	Bajada de aguas pluviales
CA	Cámara de aire
CC	Coladera con céspol
CDV	Columna de ventilación
D	Desagüe individual
SAC	Subida de agua caliente
BAC	Bajada de agua caliente
SAF	Subida de agua fría
BAF	Bajada de agua fría
RDR	Red de riego
TM	Toma municipal
TR	Tapón de registro
TV	Tubería de ventilación
FoFo	Tubería de fierro fundido
fofo	Tubería de fierro galvanizado
PVC	Tubería de plástico
Co	Tubería de cobre

PLANOS

Los planos pueden indicar la colocación de los tubos en planta, es decir, las redes de tubería vistas desde arriba.

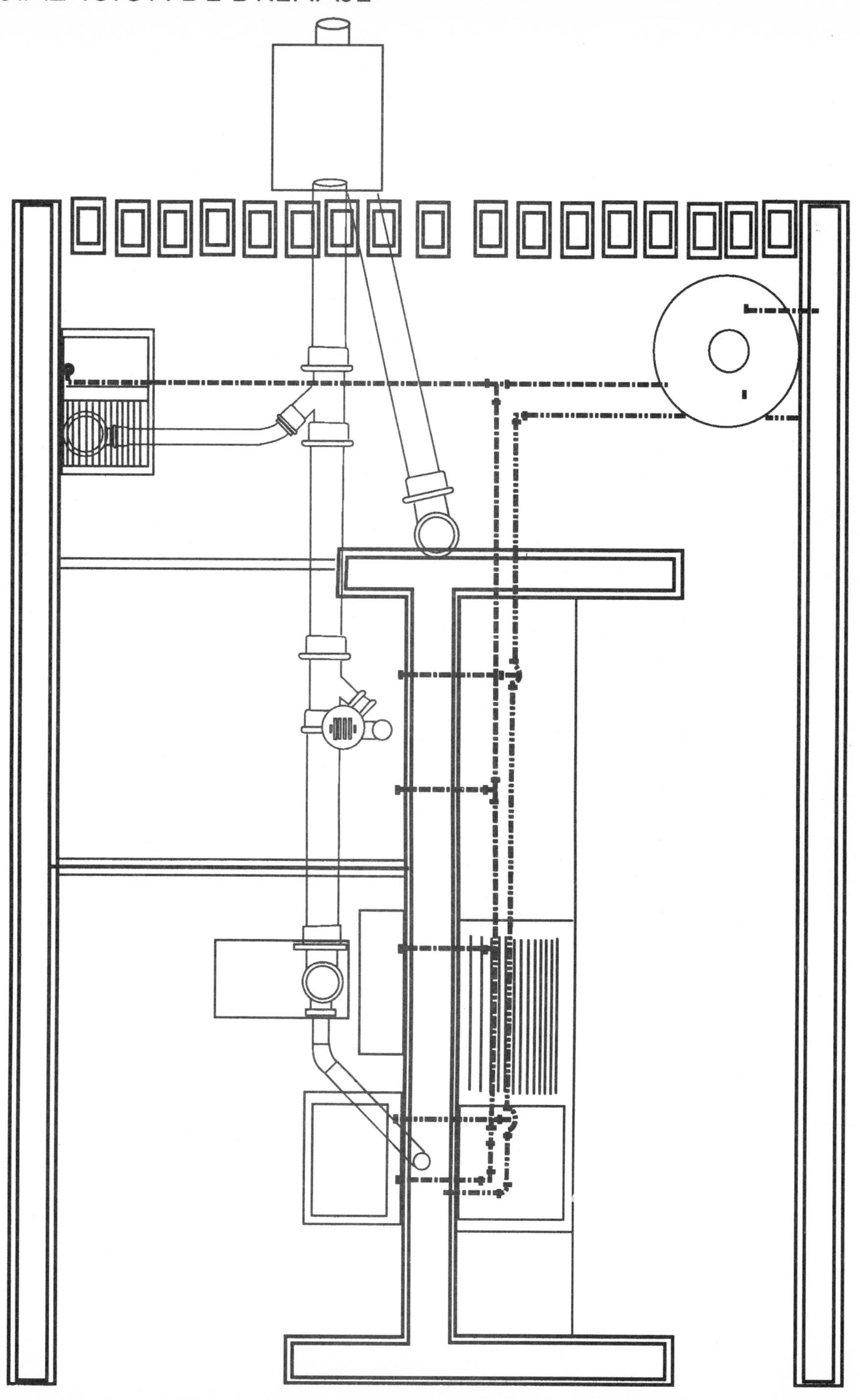

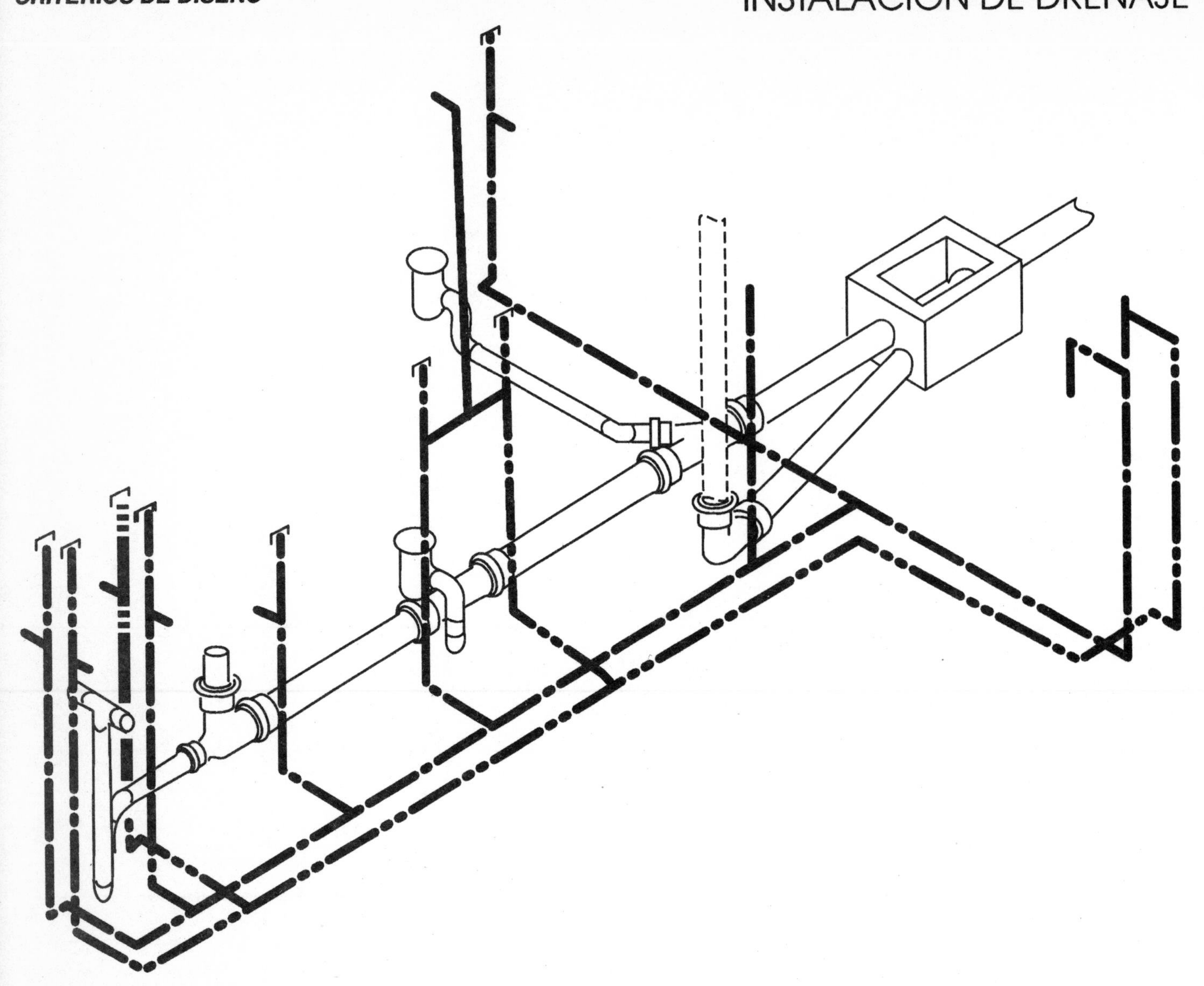

O bien, los planos pueden estar dibujados en una representación llamada isométrica.

También puede ocurrir que no haya planos y que usted deba hacer el diseño de la instalación.

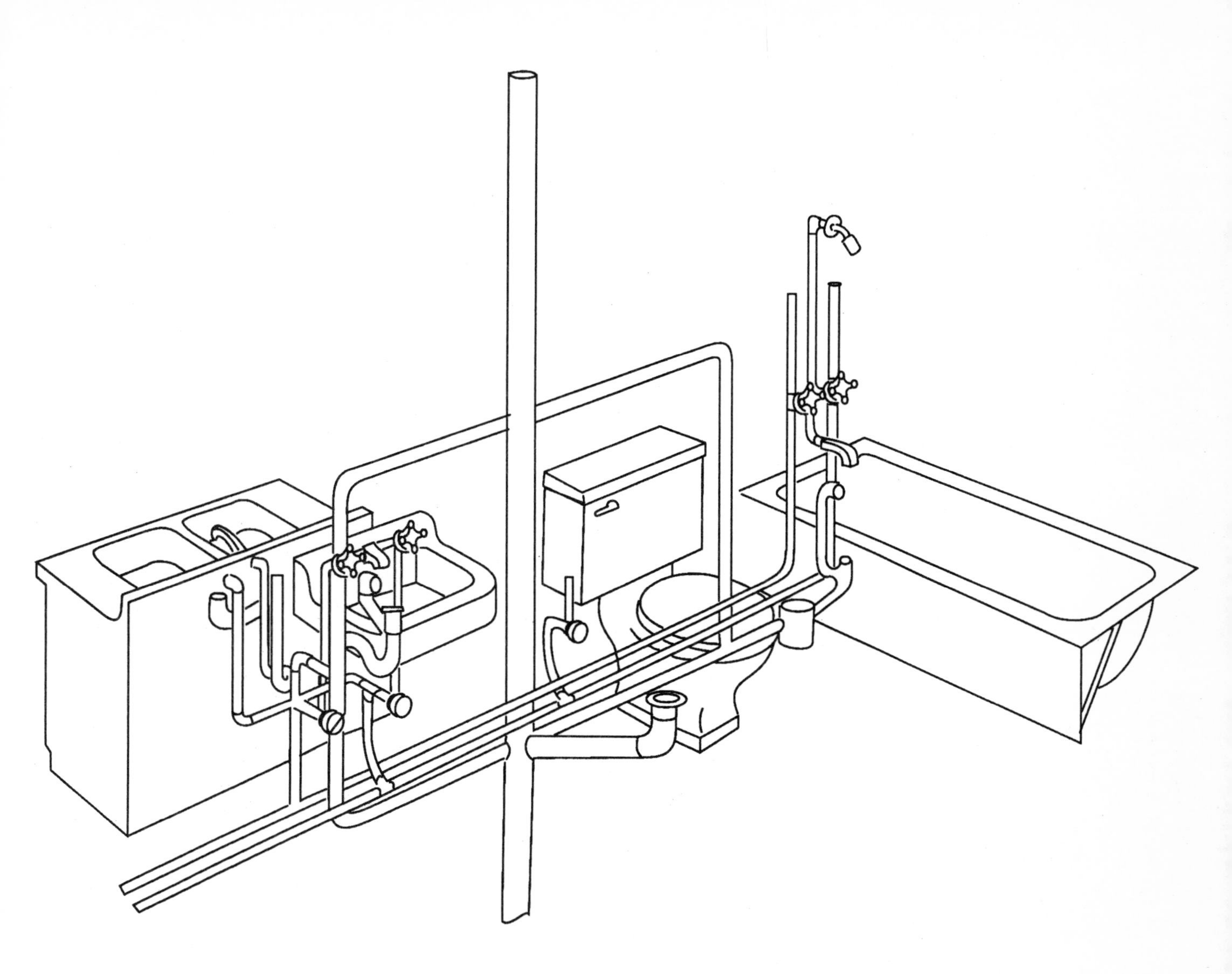

Al hacer su diseño, coloque los muebles sanitarios en agrupamientos compactos, para que los tubos no recorran distancias grandes, sino al contrario, hagan el menor recorrido en la forma más directa, sin demasiados quiebres.

Los muebles localizados espalda con espalda, en lados opuestos de una pared, ahorrarán trabajo y gastos de tubería.

La localización de todos los muebles de baño sobre una misma pared también ahorrarán tubo y trabajo.

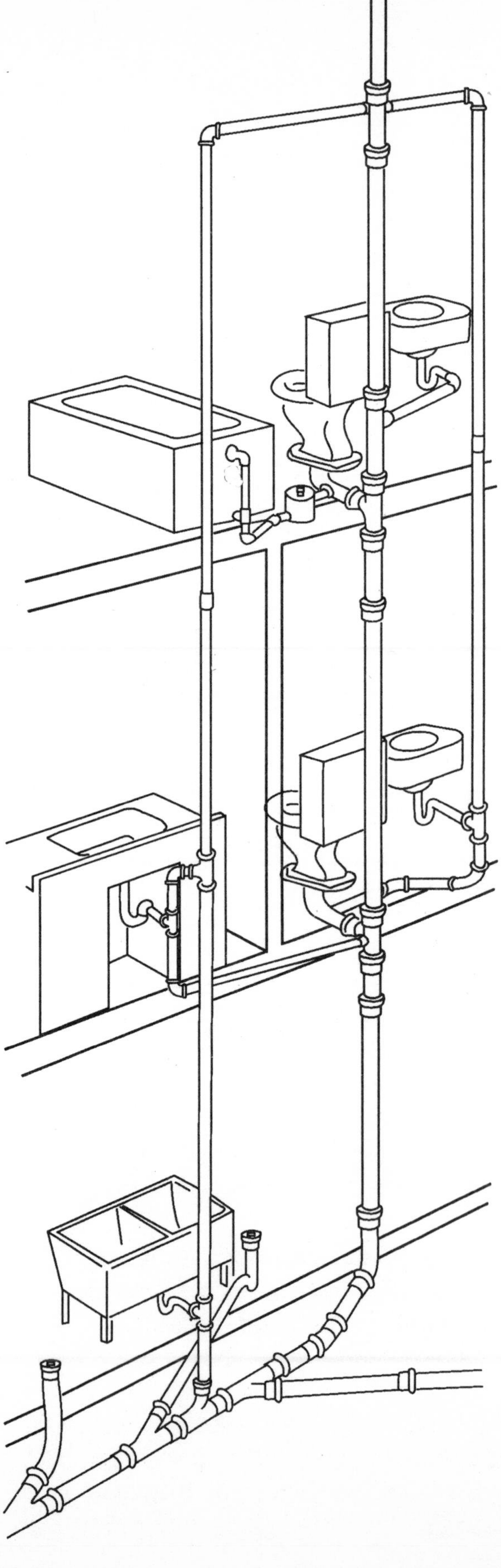

Si la instalación es para varios pisos, alinee verticalmente los servicios de agua y drenaje, de modo que las instalaciones queden una arriba de la otra, compartiendo la misma bajada del drenaje.

El arreglo de los muebles en una línea continua, dentro de una casa de un piso, también significa un ahorro.

En las casas de mampostería, que son las más comunes en nuestro medio, las instalaciones de agua y drenaje corren ocultas dentro de los pisos y muros. Se colocan en tres etapas diferentes de la construcción.

Los drenajes del piso se colocan casi al iniciar la construcción, luego de que se han terminado los cimientos y antes de que se coloque la base del piso o firme.

Las tuberías de agua y la parte de los drenajes que corren por la pared, se ponen al final de la obra negra, cuando ya se han hecho todos los muros y techos, pero faltan los acabados.

Por último, los muebles se instalan después de que se han terminado los acabados, sobre los pisos y muros definitivos.

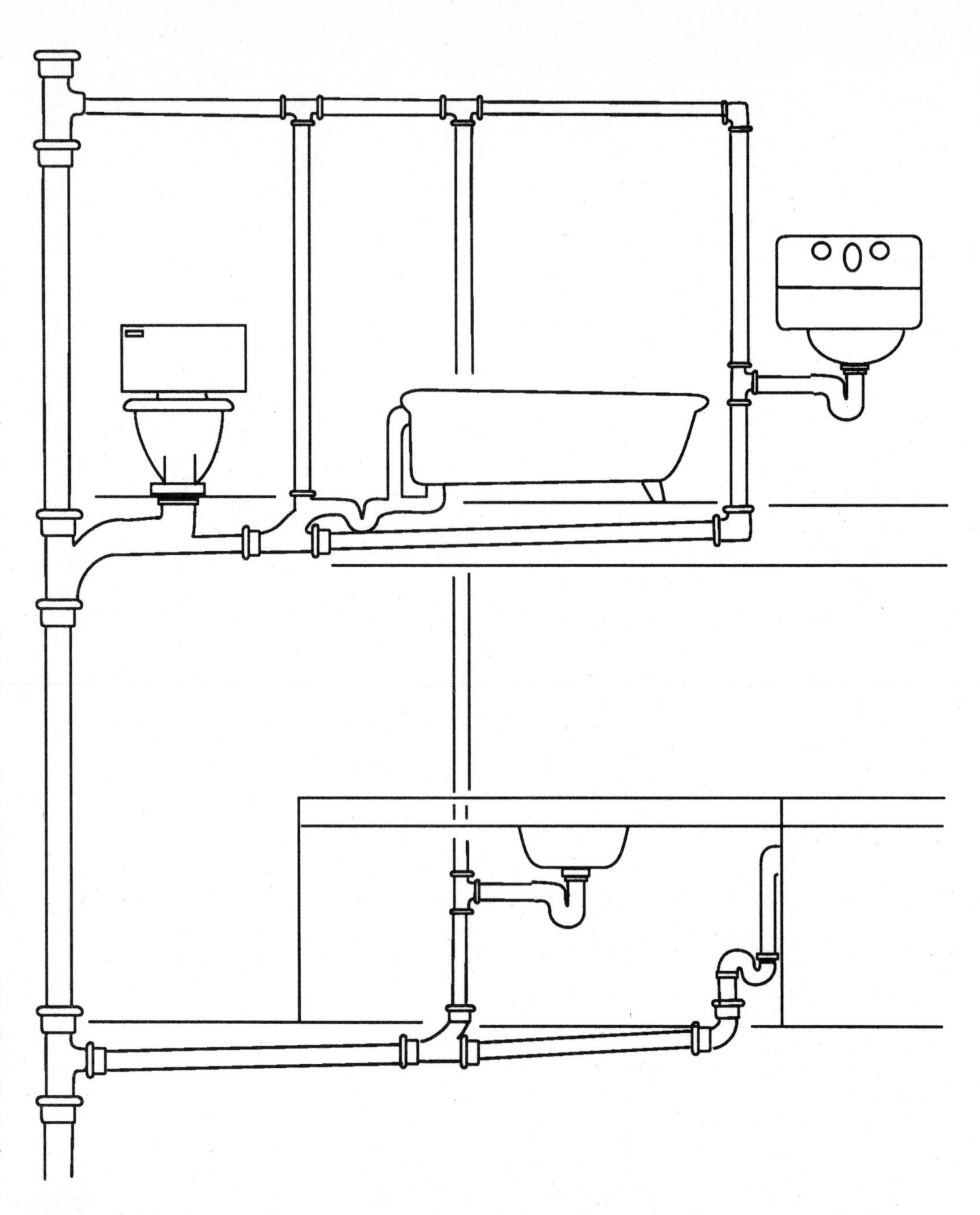

La instalación de un sistema de drenaje para una casa es bastante simple, pero debe ser diseñado siguiendo los principios desarrollados durante siglos, por incontables generaciones de plomeros. No obstante su simpleza, el diseño del sistema de drenaje es más difícil que el del agua.

El sistema de drenaje consiste en los tubos de drenaje, las trampas y las ventilaciones.

El drenaje de una casa comienza en el sitio donde está el mueble sanitario más alejado y termina en el sitio en el que se conecta con el drenaje municipal.

Desde cada mueble, hasta su conexión con el drenaje municipal, los tubos deben tener una pendiente continua del 2%, es decir, que a cada metro deben estar dos centímetros más abajo.

Atrás de los excusados o lo más cerca posible de ellos, se pone un tubo de ventilación, que es un tubo vertical recto, de 10 a 15 cm de diámetro, que va desde el nivel del drenaje, hasta un mínimo de 30 cm arriba del techo de la casa.

La punta superior de ese tubo debe ir abierta para que por allí salgan los gases del drenaje.

Cuando la casa es de varios pisos, ese tubo lo comparten los excusados de los demás pisos, que se colocan alineados verticalmente.

Cuando hay dos excusados en el mismo piso o planta, se requiere una segunda ventilación.

Ese tubo vertical de drenaje y ventilación se conoce como bajada principal o drenaje principal y es en el que se reúnen y van a parar todos los drenajes interiores de una casa.

El tubo de bajada puede ir por la parte interior de los muros, en medio de los muros o por el exterior de la casa.

Además, de esta bajada principal parten los drenajes exteriores rumbo al drenaje municipal.

En el sitio en que la bajada principal se une al drenaje exterior de la casa, se debe poner un registro.

Una vez que se ha ubicado el tubo de bajada, todas las demás líneas de drenaje se deben unir a él, con la pendiente correcta, que es del 2%, o sea, 2 cm más abajo, a cada metro.

El drenaje exterior, que corre por un lado de la casa, generalmente se hace con tubos de concreto unidos con mezcla, por lo que son más bien tarea del albañil que del plomero, al igual que los registros de mampostería que a cada cinco metros debe llevar el drenaje exterior.

Siempre que exista una red de drenaje municipal hay obligación de conectar allí el drenaje de la casa. Cuando no hay drenaje municipal se debe descargar en una fosa séptica. El drenaje exterior, su conexión al drenaje municipal y la construcción de la fosa séptica, son trabajos de albañilería.

En el interior de las casas, parte de las líneas o ramales del drenaje corren bajo el piso y se deben colocar en la obra antes de que se ponga el firme o base para el acabado final del piso.

Cuando se construye un baño en un segundo piso se debe tener en cuenta el espacio necesario para hacer las instalaciones bajo el piso. En esos casos se levanta el piso unos 20 cm, rellenando después la losa del baño, o para el baño se construye una losa 20 cm más abajo que las losas de los demás cuartos y luego se rellena.

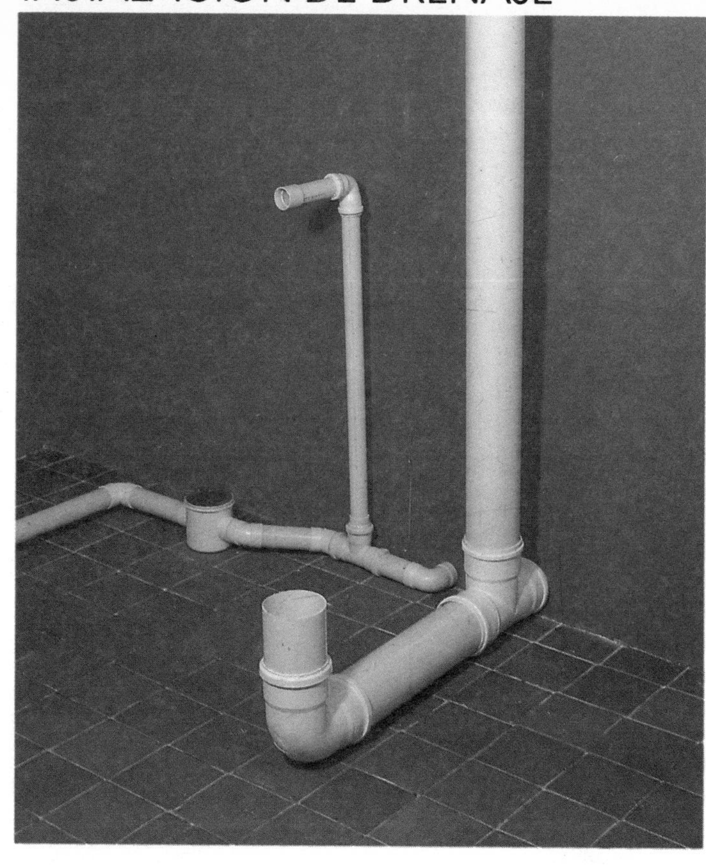

Las líneas o ramales del drenaje deben comenzar en la pared o en el piso, precisamente en el sitio donde deben hacerse las conexiones a los muebles sanitarios, y deben terminar en el punto en que se unen al drenaje o bajada principal, siempre con una pendiente del 2%.

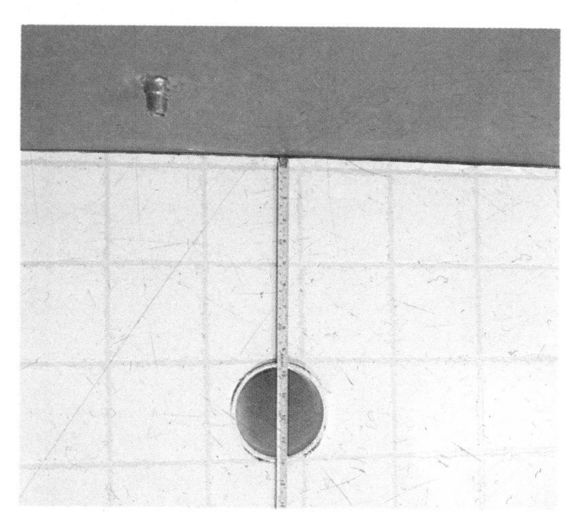

El tubo de desagüe del excusado deberá quedar a 35 cm del muro de atrás del mueble, para que con el recubrimiento de la pared quede justamente 30 cm libres y a por lo menos 40 cm del muro de al lado.

Para un excusado, el tubo de drenaje debe ser de 4 pulgadas, es decir, 10.2 cm.

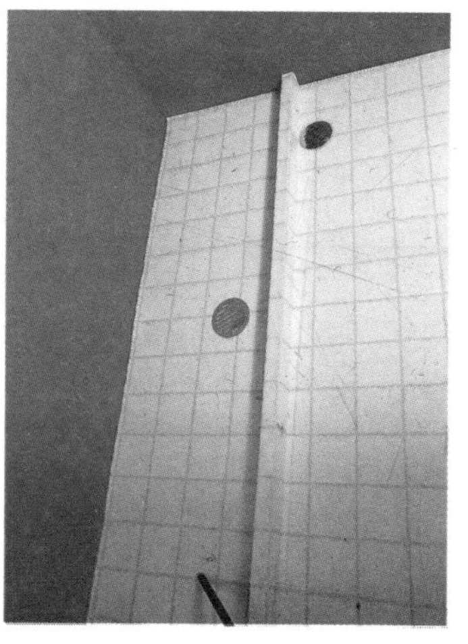

El tubo de desagüe de la regadera debe quedar por lo menos a 40 cm de las paredes y terminar en una coladera con trampa de tambor que quede al ras del piso terminado.

Para una regadera, el tubo de drenaje debe ser de 2 pulgadas, o sea 5.1 cm.

El tubo de drenaje del lavabo debe quedar sobre el muro, a 50 cm del piso, con una punta que sobresalga 2.5 cm de la pared terminada, es decir, que al colocar el tubo en la ranura se debe dejar una punta de 6.5 cm de largo.

Para un lavabo, el tubo de drenaje debe ser de 1 1/4 pulgadas, o sea 3.2 cm.

INSTALACIÓN DE DRENAJE

Las salidas del drenaje para el lavabo y la tarja deben terminar en una rosca macho. Para el lavabo la rosca debe ser de 1 1/2 pulgadas. Para la tarja, de 2 pulgadas.

Para un drenaje de piso, el tubo debe ser de 2 pulgadas, o sea 5.1 cm.

Ésos son los diámetros adecuados para que el agua de desecho escurra a buena velocidad, llenando los tubos a un tercio de su capacidad.

No se deben emplear tubos más grandes, ni más chicos. Un tubo menor tenderá a taparse; uno mayor, a disminuir la velocidad de la descarga y, al final, también a taparse.

Si el tubo es de cobre o de PVC, la rosca que remata se logra con un adaptador.

Cada tubo debe salir o partir de una trampa o sello de agua. Esa trampa o "céspol" puede estar dentro del propio mueble, como en el caso del excusado.

O puede estar conectada después del mueble, como en el lavabo, la tarja o la regadera.

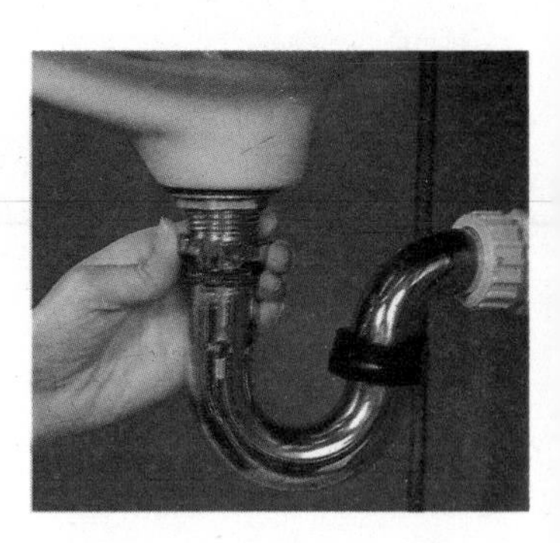

Hay dos clases de trampas, las autoventiladas y las no ventiladas.

Las trampas de tambor se deben poner siempre en sitios accesibles, donde su tapa pueda quitarse fácilmente.

Las autoventiladas son como la trampa de tambor, que no requieren tubo especial de ventilación, pero necesitan limpiarse periódicamente.
Las trampas o "céspoles" de tambor son instalados donde las trampas ordinarias son imprácticas o imposibles de colocar, como en las regaderas, tinas y coladeras de piso.

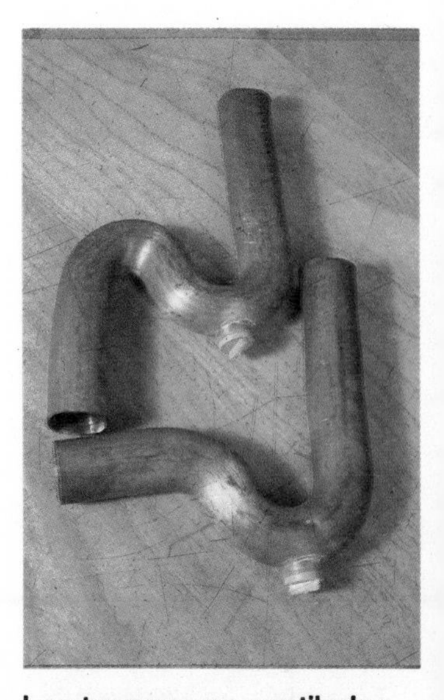

Las trampas no ventiladas son las que van abajo de los lavabos y tienen forma de "S" o "P".

Cuando el drenaje de dos o más muebles se une, el ramal por el que las aguas corran deberá ser más grande, generalmente del diámetro inmediatamente superior.

Cada tubo que se agregue a un ramal deberá producir un ensanchamiento del tubo del ramal al diámetro siguiente. Por ejemplo, si el ramal es de 1-1/2 pulgadas, deberá aumentarse a 2 pulgadas. Si es de 2 pulgadas, deberá aumentarse a 2-1/2 pulgadas.

El lugar en que el tubo de un mueble descarga en un ramal es siempre un problema, porque se acumula grasa que, con el tiempo, puede convertirse en un tapón. Por eso, se acostumbra poner un registro o una coladera de registro en las uniones de un tubo con otro.

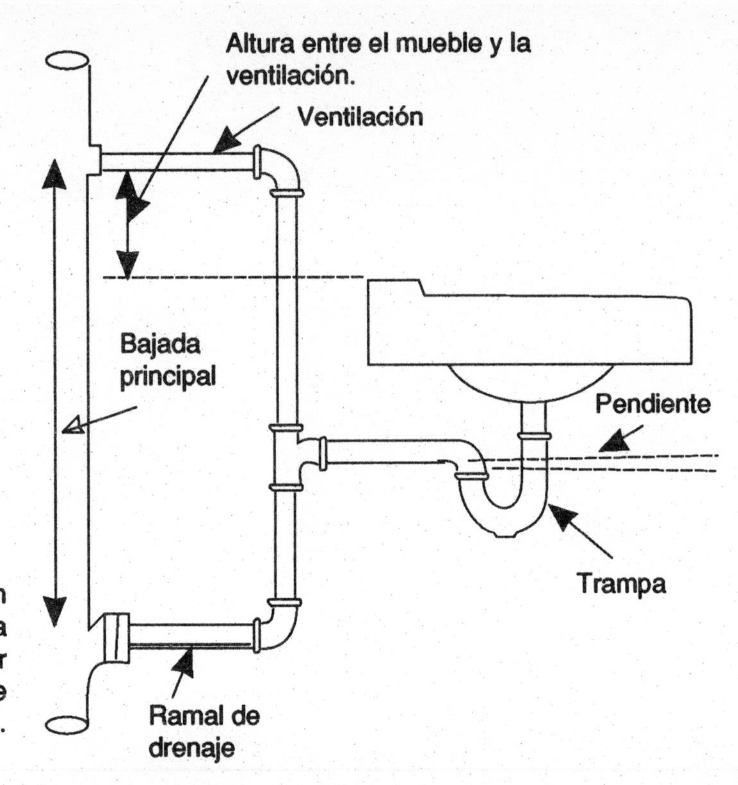

Cuando los muebles sanitarios no están muy cerca del tubo de ventilación o bajada principal, hay necesidad de instalar ventilaciones secundarias en los tubos de sus drenajes.

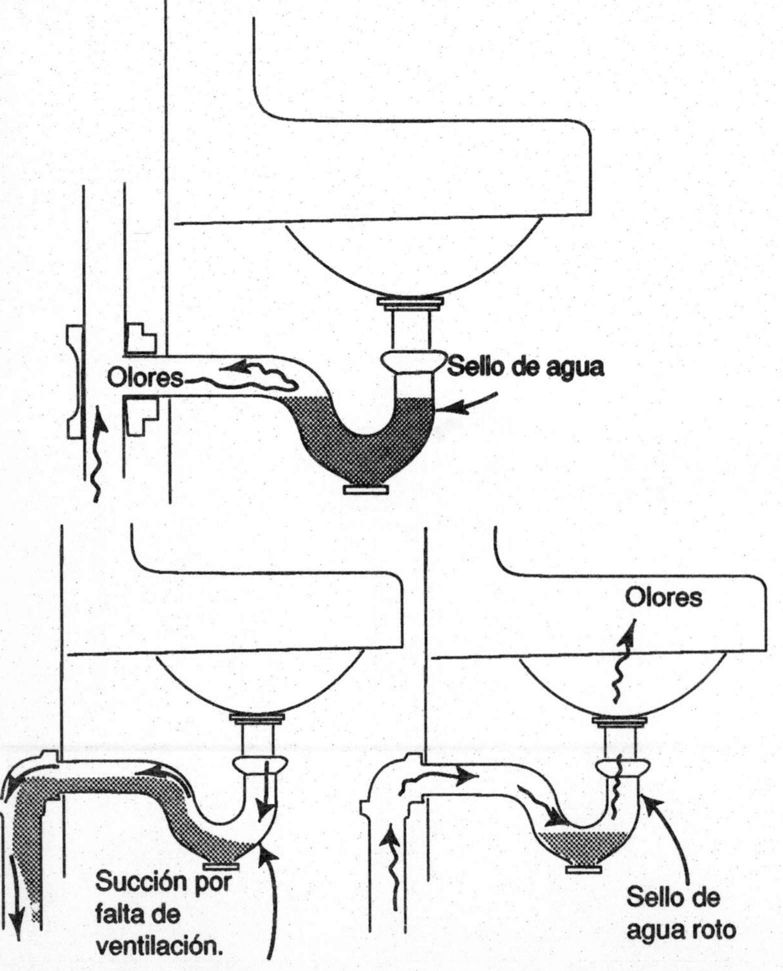

El gas del drenaje es una sustancia extraña, ligeramente venenosa, ligeramente explosiva y muy apestosa. Por eso, es importante que no entre a la casa, de allí que en cada mueble con drenaje haya una trampa.

Pero si el tubo de drenaje no está bien ventilado puede ocurrir que los sellos de agua de las trampas sean succionados, aspirados o chupados, al haber una descarga en otros muebles, como al vaciar el excusado en una casa de varios pisos.

Eso es menos probable en casas de un piso, pues la succión al descargar un mueble es menor.

Si se pierde el sello de agua, aunque sea por un momento, los gases del drenaje entrarían libremente a la casa.

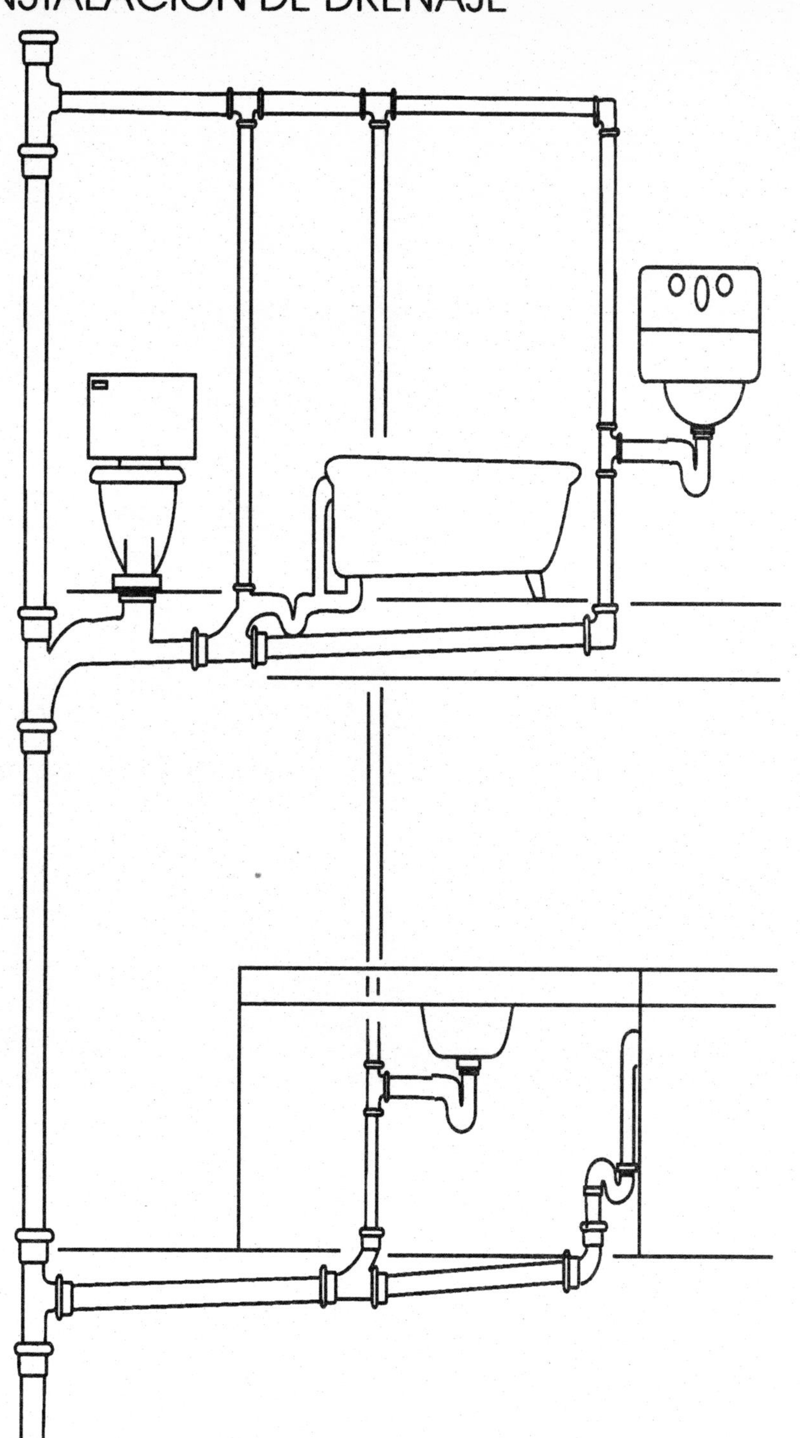

La distancia a la bajada o ventilación principal, a partir de la cual un mueble necesita la ventilación secundaria, depende del diámetro del tubo de drenaje del mueble y se conoce como distancia crítica.

La distancia crítica es de 48 diámetros del tubo, es decir, si un tubo tiene 2 pulgadas, o sea 5.1 cm, la distancia crítica sería 5.1 x 48, lo que es igual a 2.45 m. Si en cambio, el tubo es de 1 1/2 pulgadas, o sea 3.8 cm, entonces la distancia crítica será de 1.82 m.

Es decir, si al mueble con el drenaje de 2 pulgadas la ventilación principal le queda a más de 2.45 m, será necesario ponerle una ventilación secundaria.

Y si el mueble con el drenaje de 1 1/2 pulgadas de diámetro está más allá de 1.82 cm de la ventilación principal, también habrá que ponerle una ventilación secundaria.

La ventilación secundaria consiste en un tubo de ventilación que va desde el drenaje del mueble, hasta la ventilación principal.

El tubo de ventilación secundaria debe estar conectado a la ventilación principal por lo menos 15 cm arriba del nivel de inundación del mueble más alto que esté conectado a esa bajada principal o tubo de ventilación principal.

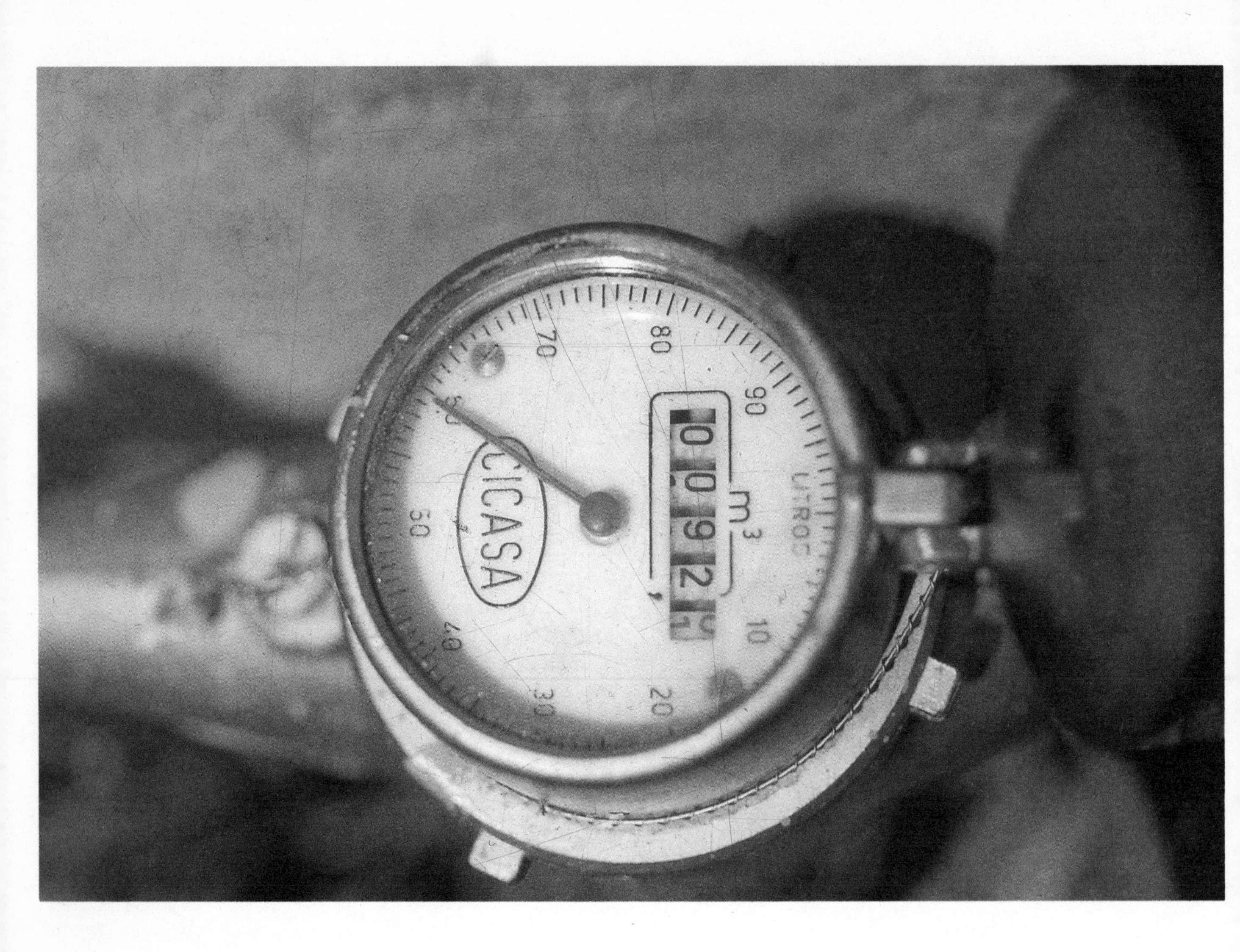

La instalación de agua potable **comienza** en la toma domiciliaria y **termina** en las llaves o válvulas de cada uno de los muebles que la usan.

Allí, en la toma de agua, después del medidor, debe haber una llave o válvula que corte el agua a toda la casa.

INSTALACIÓN DE AGUA

Si el servicio de agua de la toma no es continuo las 24 horas, es necesario utilizar depósitos o tinacos en las azoteas.

De esa manera, el depósito se llena en los periodos en que hay servicio, con lo que en la casa siempre se dispondrá de agua a presión, por gravedad.

Para que el agua que llega a los muebles tenga suficiente presión, los tinacos se deben situar, por lo menos, 2 metros arriba de los muebles sanitarios.

La entrada de agua al tinaco es por la parte superior, a través de una válvula o llave de flotador, que se cierra cuando el tinaco se llena y se abre cuando se vacía.

La salida del agua es por la parte interior del tinaco, y tanto la entrada como la salida deben tener una llave que corte el agua en caso de que sea necesario hacer reparaciones.

Cuando el agua que llega a la toma no tiene suficiente presión para subir al tinaco, es necesario depositarla en una cisterna o depósito bajo el piso y desde allí, subirla al tinaco mediante una bomba.

Del tinaco deben salir los tubos a todos los muebles, en dos líneas casi paralelas, una de agua fría y otra de agua caliente, que debe pasar primero por un calentador.
Ya sea desde la toma de agua o desde el tinaco, los tubos de agua deben correr lo más recto que sea posible.

Todos los tubos se colocan ya que los muros y los techos han sido terminados, pero antes de que se hagan los acabados.

Los tubos de agua van metidos en una ranura que se hace en la pared de tabique o ladrillo.

Para hacer las ranuras y colocar los tubos precisamente donde deben ir, se marcan sus recorridos sobre la pared de ladrillo, así como los lugares por los que deberán salir los tubos para conectarse a los muebles.

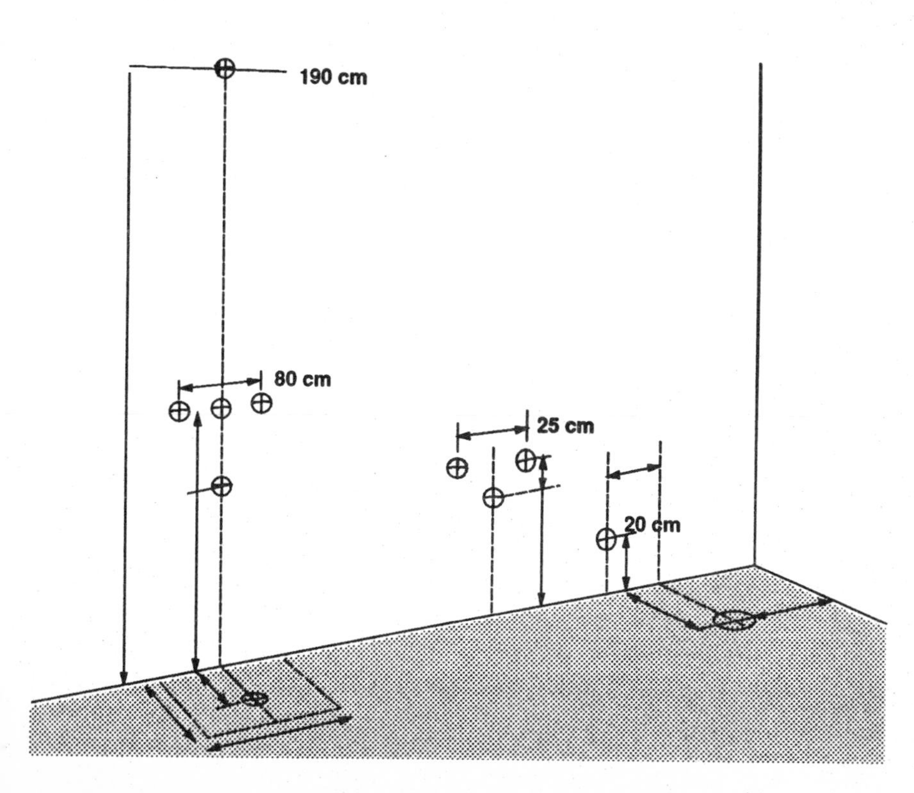

Los tubos que se conecten a los muebles deben ser de media pulgada, con rosca macho en la punta y sobresalir 2.5 cm del muro o del piso terminado. Es decir, al colocar la tubería se deben dejar espigas de salida de por lo menos 7.5 cm de largo.

Si el tubo de agua es de cobre o de PVC, las roscas de la punta se logran con unos adaptadores.

Así, la salida del agua para los excusados debe estar a 20 cm del suelo.

Las llaves del lavabo deben salir a 25 cm del suelo, con una separación entre sí, de 15 a 20 cm.

Las llaves de la regadera deben de estar por lo menos a 30 cm de la pared lateral y a 80 cm del suelo, mientras que la regadera debe quedar entre 1.70 y 1.90 del suelo.

Ya hechas las ranuras, se cortan los tubos, se embonan con sus roscas, o se sueldan con plomo, o se pegan con cemento para plástico y se meten dentro de las ranuras, para después cubrirlos y ocultarlos con el acabado final de los muros.

El diámetro de los tubos debe ser el adecuado para el servicio que van a dar, a fin de que a los muebles llegue la cantidad de agua suficiente, con la presión correcta.

Al escoger el diámetro del tubo y el recorrido que deberá segui hay que tener en cuenta que, cuanto más largo es el tubo, hay más pérdida de presión.

Cuanto más estrecho es el tubo, el agua tiene más fricción y la presión se pierde más aprisa.

Cuanto más quiebres tenga la tubería, habrá más fricción y menos presión.

En términos generales, las líneas de agua a las que se deben conectar los muebles deben tener los diámetros siguientes:

Regadera, 1/2 pulgada
Lavabo, 1/2 pulgada
Excusado, 1/2 pulgada
Calentador, 1/2 pulgada
Tarja, 1/2 a 3/4 de pulgada
Lavadora, 1/2 a 3/4

Las conexiones a los muebles se hacen con los siguientes diámetros:

Lavabo, 3/8 pulgada
Excusado, 3/8 pulgada
Tina, 1/2 pulgada
Regadera, 1/2 pulgada
Lavadora, 1/2 pulgada
Tarja, 1/2 pulgada

Las líneas troncales de agua, aquellas que la llevan a toda la casa, deben tener mayor diámetro que los ramales.

Cada vez que una tubería se deriva en dos, los diámetros de los ramales en que se divide deben ser menores, es decir, deben ser del diámetro que sigue hacia abajo.

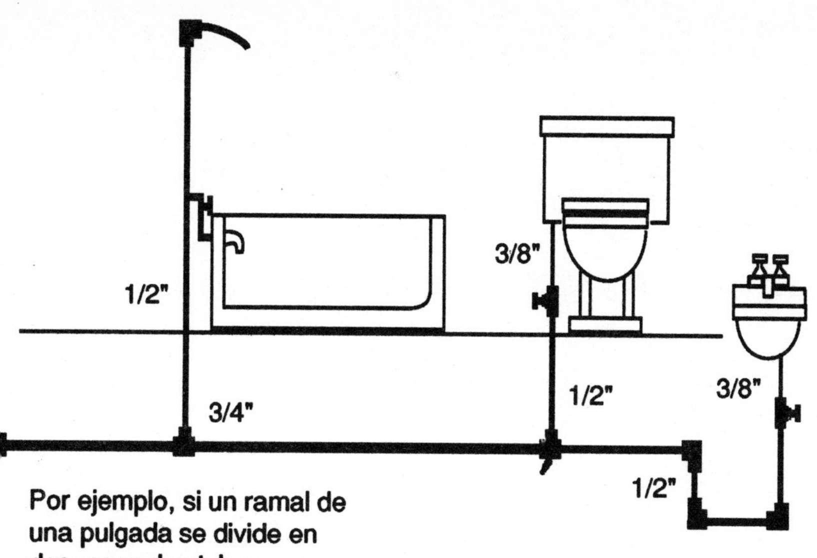

Se debe tener en cuenta que las líneas de alimentación de los baños tengan el diámetro suficiente para que al abrir una llave en un baño, no disminuya el caudal de agua en el otro.

Por ejemplo, si un ramal de una pulgada se divide en dos, esos dos tubos deberán ser de 3/4. Si el ramal de 3/4 se divide en dos, cada ramal deberá ser de 1/2 pulgada.

Y al revés, si se tienen dos salidas de 1/2 pulgada, el tubo al que se unen deberá ser de 3/4. Los dos tubos de 3/4 que se unan deberán hacerlo a un tubo de una pulgada, etc.

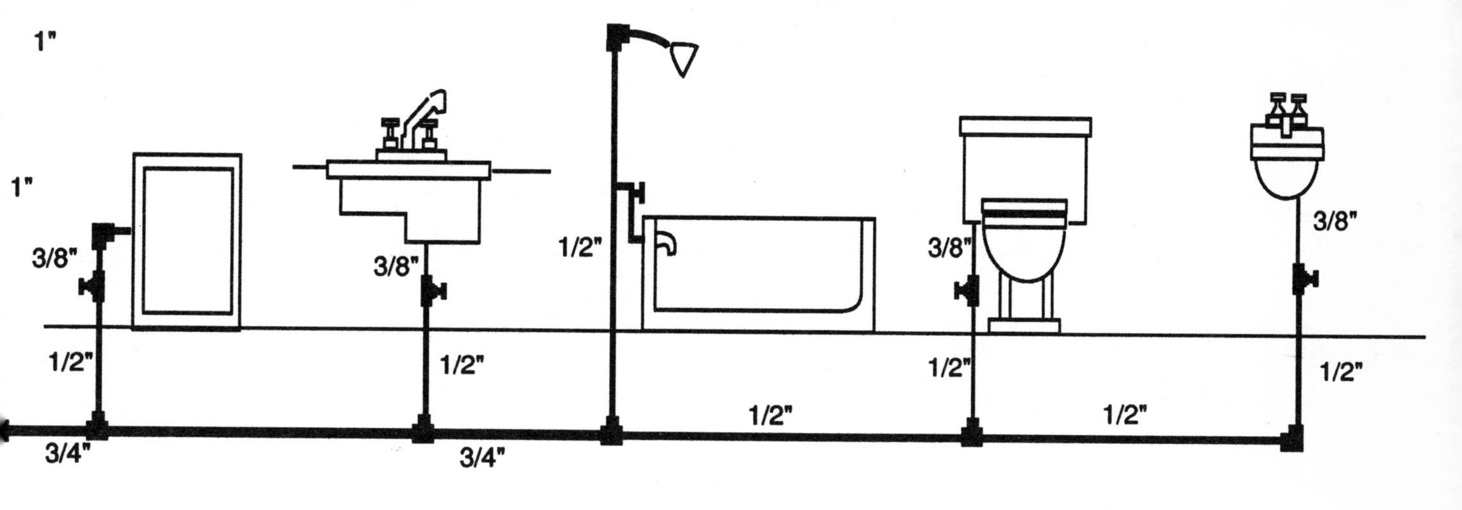

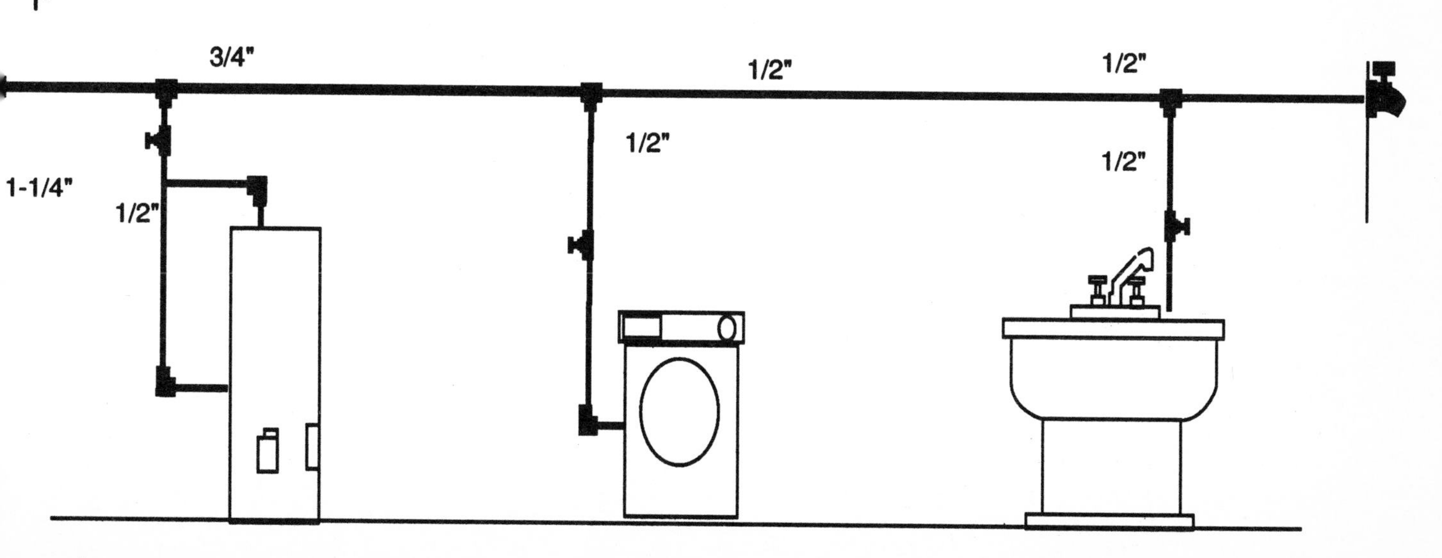

La colocación de los muebles sanitarios es la etapa final en la instalación de la plomería de una casa.

Es una plomería ligeramente distinta a la del tendido de los tubos. Esta plomería de acabado debe hacerse con mucho cuidado y gran limpieza.

MUEBLES SANITARIOS

La tina debe colocarse poco antes del acabado final. Pero el lavabo, la regadera, el excusado y los demás muebles, deben ponerse precisamente después del acabado final.

Los muebles sanitarios de una casa son los lavabos, los excusados o inodoros, las tinas de baño, las regaderas, las tarjas o fregaderos, los lavaderos y los bidés.

La colocación de los muebles sanitarios requiere tres trabajos distintos: uno es la colocación o fijación de los muebles en su lugar, de tal manera que no se muevan a pesar de que se usen varias veces al día, por varias personas, por muchos años.

Otra, es la alimentación de agua desde el mueble hasta el ramal de la red, ya sea en la pared o en el piso.

Y, finalmente, la conexión del drenaje desde el mueble hasta el ramal del drenaje, en la pared o en el piso.

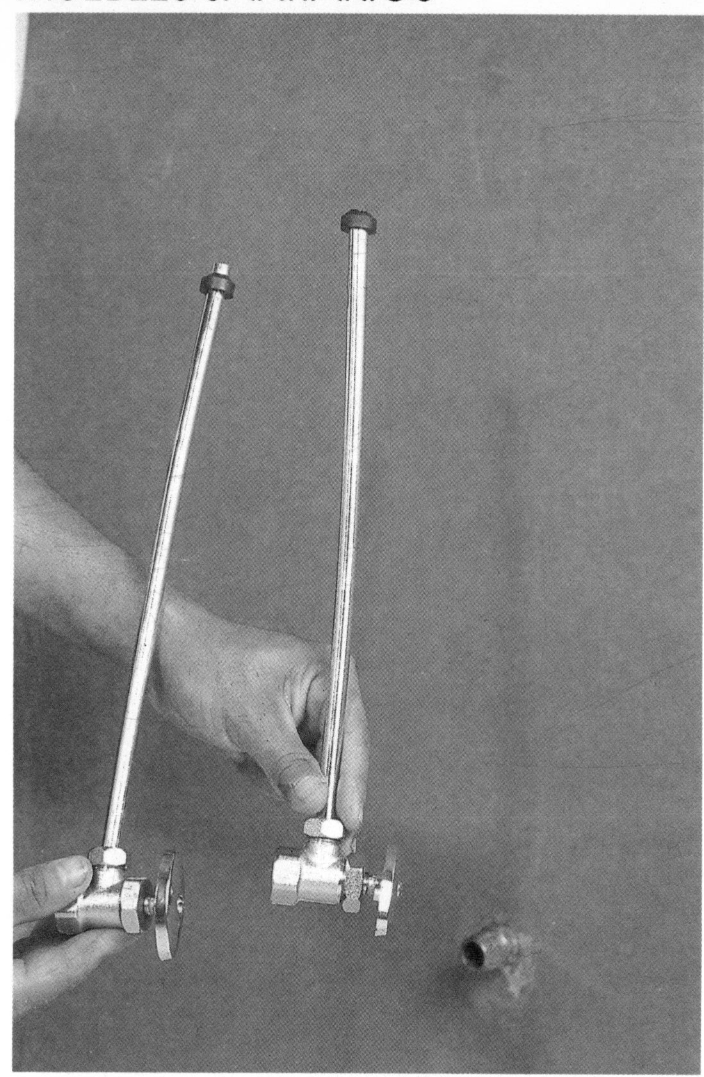

La conexión del agua, desde los ramales hasta las llaves del mueble, se hace por medio de unos tubos alimentadores flexibles, con una tuerca de compresión y una llave de paso. Los tubos alimentadores son tramos de tubo flexible de 9 mm de diámetro, suficientemente largos para llegar desde el mueble hasta cualquier ramal.
Por un extremo se conectan al tubo de llegada del agua, y por otro a las llaves o válvulas de admisión del mueble.

La llave de paso puede ser recta o en ángulo. La llave en ángulo se usa cuando el ramal de la tubería sale de la pared. Esta llave tiene, por un lado, una rosca hembra para un tubo de media pulgada, y por el otro una conexión de compresión para un tubo de cobre de 9 milímetros. La llave recta se usa cuando el ramal del tubo de agua sale por el suelo.

El ramal de la tubería de agua debe haber quedado 2.5 cm fuera de la pared, con una rosca macho de media pulgada.
Si la punta del ramal es de cobre, se le debe haber soldado un adaptador roscado macho, de media pulgada. Si la punta del tubo es de PVC, se le debe haber conectado un adaptador macho para tubo roscado.

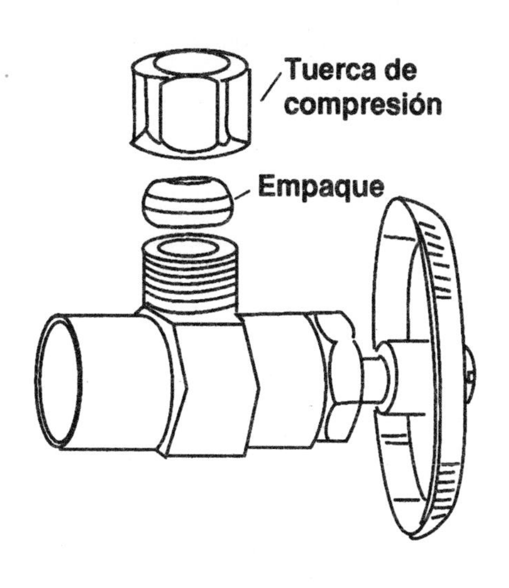

La llave se atomilla en la rosca del ramal de agua, alineando la salida hacia arriba. Esta salida tiene una tuerca de compresión y una rondana . Al comprimir o apretar la tuerca, la rondana se expande, sellando la junta.

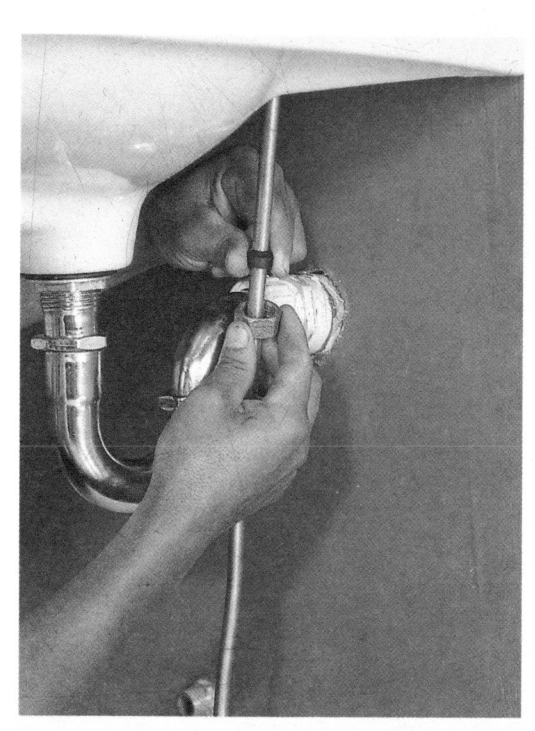

Para colocar el tubo alimentador, primero se meten la tuerca y el empaque de compresión que conecta a la llave del mueble.

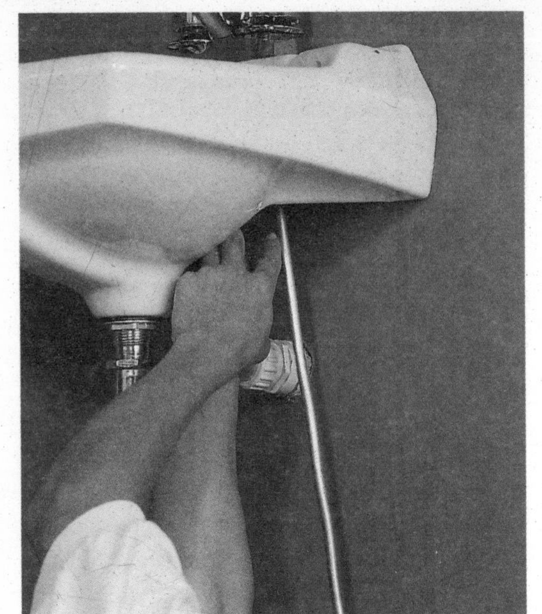

Enseguida, el tubo alimentador se conecta a la llave del lavabo, sin apretar mucho.

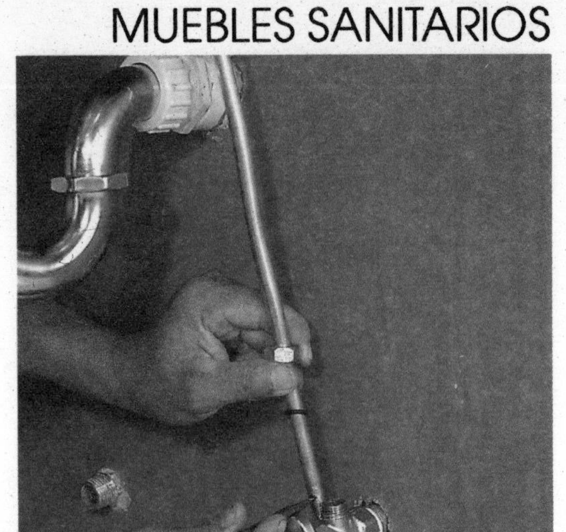

Luego se mide el largo hasta la llave en ángulo o llave angular, y se marca el lugar donde la punta penetra un centímetro y medio o dos dentro de la llave.

Se corta en el lugar donde se hizo la marca, utilizando un cortador de tubo de cobre.

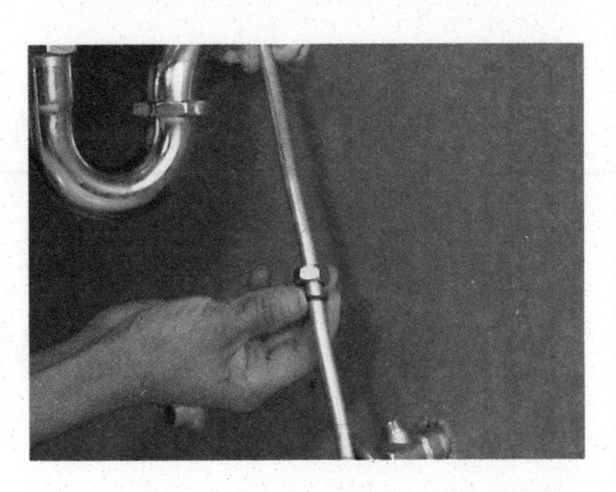

Se quitan la tuerca de compresión y la rondana de compresión de la llave, y se meten en el extremo libre del tubo.

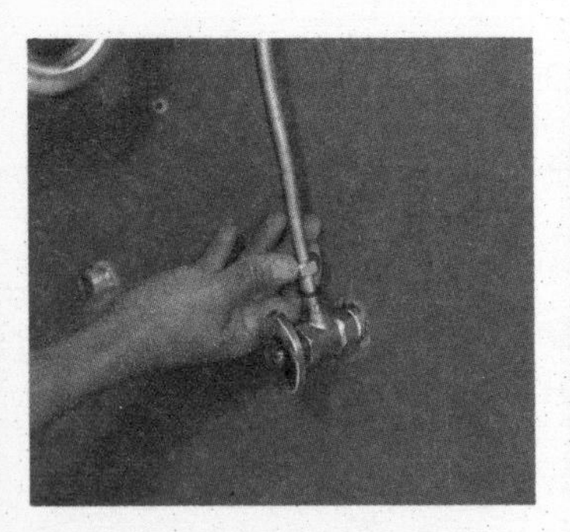

Se mete la punta libre del tubo flexible dentro de la llave en ángulo.
Con las manos se dobla el tubo alimentador para que ajuste perfectamente en la llave de ángulo y en la llave del mueble.

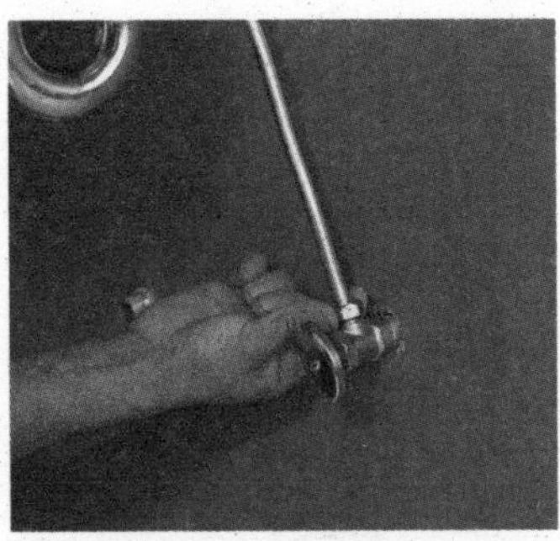

Luego, se deslizan la tuerca de compresión y la rondana sobre la llave y se aprieta ligeramente.

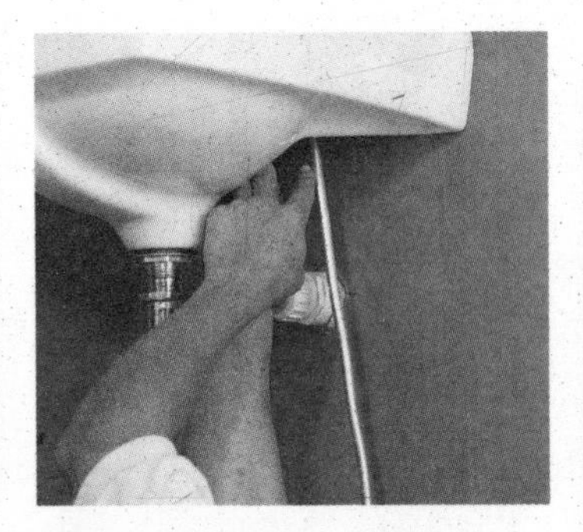

Enseguida se termina de apretar la cabeza del tubo alimentador en la rosca de la llave del mueble, con la ayuda de unas pinzas de presión.

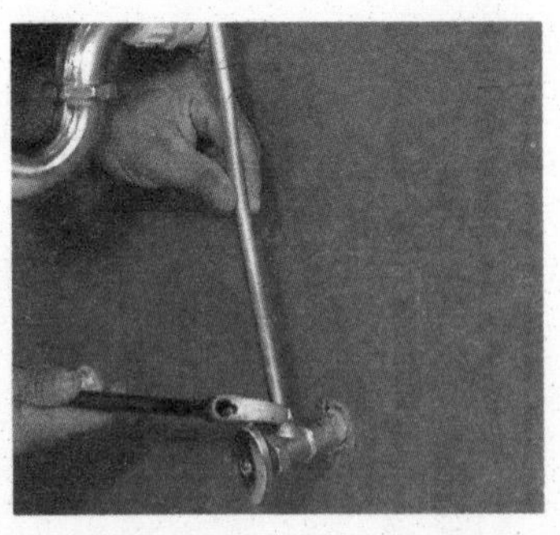

Para finalizar, se aprieta la tuerca de compresión de la llave en ángulo, con un perico.
También es posible que la conexión del ramal al mueble sea hecha con tubos y codos normales, en vez de los tubos alimentadores de cobre flexible.

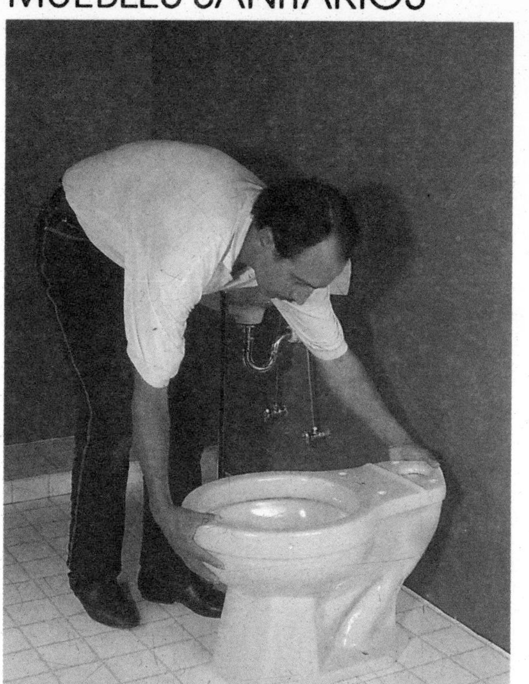

El primer paso para colocar el excusado, es marcar el lugar donde debe ir la taza, que es, precisamente, donde está su drenaje.

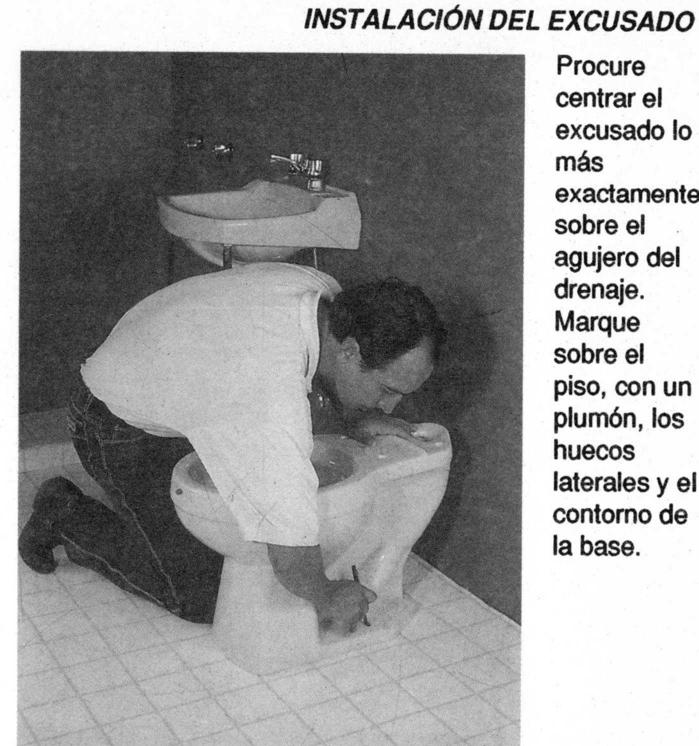

Procure centrar el excusado lo más exactamente sobre el agujero del drenaje. Marque sobre el piso, con un plumón, los huecos laterales y el contorno de la base.

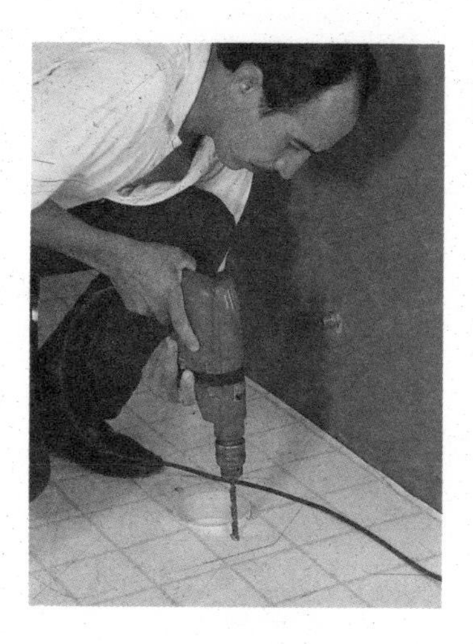

Retire la taza, y con el taladro eléctrico haga los huecos necesarios para meter las pijas o tornillos laterales que ayudan a sostener el excusado contra el piso.

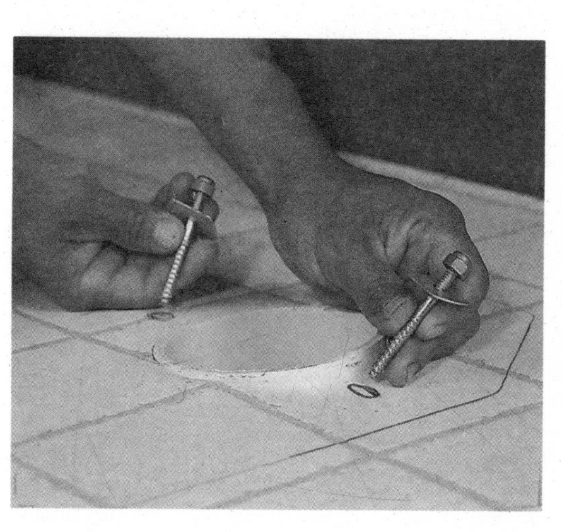

Estos tornillos o pijas tienen dos puntas, una se mete en el piso, en un taquete. La otra, queda fuera para fijar la taza al excusado, con unas tuercas.

Enseguida, ponga taquetes en los agujeros laterales y fije las pijas.

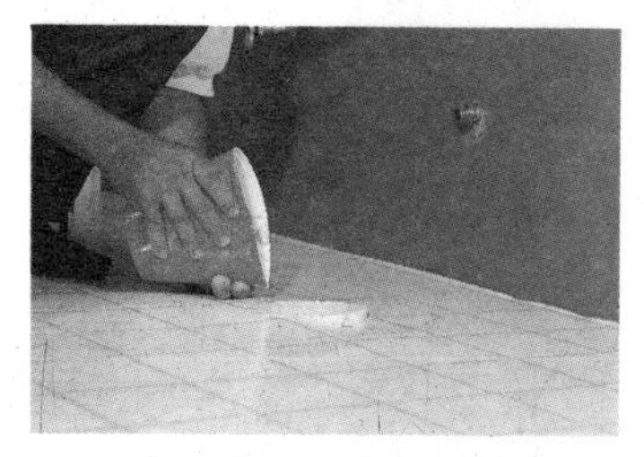

O bien, vierta cemento blanco aguado en los hoyos, meta las pijas y espere a que seque el cemento.

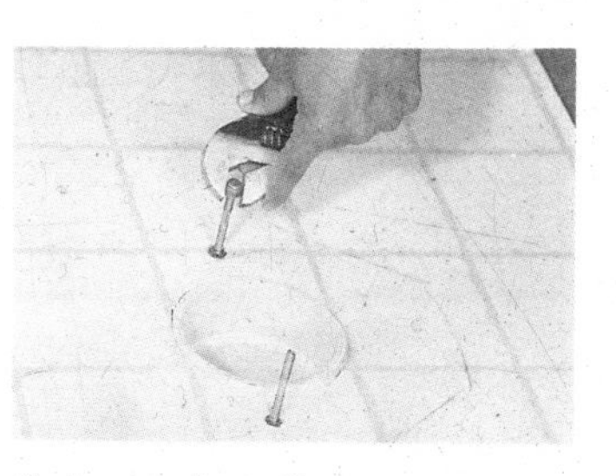

Coloque las pijas y apriételas un poco, no mucho. Se terminan de apretar ya que está colocado el excusado.

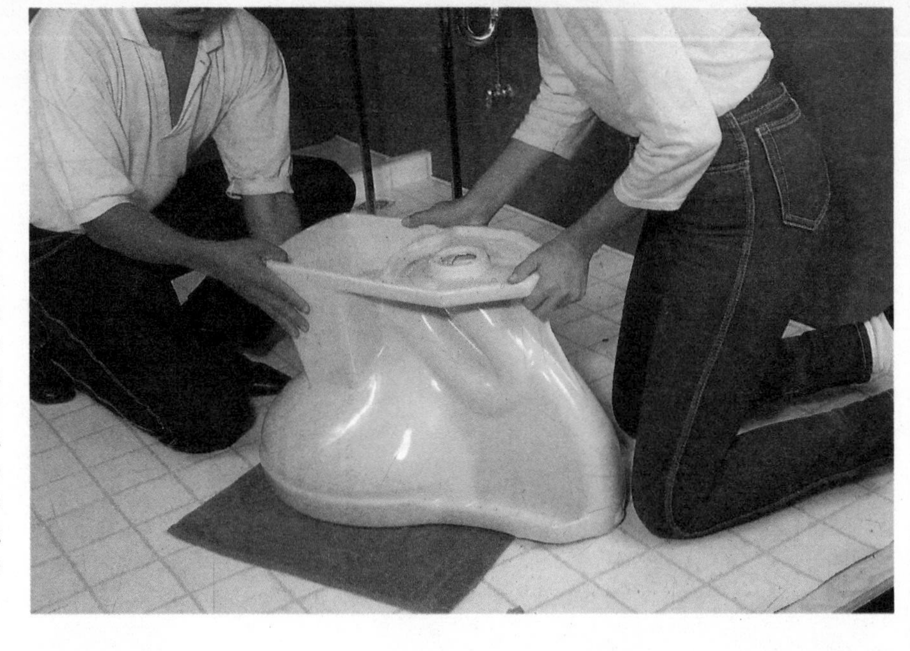

Con la ayuda de otra persona ponga boca arriba la taza y descánsela en el piso sobre un trapo, para que no se raye.

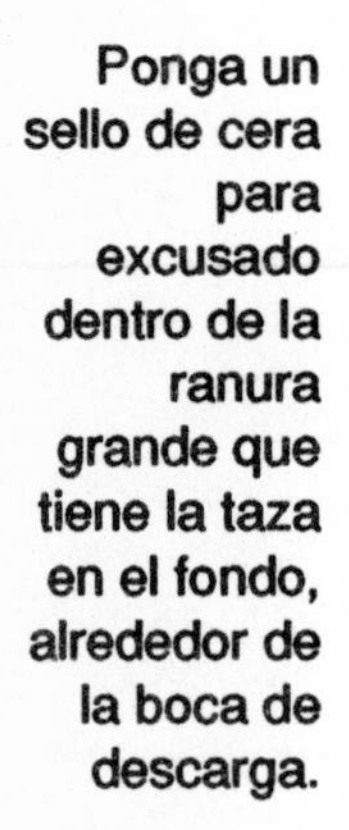

Ponga un sello de cera para excusado dentro de la ranura grande que tiene la taza en el fondo, alrededor de la boca de descarga.

Ponga un poco de pasta selladora para plomero, silicón o mastique alrededor del borde de la base.

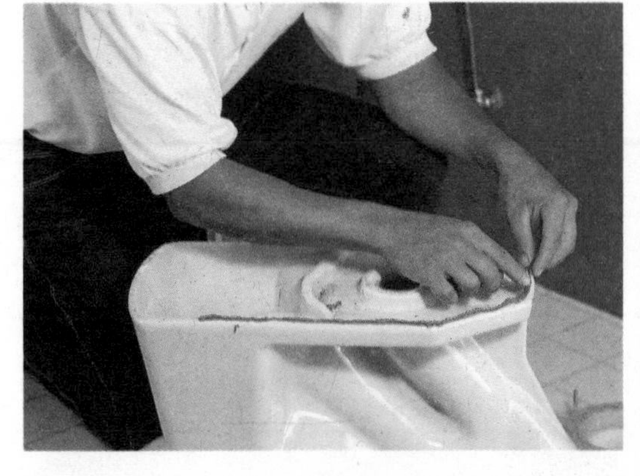

Con la ayuda de otra persona dé vuelta a la taza y bájela, tan recto como sea posible, para colocarla en su posición final, de manera que las pijas penetren sin dificultad.

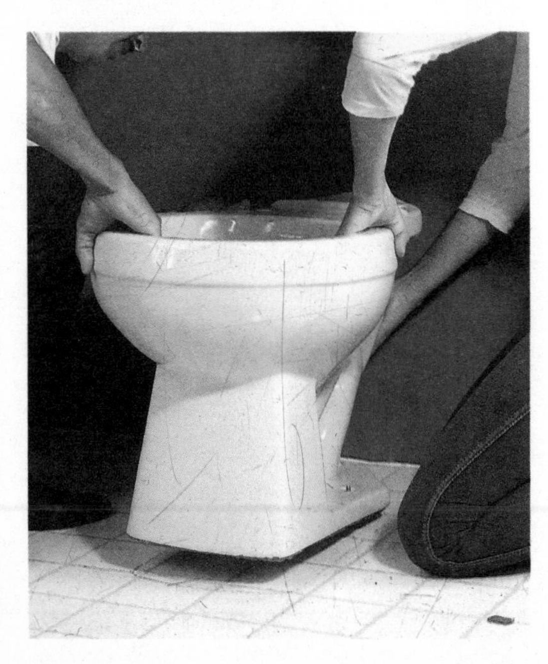

Presione desde arriba la parte central de la taza, apoyándose con todo su peso.

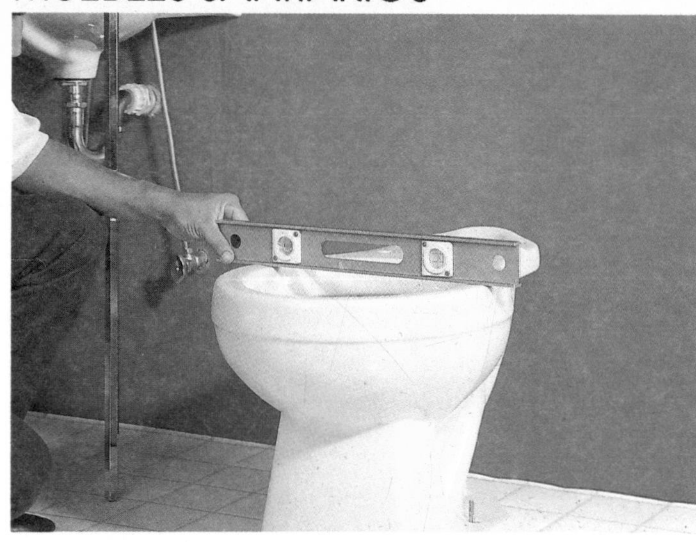

Si todo va bien, la taza deberá asentar en el piso a nivel. Verifíquelo. Ponga el nivel de burbuja sobre el borde de la taza, paralelo a la pared.

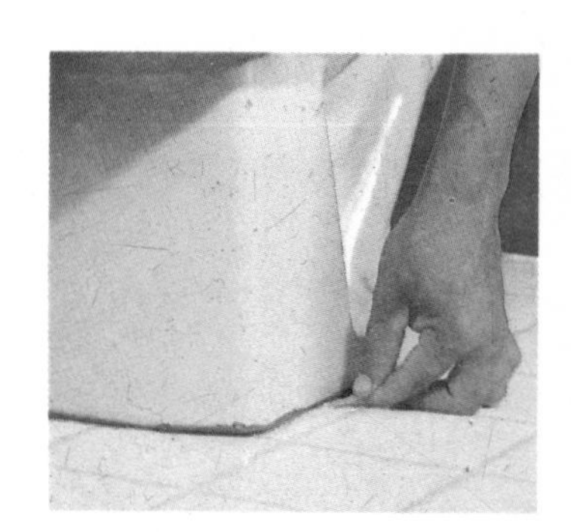

Si la burbuja no queda centrada, meta a un lado unas pequeñas y delgadas cuñas de madera, hasta que quede centrada.

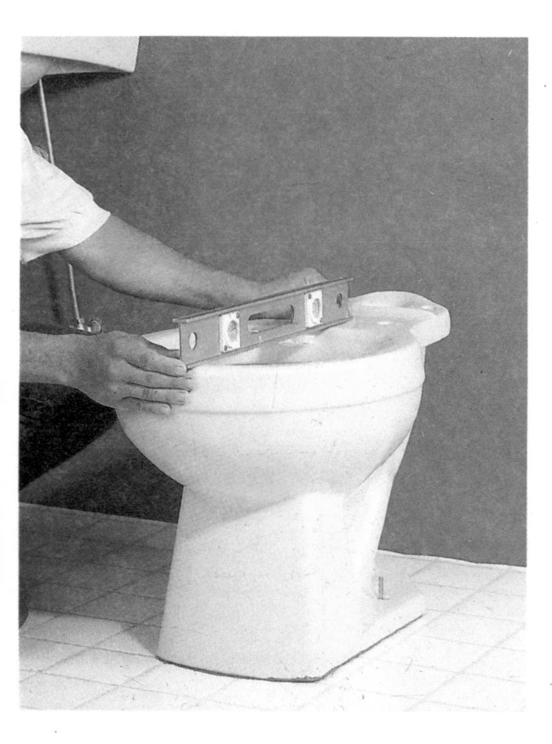

Ponga ahora el nivel de modo perpendicular a la pared. Si la burbuja no está centrada, ponga calzas al frente o atrás del excusado, hasta nivelarlo.

Con mastique del que se usa en las ventanas, o con silicón, rellene los huecos alrededor de la taza.

Si no tiene mastique, ni silicón, utilice cemento blanco.

Con un trapo quite el silicón, el mastique o el cemento blanco sobrantes.

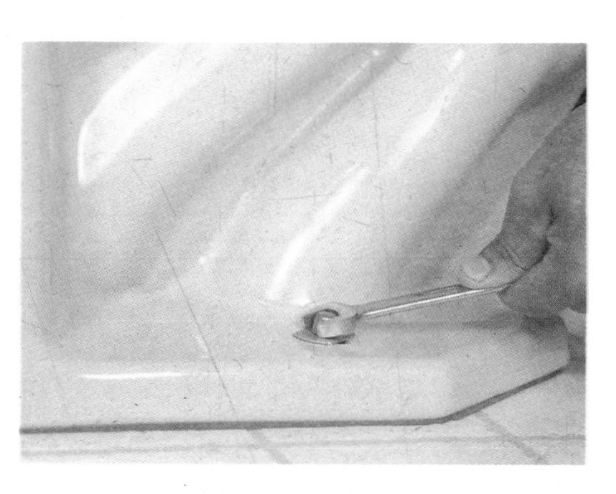

Coloque las tuercas en los tornillos laterales. Apriételas. Ya que topen siga apretándolas, un poco de un lado y otro poco del otro, para que las pijas penetren más en el taquete hasta que la taza quede firme.

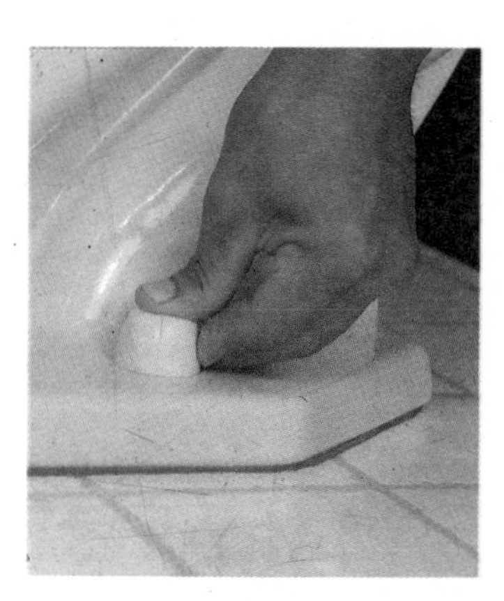

Coloque las cubiertas de metal o de cerámica sobre los tornillos.

Enseguida, coloque el tanque, cuya válvula de salida embona en la parte de atrás de la tasa, con un empaque de hule grueso con un bisel.

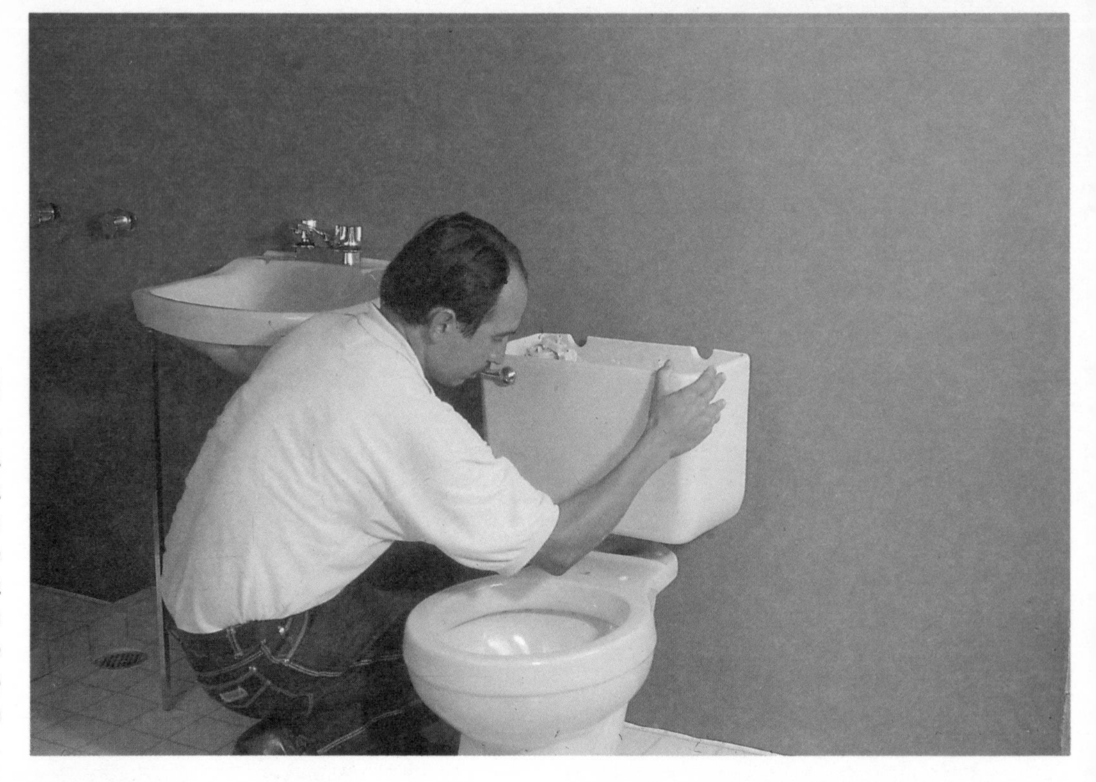

Ese empaque es el sello que impide que el agua del tanque se derrame fuera de la taza.

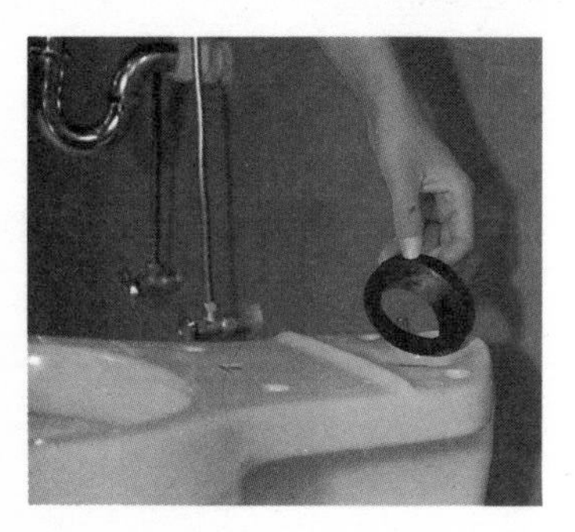

Generalmente, los tanques vienen ya armados con la válvula de salida y la válvula de admisión. Sólo hay que colocar la manija por el lado de afuera. Si no es así, será necesario armarlo.

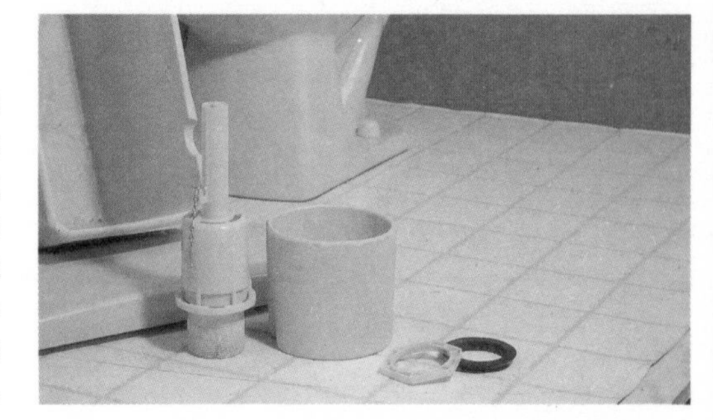

Primero se coloca la válvula de admision en el orificio grande, al centro del tanque.

La válvula de admisión se sella con un empaque y se fija con una tuerca, que al inicio se enrosca con la mano.

Después, se aprieta con una llave de tuercas, despacio y con cuidado para no romper el tanque de cerámica.

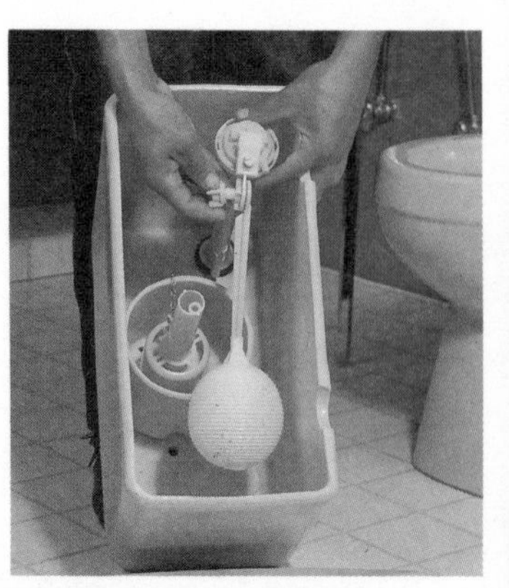

De manera semejante se coloca la válvula de admisión y, finalmente, el flotador.

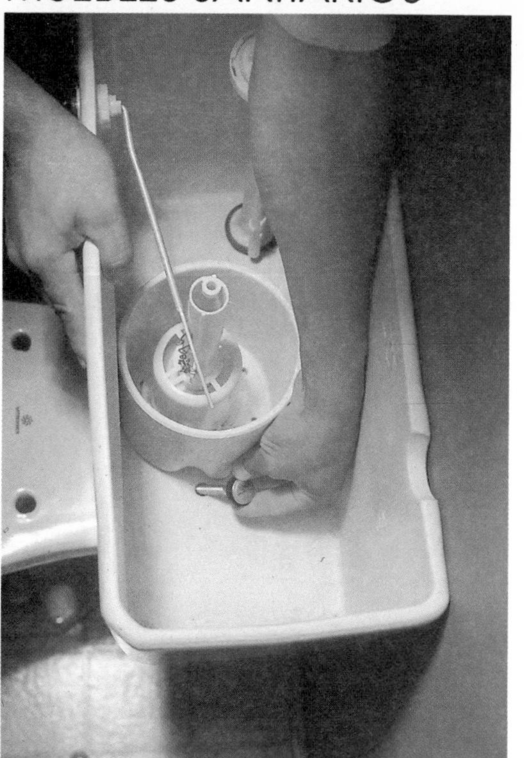

El tanque se mantiene fijo a la taza con un par de tornillos que asientan dentro del tanque, sobre unos empaques de hule, y se fijan con un par de tuercas bajo el borde de arriba de la tasa.

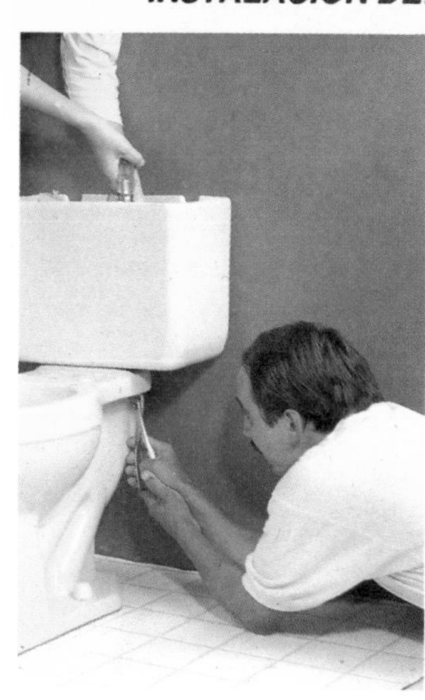

Al apretar los tornillos contra la taza, se comprime el sello de goma de la válvula de salida.

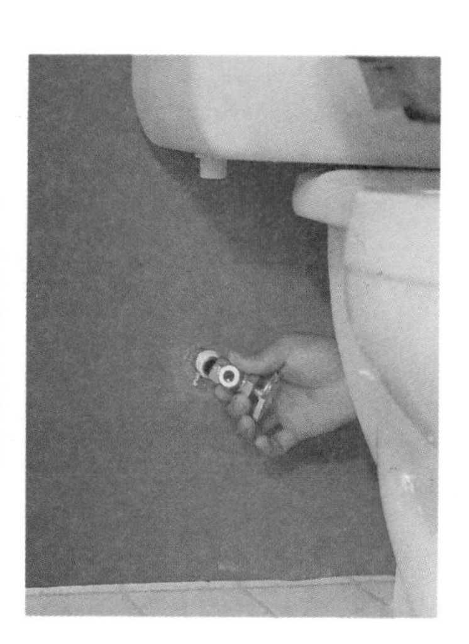

Finalmente, se conecta el agua, comenzando por atornillar una llave de ángulo con tuerca de compresión.

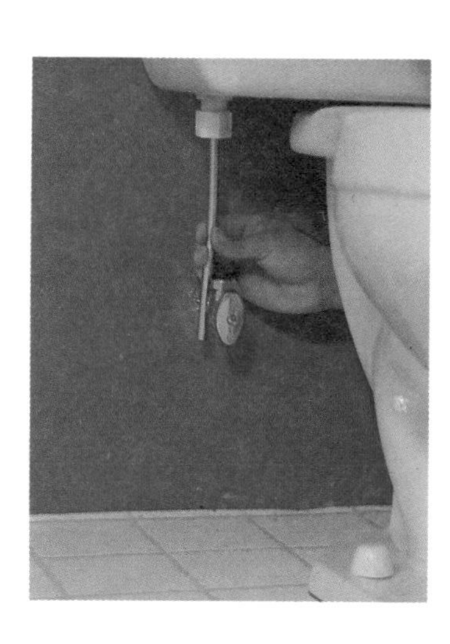

Se pone el tubo de admisión en la entrada del tanque y se presenta o coloca sin apretar en la llave.

Luego, se dobla para que penetre rectamente en la llave angular y se corta del tamaño correcto.

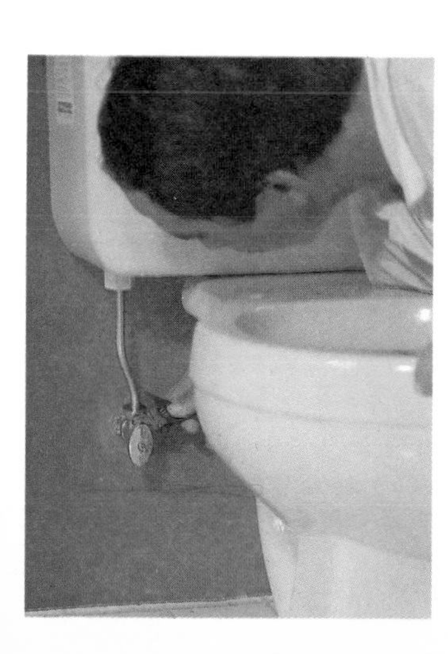

Por último se mete en la llave de ángulo y se aprieta la tuerca de compresión.

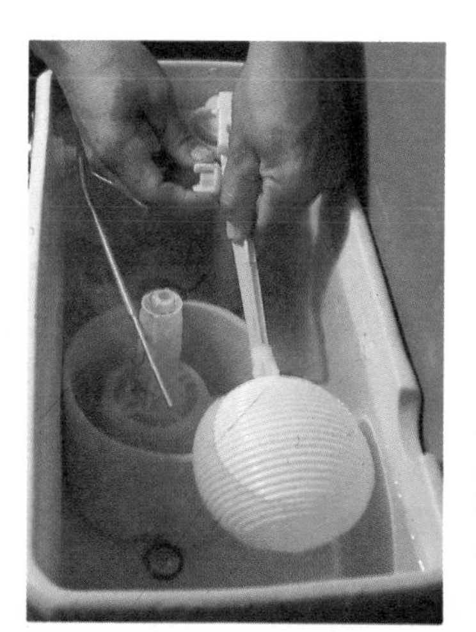

Ya conectada la alimentación se abre la llave para que el agua entre al tanque, que se deberá llenar hasta la marca que tiene en el interior.

Si el tanque no se llena a ese nivel se deben hacer ajustes, elevando o bajando la varilla del flotador, hasta que el agua alcance el nivel marcado.

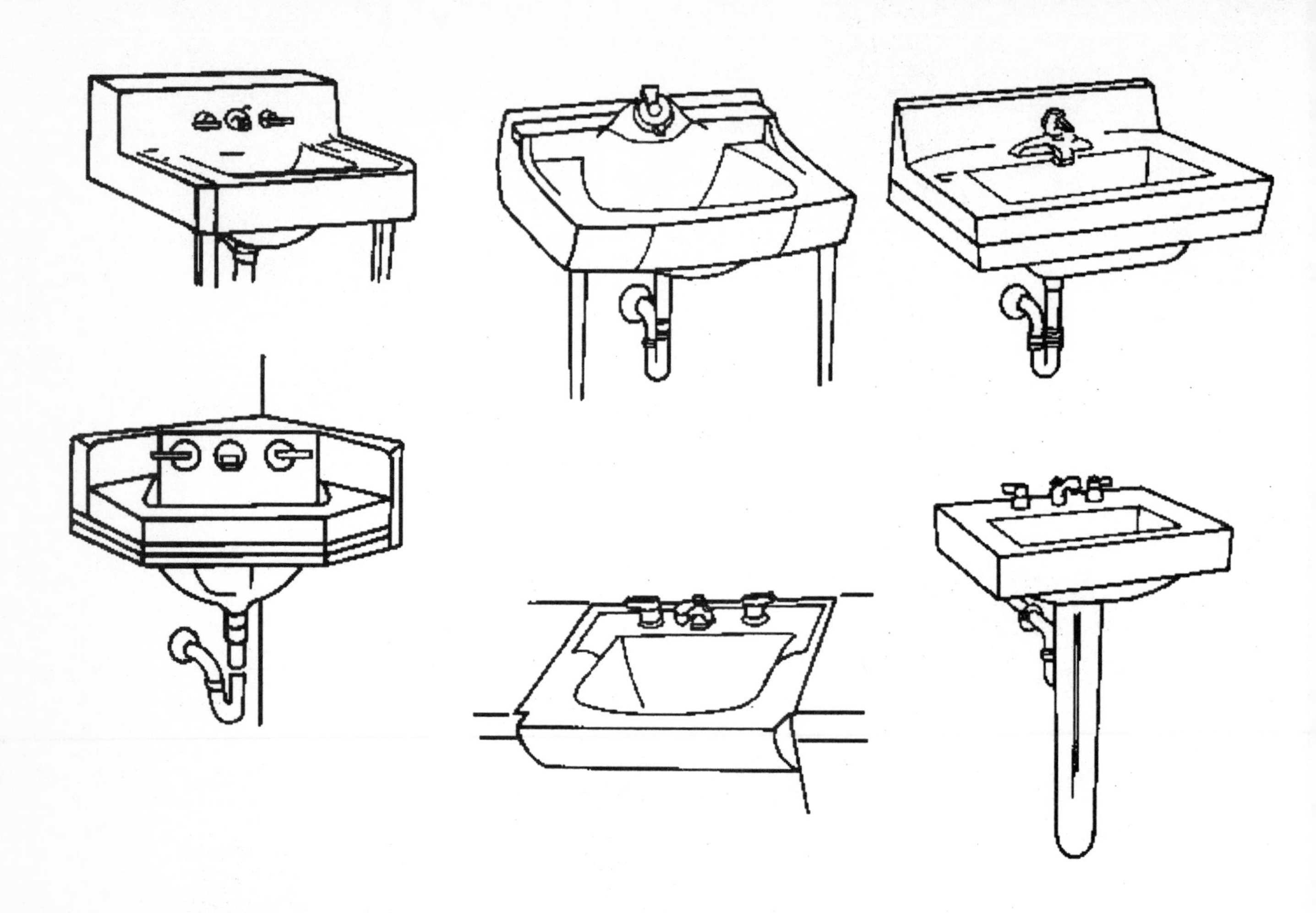

Hay lavabos hechos para colgarse de la pared. Otros, para sostenerse en un pedestal, unos más en patas, mientras que algunos se arman sobre un gabinete.

Los lavabos colgados de la pared se sostienen de unas ménsulas metálicas que vienen con el propio lavabo. Unos cuelgan de un par de ménsulas que pueden espaciarse como se necesite.

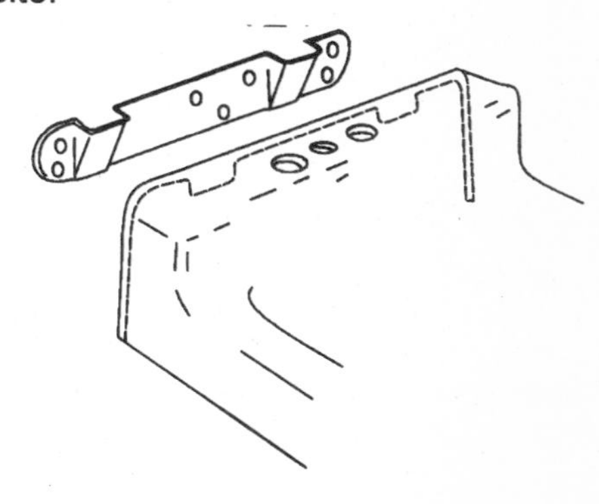

Otros se cuelgan de una sola ménsula de barra.

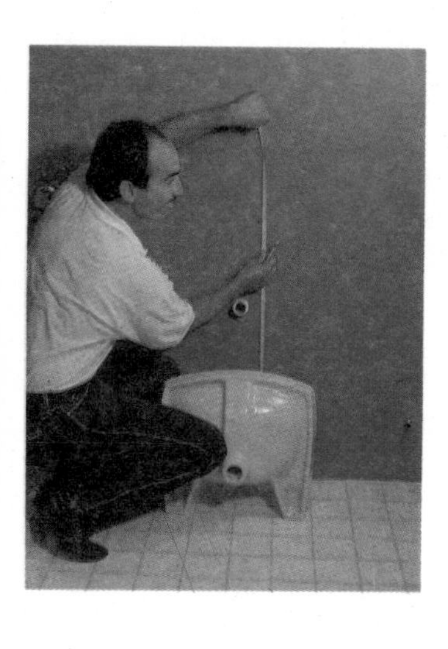

La parte alta del lavabo debe quedar entre 73 y 89 cm del piso.

Se mide la separación que debe haber entre cada una de las ménsulas y se presentan en la pared, en el lugar en que deberán ir.

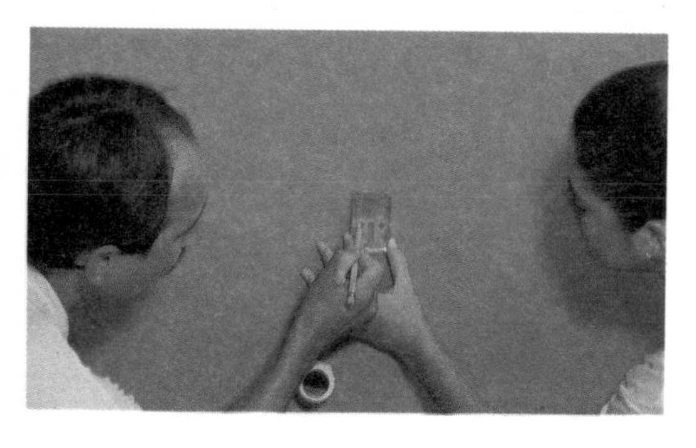

Se marca el lugar en que deben quedar los tornillos que sostengan las ménsulas contra la pared.

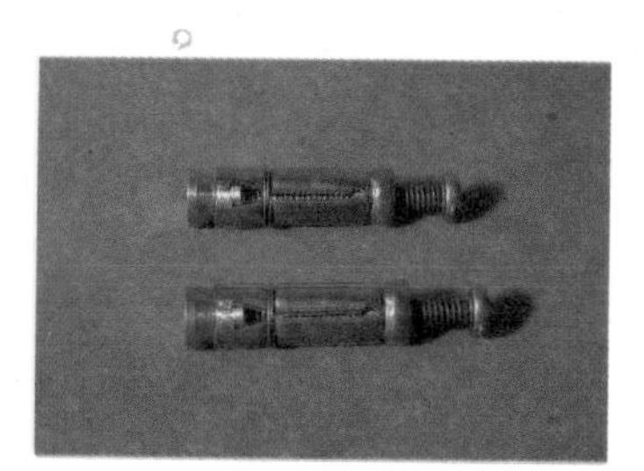

Escoja unos taquetes expansivos, buenos y grandes.

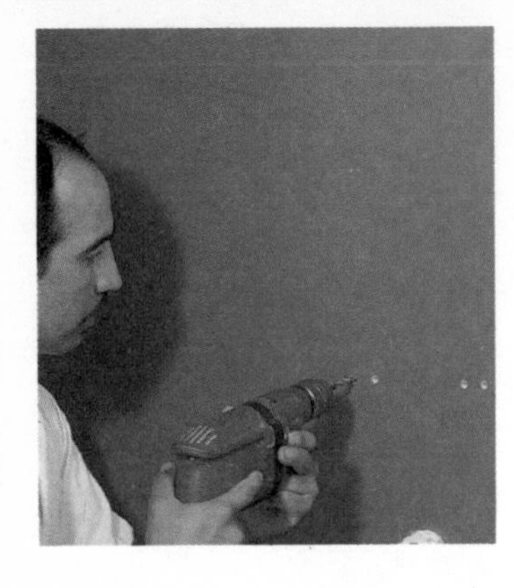

Haga los agujeros con un taladro, con la broca para concreto del diámetro adecuado al taquete.

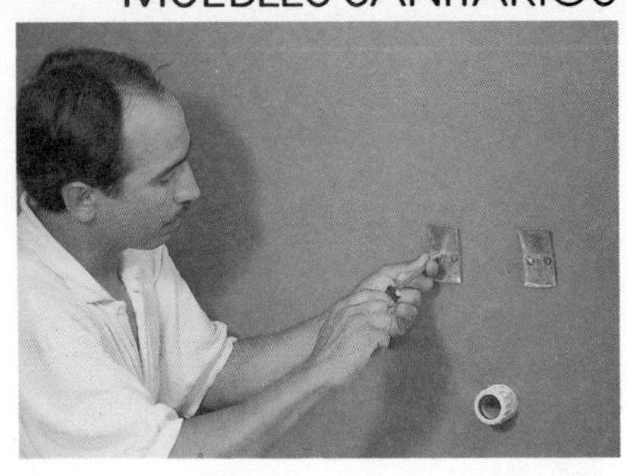

Coloque los taquetes en su sitio y apriete un poco los tornillos. Luego, saque los tornillos. Ponga la ménsula y coloque nuevamente los tornillos dentro de los taquetes y apriételos bien.

Coloque las llaves del lavabo en su sitio.

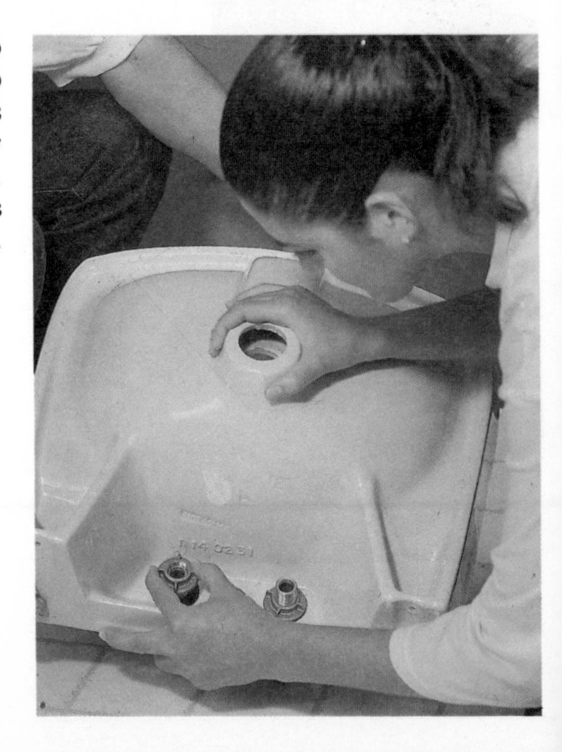

Por el otro lado póngales las rondanas y sus tuercas. Apriételas bien.

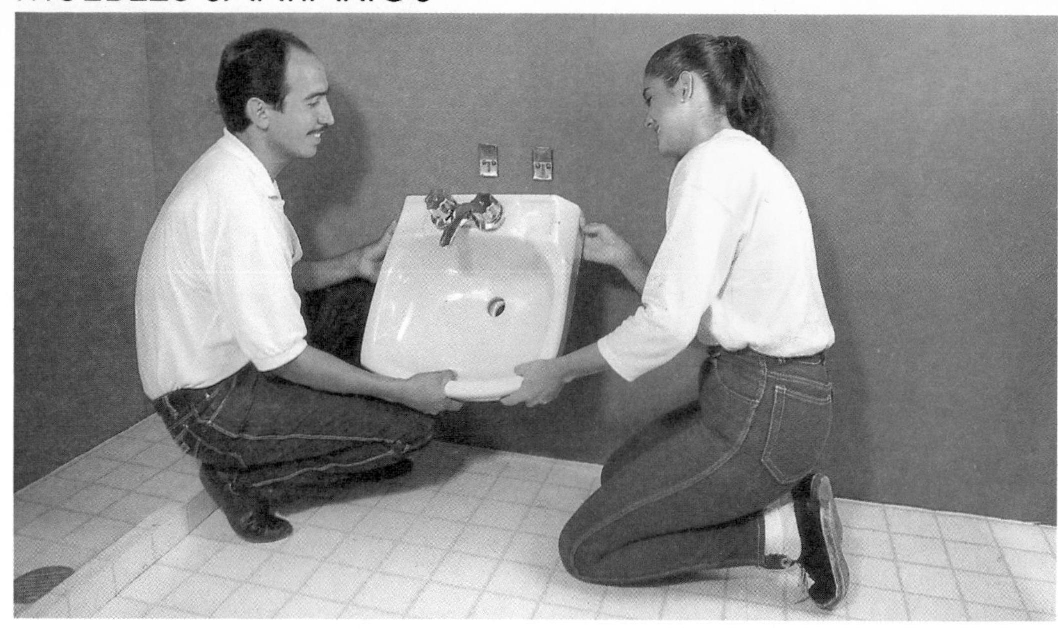

Coloque el lavabo en las ménsulas.

Vea que quede a nivel.

Si está desnivelado, corríjalo.

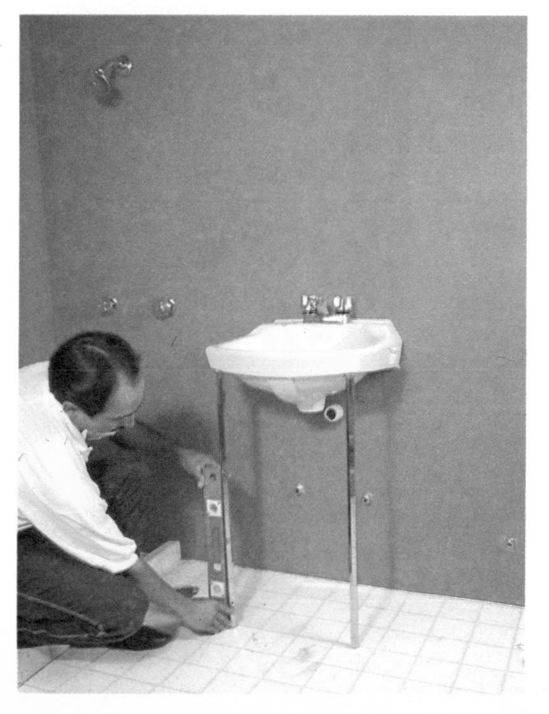

Si tiene patas, póngaselas. Verifique el plomo en cada una de ellas.

Para colocar las tarjas y los lavabos hay que conectar, entre el mueble y el drenaje, unas trampas en forma de "P" o de "S".

Para los lavabos se usan trampas de 1-1/4 pulgadas, o sea 3.1 cm.

Para las tarjas o fregaderos se emplean trampas de 1-1/2 pulgadas, es decir, 3.8 cm.

Las trampas en forma de "P" se usan para los ramales que salen de la pared.

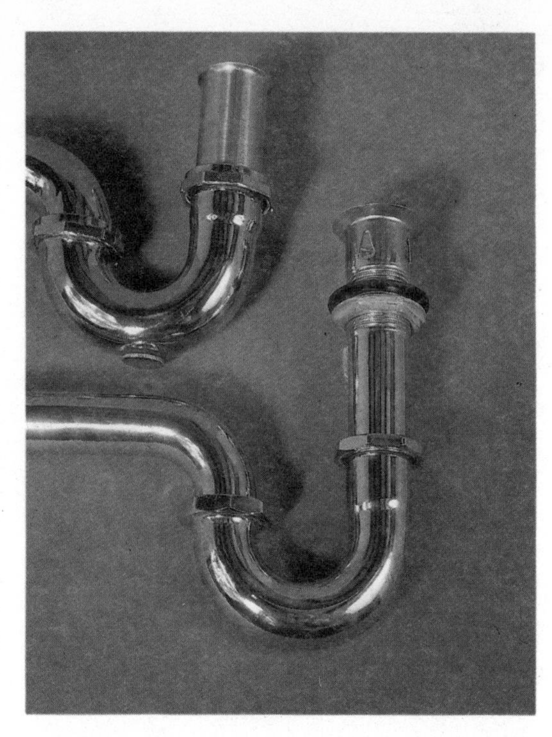

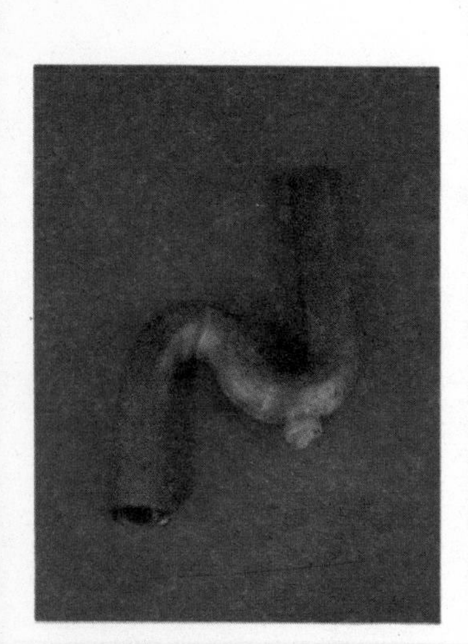

Las trampas en forma de "S" se emplean cuando los ramales salen de los pisos.

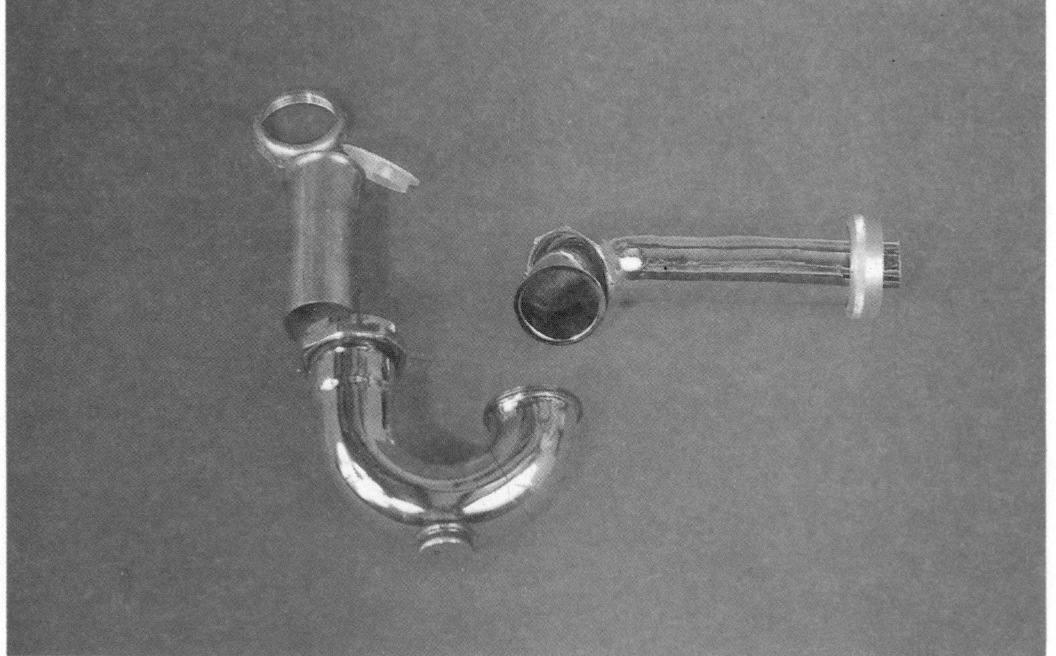

La trampa está formada por dos piezas, de manera que puede desviarse y ajustarse perfectamente a las diferentes posiciones de la bajada del lavabo o de la tarja y la entrada del desagüe.

Para poder conectar propiamente una trampa, el tubo de desagüe debe sobresalir 1.2 cm de la pared terminada. Ese tubo debe terminar en una rosca macho de 1-1/2 pulgadas, si es lavabo, y de 2 pulgadas, si es tarja.
Si el tubo de drenaje es de PVC se coloca un adaptador de plástico, que es un pequeño anillo con una rosca en una punta.

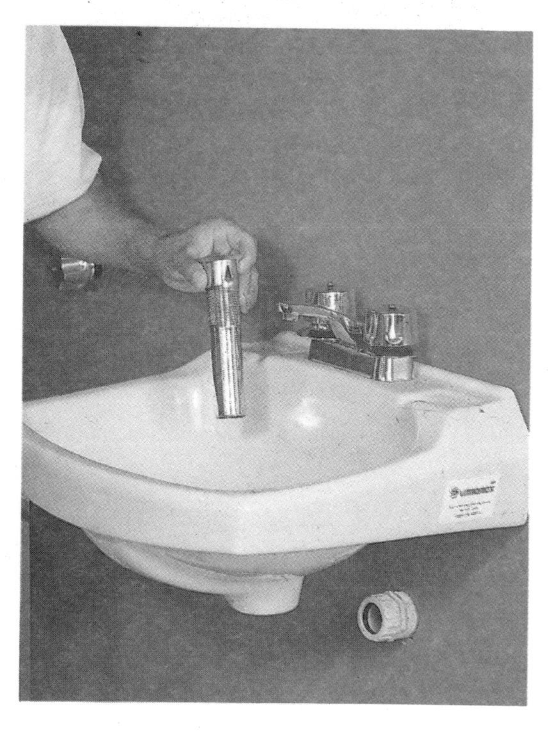

Los drenajes de lavabo o tarja bajan de la coladera que hay en el fondo del mueble con un tubo o cola, de 10 cm de largo.

Se pueden conseguir colas de 20 cm, si se necesitan.

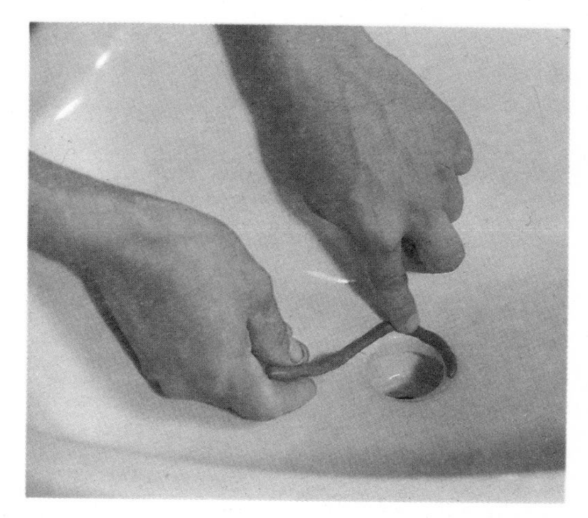

Para que la coladera selle bien y no se salga el agua, se le pone un sello dentro del mismo lavabo. El sello puede ser una tira de mastique o un poco de silicón.

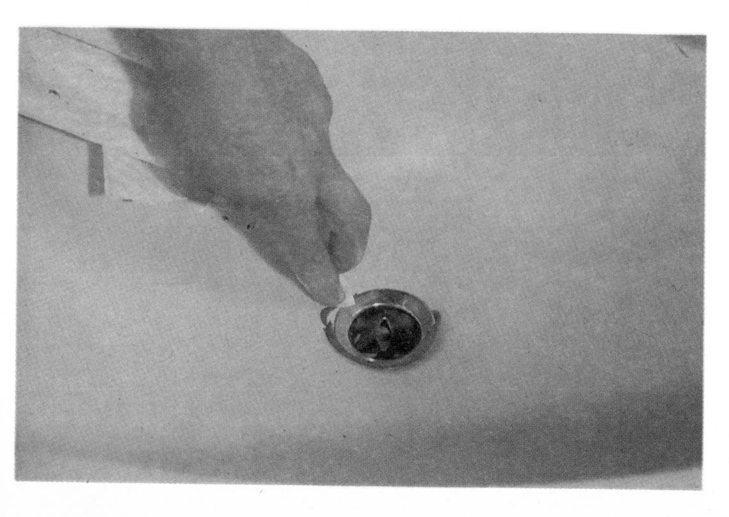

Una vez que la coladera se aprieta por abajo del lavabo, el mastique o el silicón sobrantes salen por los lados de la coladera y se quitan con un trapo.

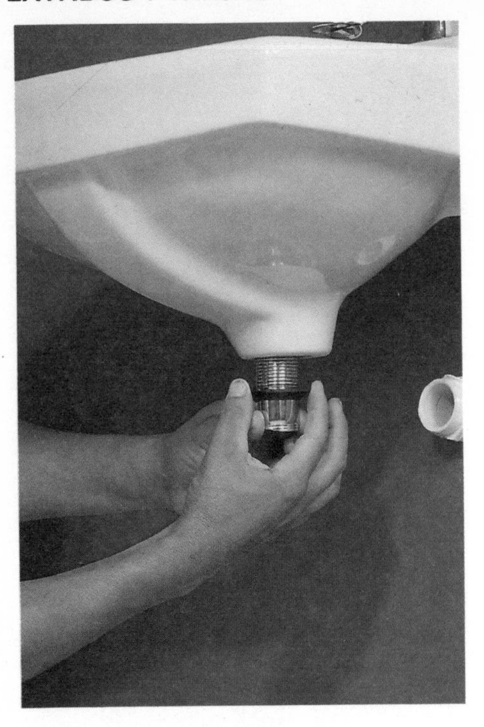

La coladera del lavabo se fija por abajo con un empaque de hule, una rondana de metal y una tuerca grande de ajuste. Primero se coloca la rondana.

Enseguida, se coloca la tuerca que fija la coladera. Al apretarla, el empaque sella por abajo, mientras que el mastique sella por arriba.

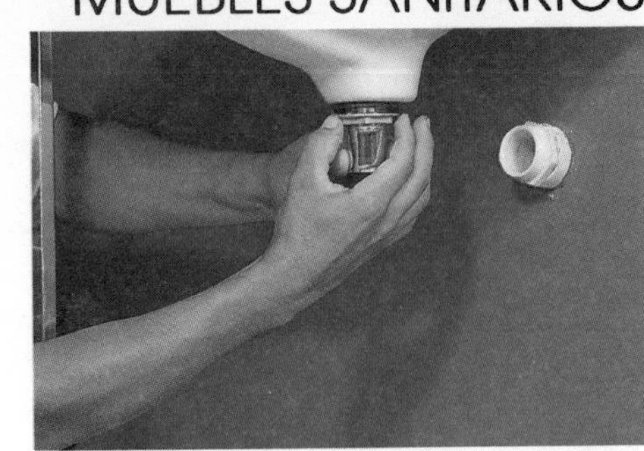

Después, meta la tuerca deslizante, con su rondana, en el tubo de salida o cola de la coladera. La tuerca deslizante es de compresión.

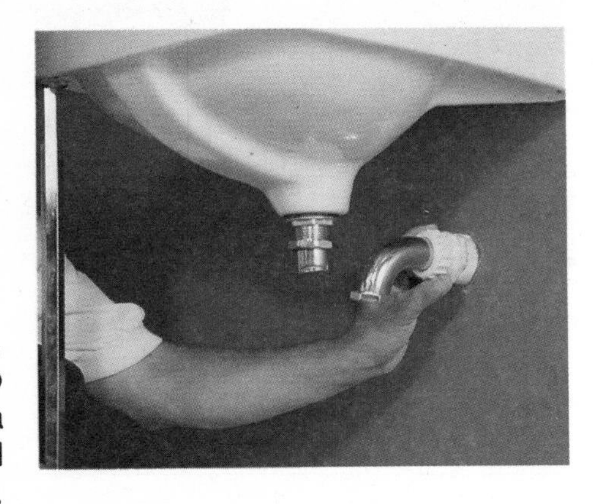

Después, coloque el tubo de salida en la entrada del drenaje.

Ponga el tubo curvo de la trampa y atornille primero la tuerca que lo une al tubo de salida.

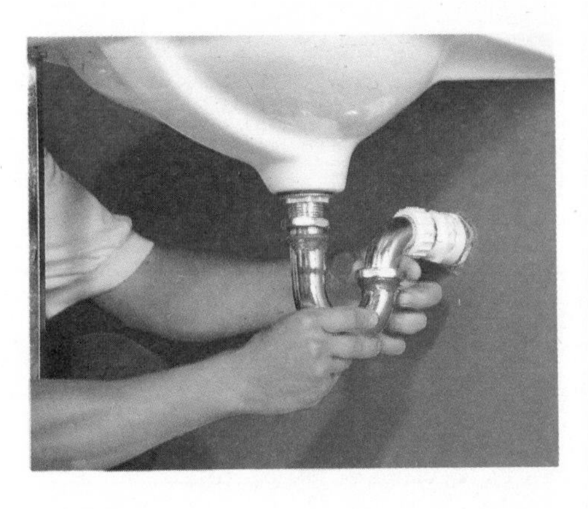

Enseguida se atornilla la tuerca que une la trampa con la cola o bajada de la coladera. Se aprietan con la mano firmemente y se prueban. Si hay fugas se tendrán que apretar con una llave.

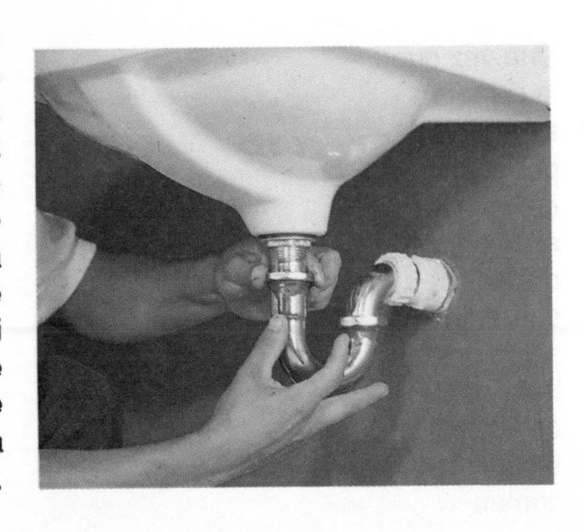

Para que la llave no lastime el cromo, se pone cinta de aislar alrededor de las tuercas

Se aprieta la tuerca de compresión de la salida del drenaje.

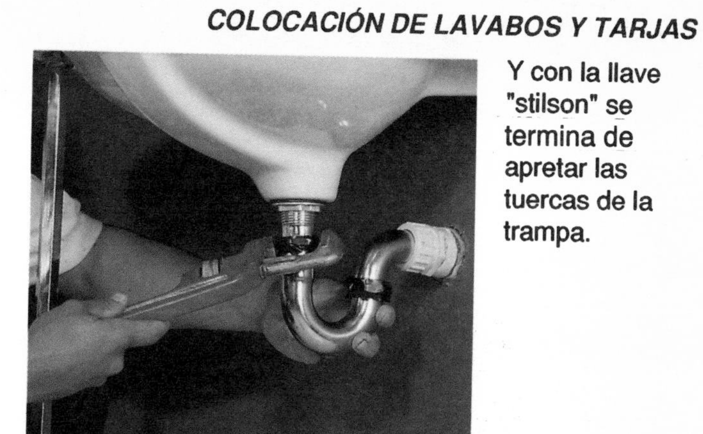

Y con la llave "stilson" se termina de apretar las tuercas de la trampa.

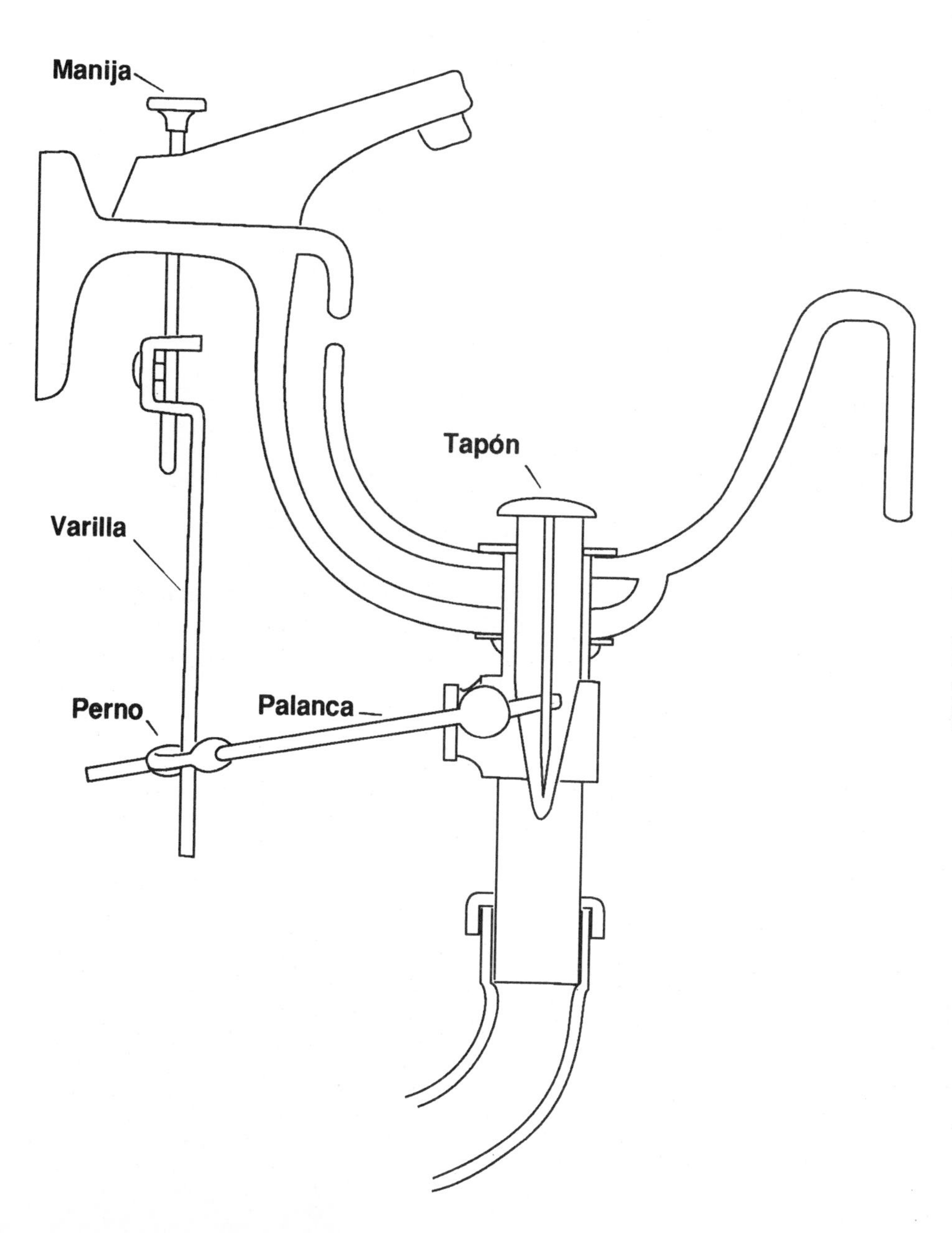

Hay algunos lavabos que tienen un tapón para la coladera integrado a la llave. Su colocación es sencilla: únicamente se ajusta y atornilla la varilla que baja, y enseguida se ajusta y atornilla el perno que fija a la palanca del tapón.

El tapón se abre y cierra al subir o bajar la manija.

Las coladeras o canastillllas de las tarjas son un poco distintas de las de los lavabos. Tienen un empaque que se coloca en el reborde de la tarja.

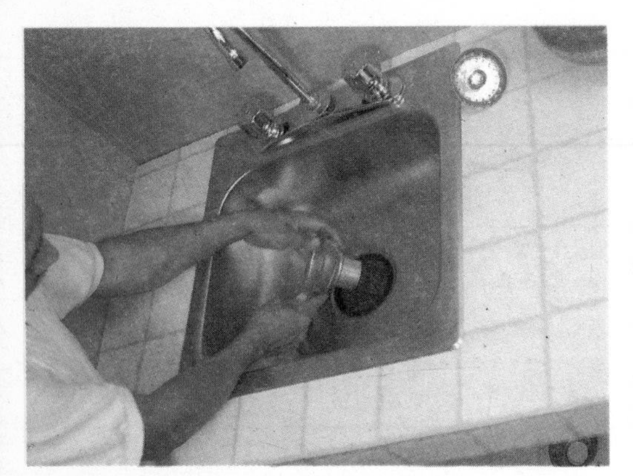

Encima del empaque se coloca la coladera.

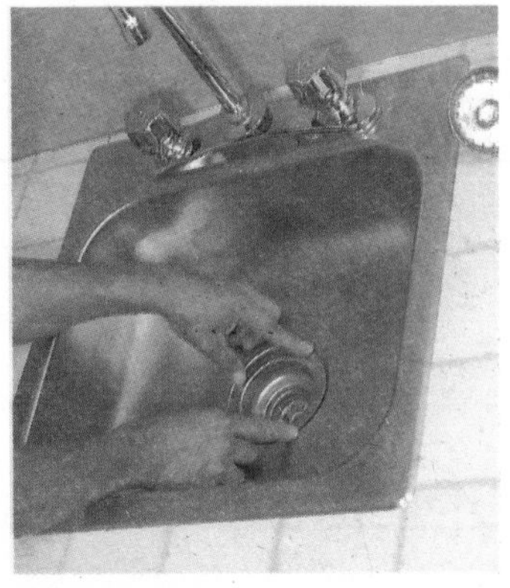

Se ajusta, para que asiente bien.

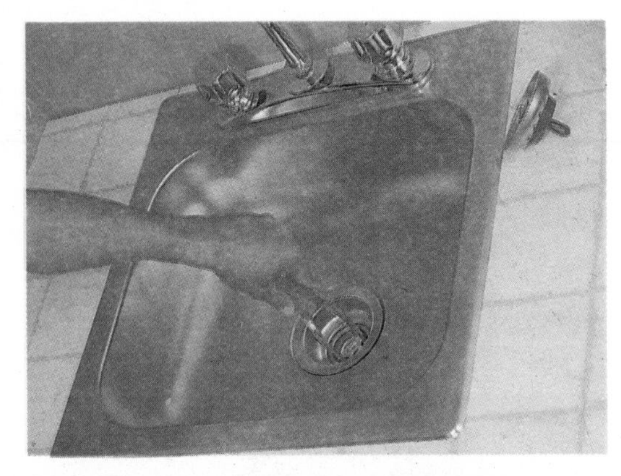

Se meten los mangos de unas pinzas dentro de la coladera y se pide a alguien que ayude a sostenerlas allí, para mantener fija la coladera mientras se aprieta por abajo.

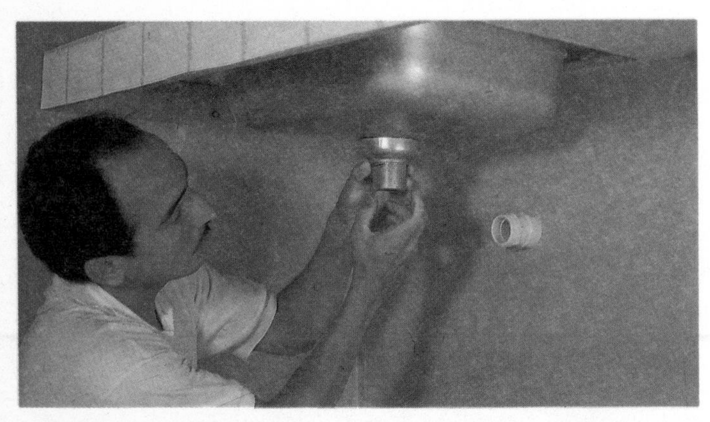

Por abajo, se mete primero la contra de la coladera.

Enseguida, se coloca la tuerca en la rosca de la coladera.

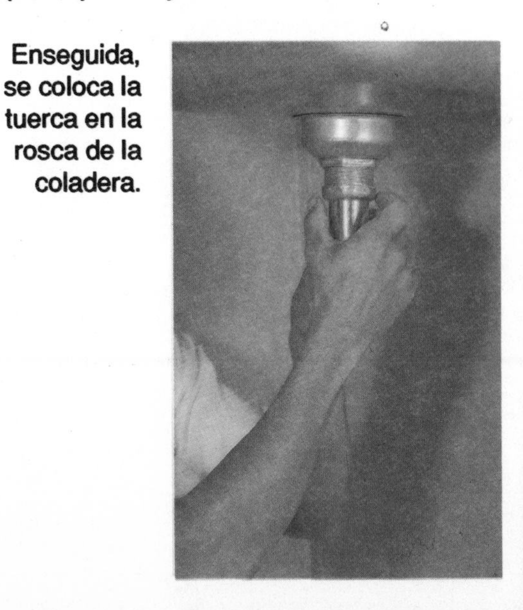

Luego se aprieta la tuerca con una llave "stilson".

Donde termina la rosca de la canasta se coloca un empaque con el que se sella la unión de la rosca contra la cola o tubo de bajada.

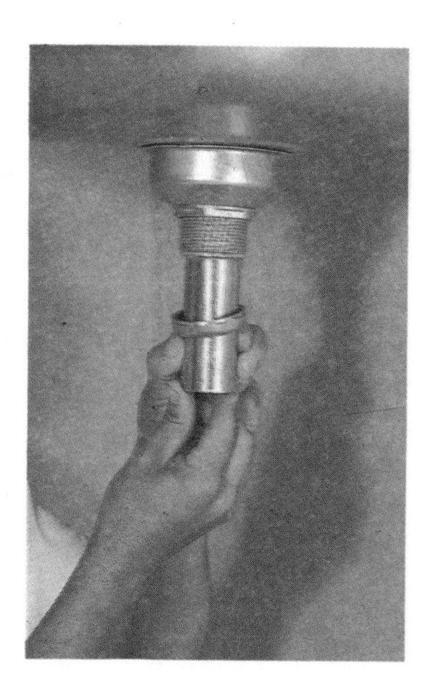

El tubo de bajada o cola se fija con una tuerca que se atornilla a la rosca de la coladera.

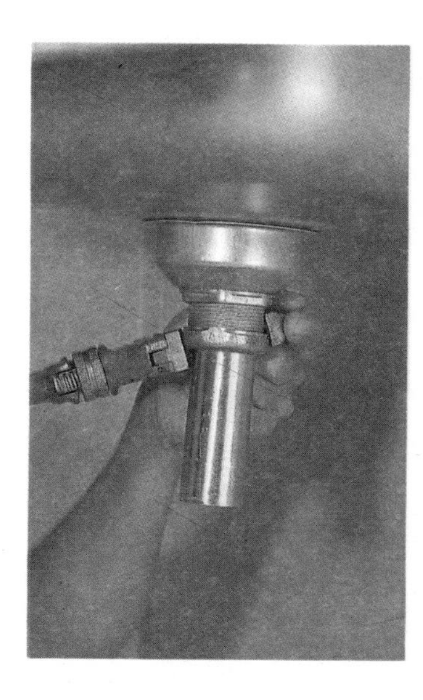

Y se aprieta, también, con una llave "stilson". Después se coloca la trampa de manera semejante a como se indicó al tratar sobre la instalación de los lavabos.

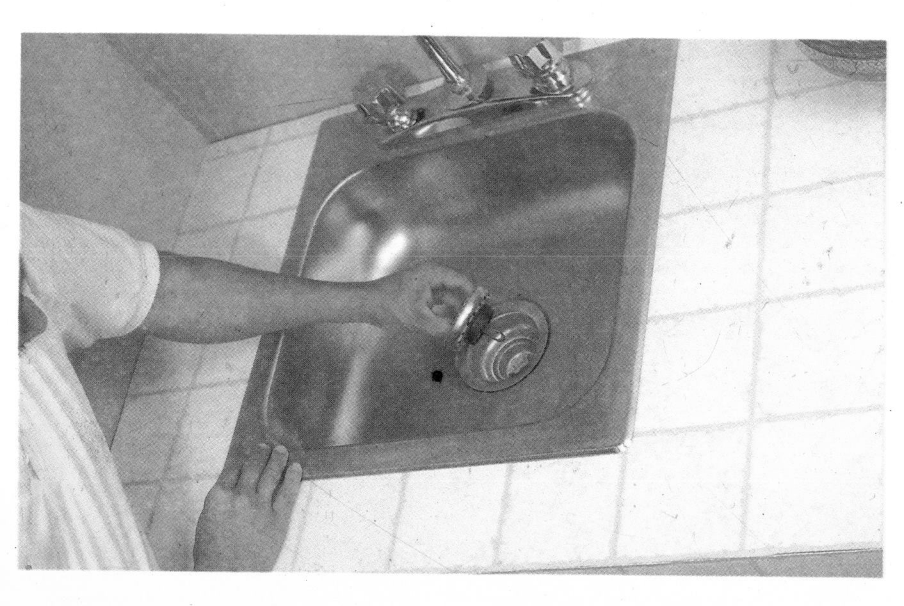

Finalmente, se coloca la canastilla de la coladera. Esta canastilla no va atornillada, sino sólo sobrepuesta dentro de la coladera.

Para colocar las llaves de la regadera, primero se atornillan los chapetones en las llaves.

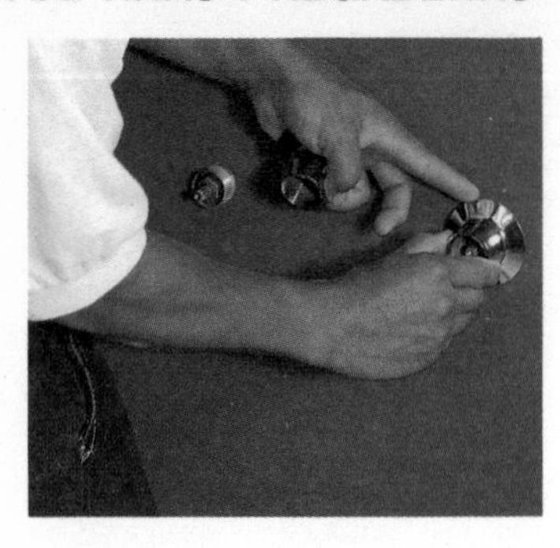

Enseguida se colocan las manijas de las llaves y se atornillan.

Finalmente, se atornilla el tubo de la regadera y la regadera.

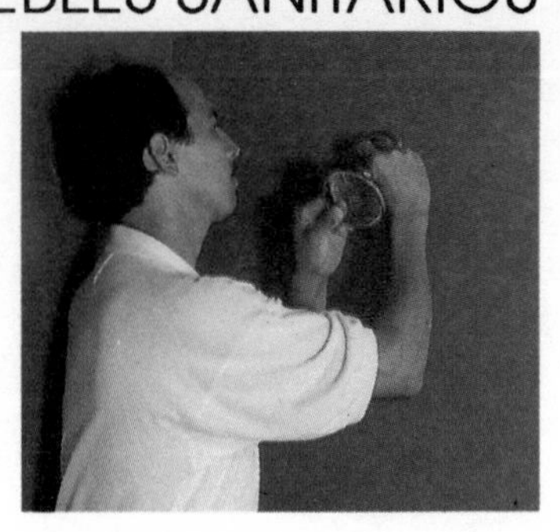

Las tinas se deben colocar antes que los acabados, porque van empotradas y el terminado de los azulejos debe hacerse una vez que están colocadas.

El sistema de llaves es muy parecido al de las regaderas, solo que las llaves mezcladoras sirven tanto a la tina como a la regadera. Para dirigir el agua hacia la regadera o hacia la llave de la tina, en unos sistemas se utiliza una llave intermedia, en otros, la llave de la tina tiene una compuerta que se sube y se baja según se desee el agua: en la tina o en la regadera.

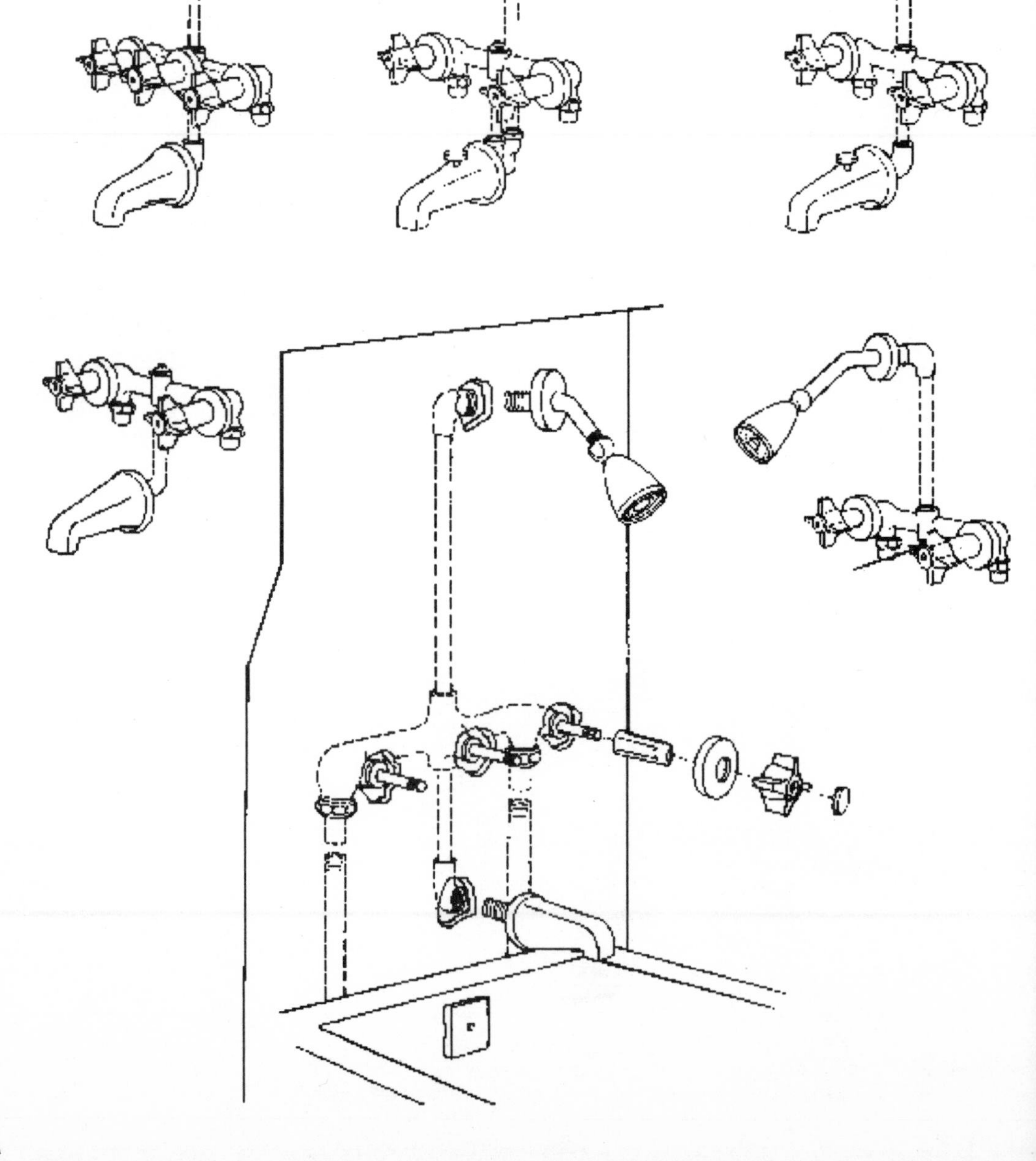

COLOCACIÓN DE TINAS Y REGADERAS

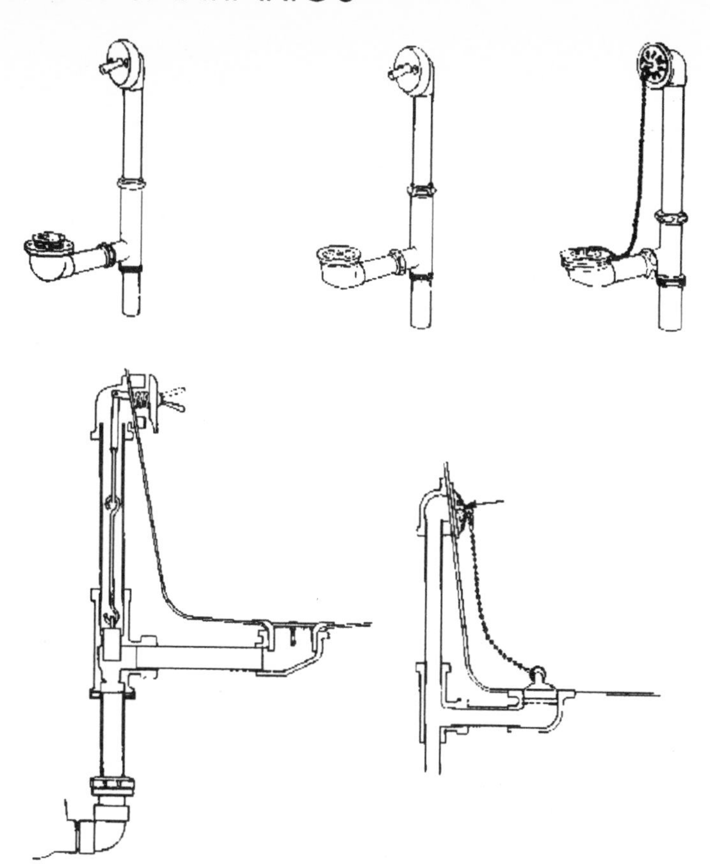

Las coladeras de las tinas tienen un sistema de doble coladera y ventilación a la vez. La doble coladera impide que se desborde el agua y salga de la tina. En unos modelos, el tapón de la coladera viene suelto, en otros modelos va atado a una cadena y, en otros más, es un sistema integrado dentro del tubo de ventilación.

COLOCACIÓN DE CALENTADORES DE GAS

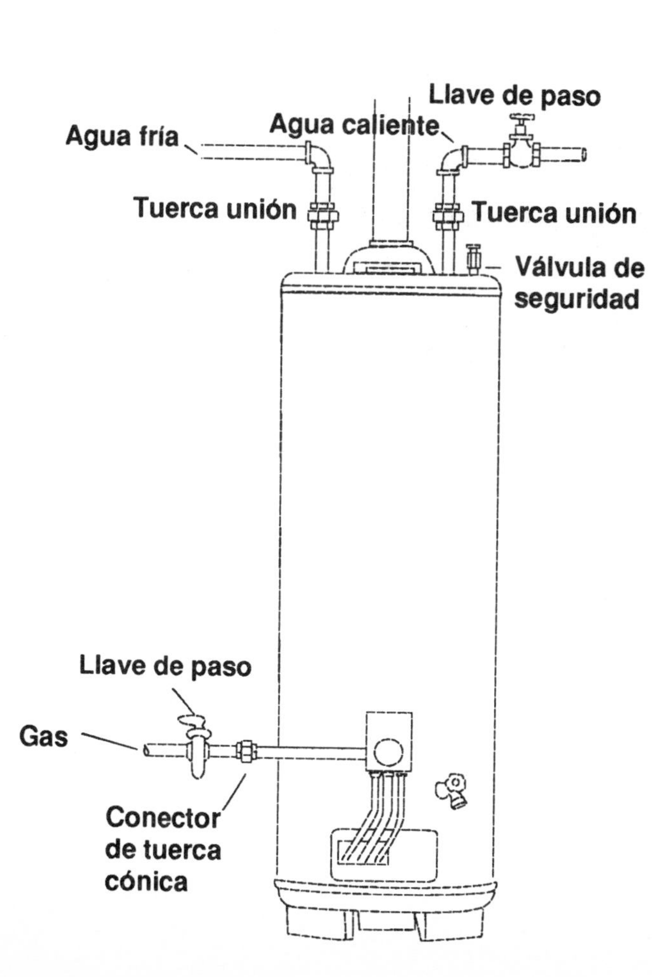

Para instalar un calentador de gas se conecta la entrada de agua fría colocando en el tubo de bajada una tuerca unión.

La salida de agua caliente también se hace con una tuerca unión, más una llave de paso.

La conexión de gas se hace con tubo de cobre flexible y un conector de tuerca cónica, más una llave de paso.

Un tapón o bloqueo del drenaje puede ocurrir bajo el mueble, en su propia trampa de agua, en un ramal que lleve desechos de varios muebles al drenaje principal de la casa o hasta en su conexión con el drenaje exterior o municipal.

Si un solo mueble es el que está tapado, hay que comenzar por revisar su propia trampa.

Cuando son varios los aparatos que se han tapado, hay que revisar el ramal, pero si están tapados todos los muebles, entonces hay que revisar el drenaje principal de la casa.

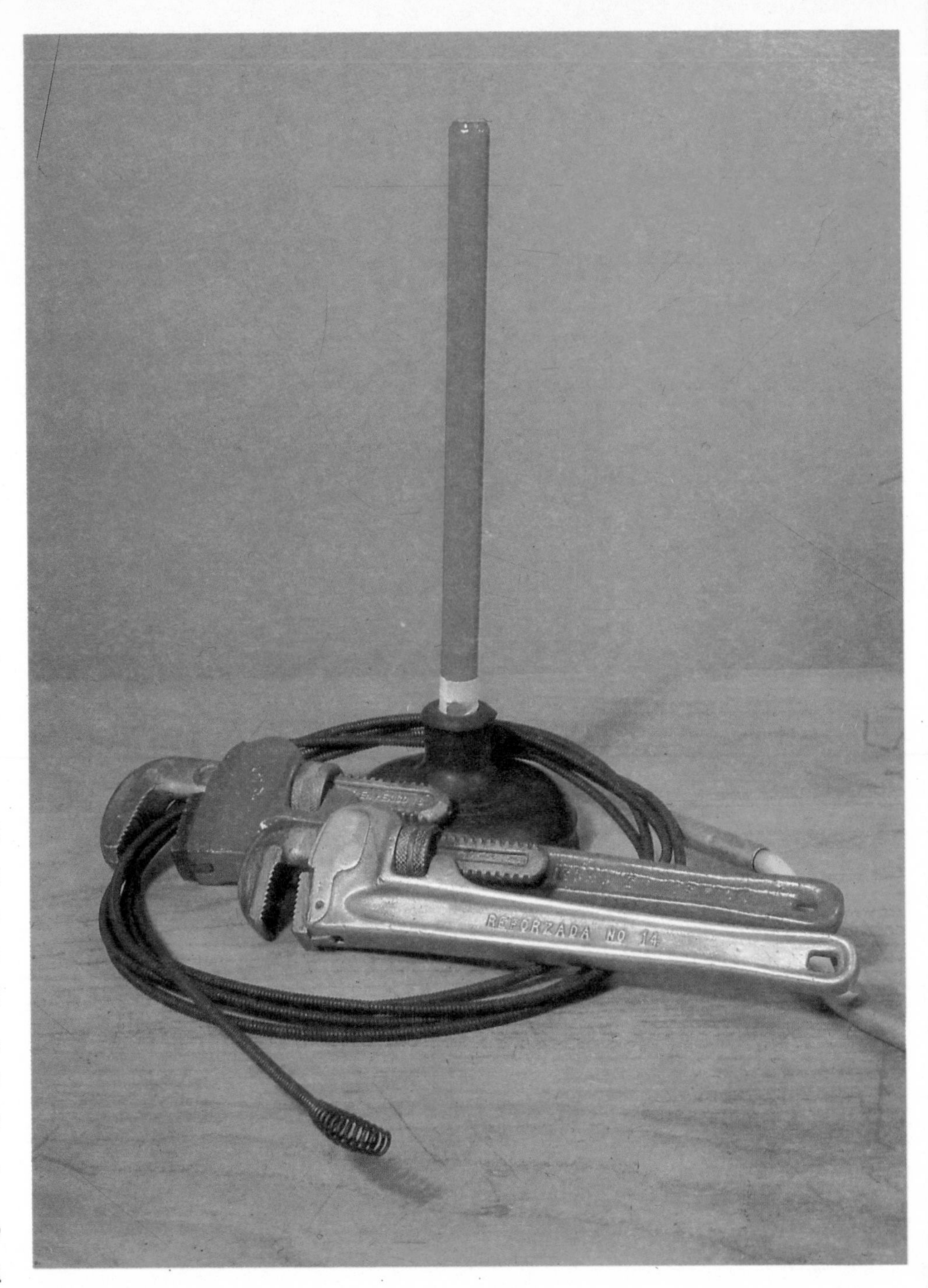

Un destapacaños de bomba de hule, una sonda de resorte y un par de llaves "stilson", son las herramientas más útiles para destapar caños.

ARREGLOS EN EL DRENAJE

LAVABOS Y FREGADEROS TAPADOS

Los lavabos se tapan generalmente con grasa, jabón y cabellos, mientras que los fregaderos o tarjas, se tapan con grasa y desechos de la comida de los platos y ollas en que se cocina.

Generalmente, el tapón se encuentra en los tubos curvos, trampas o céspoles que llevan abajo los lavabos y las tarjas.

Una parte del agua que pasa a través de esos tubos se queda dentro de la curva de la trampa, sirviendo como sello a los olores y a los gases del drenaje. Es precisamente allí, en esa curva, donde con más frecuencia se tapan los drenajes.

Si la tarja o el lavabo está parcialmente tapado y alcanza a salir agua lentamente, entonces puede usted probar a destaparlo echando dos o tres cafeteras de agua hirviente.

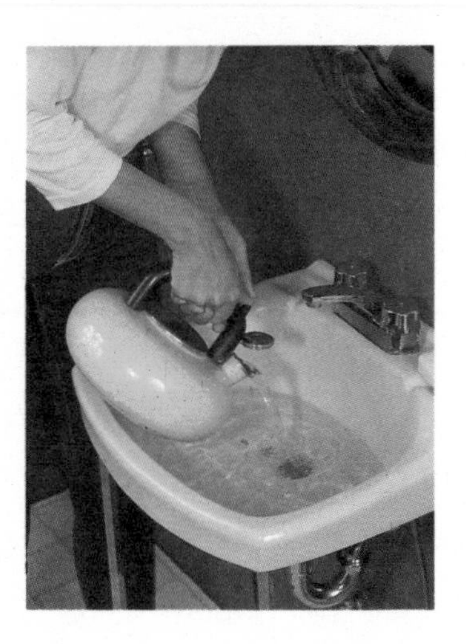

Si con el agua hirviente no se destapa, puede probar con un destapador químico, a base de sosa cáustica, de los que venden en el comercio. Úselos con cuidado porque son muy peligrosos.

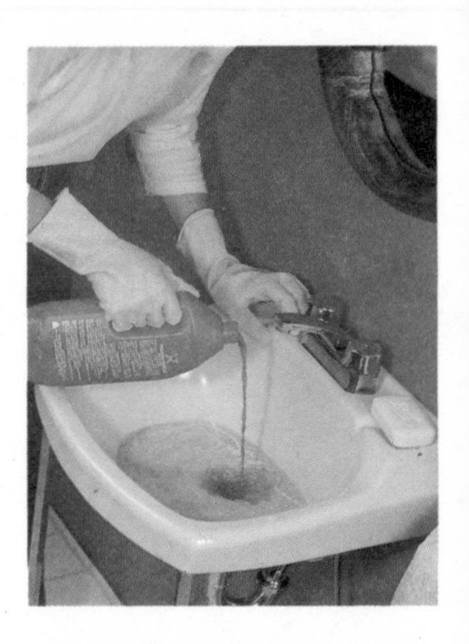

Si con la sosa cáustica se destapa, lave después el lavabo o la tarja varias veces con agua caliente, antes de volver a usarlo, para quitarle todo residuo químico.

Nunca use un destapacaños químico cuando la tarja o el lavabo estén completamente tapados, pues no destapará nada, es peligroso y puede dañar la plomería.

Lo peor es que después tendrá usted que destaparlo con una bomba o con una sonda y la sosa puede salpicar su ropa o su cuerpo, lastimándolo. Use destapador químico sólo cuando el agua siga escurriendo un poco.

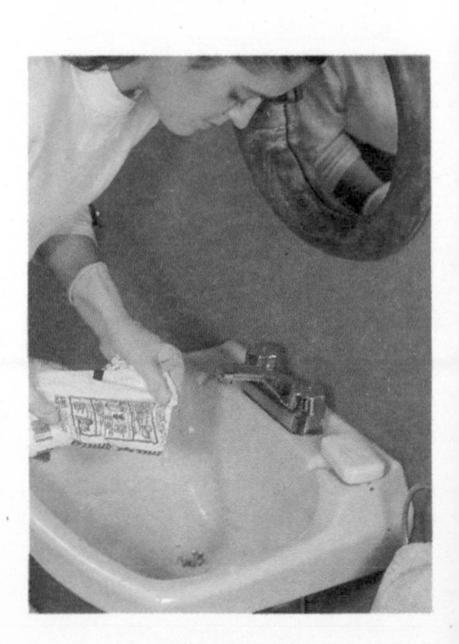

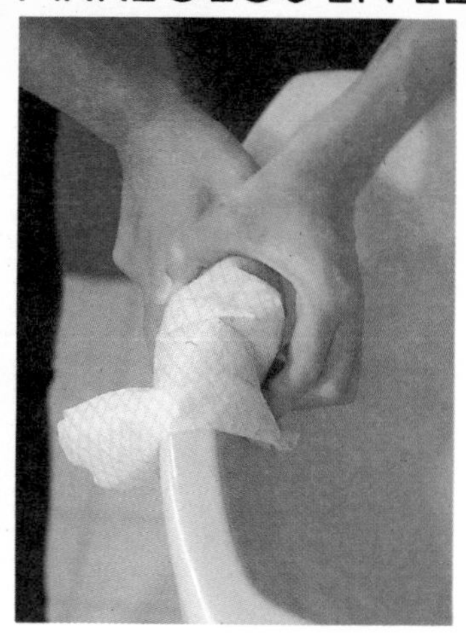

Si el lavabo o el fregadero están completamente tapados o los intentos con agua hirviente no dan resultado, entonces utilice la bomba de hule para destapar caños. Llene el lavabo hasta la mitad o dos tercios. Si es lavabo tape la respiración, que es un agujero que tiene en uno de sus bordes.

Si es tarja doble, tape la otra tarja con un trapo húmedo y tape también cualquier otra ventilación, como la del drenaje de la lavadora.

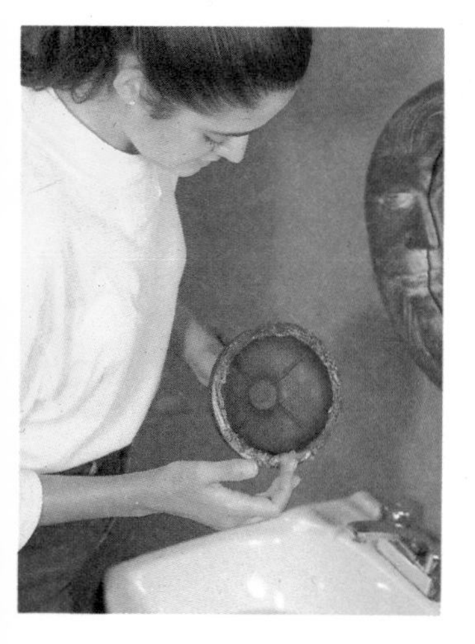

Cubra de vaselina el borde de hule de la bomba.

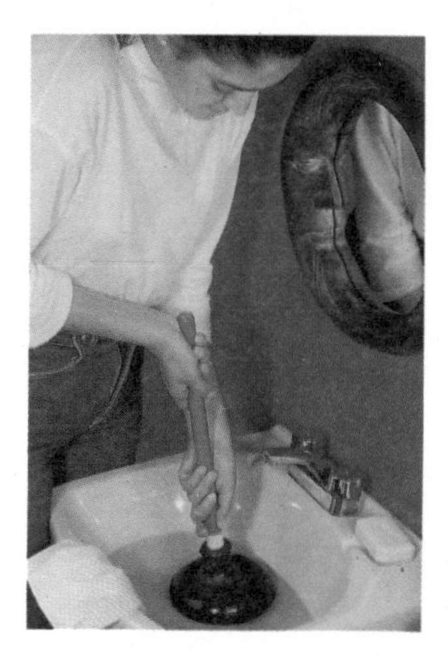

Ponga la bomba sobre la boca del drenaje, empuje el mango hacia abajo y luego jale hacia arriba repetidamente, con movimientos rápidos, de 10 a 15 veces.

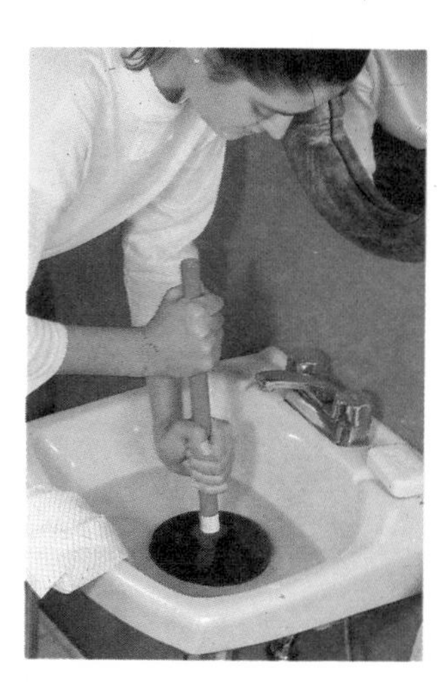

Enseguida, jale rápidamente la bomba hacia arriba, para desprenderla de la tarja o lavabo.

Si no se destapa, repita la operación tres veces más.

Si se limpia un poco pero no bien, puede usar sosa caústica para terminar de limpiarlo. Pero si no se destapa nada, trate con los métodos siguientes.

Ponga una cubeta bajo la trampa.

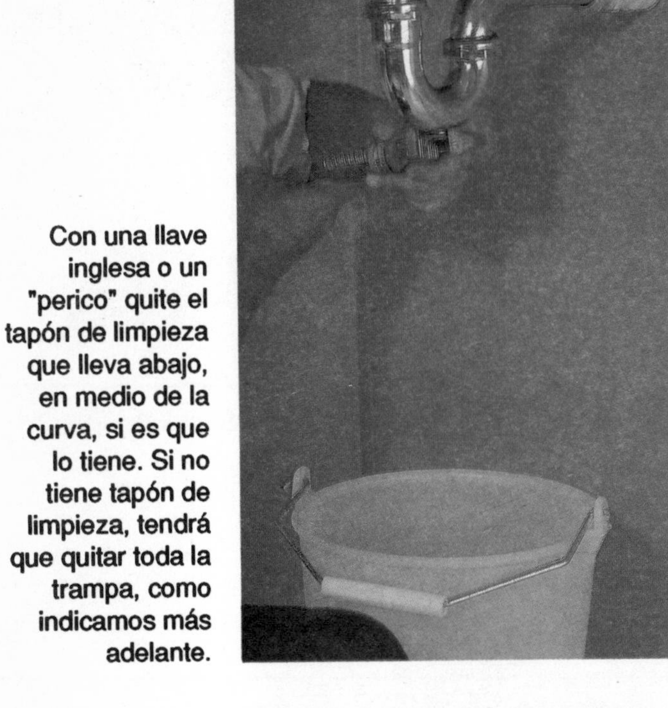

Con una llave inglesa o un "perico" quite el tapón de limpieza que lleva abajo, en medio de la curva, si es que lo tiene. Si no tiene tapón de limpieza, tendrá que quitar toda la trampa, como indicamos más adelante.

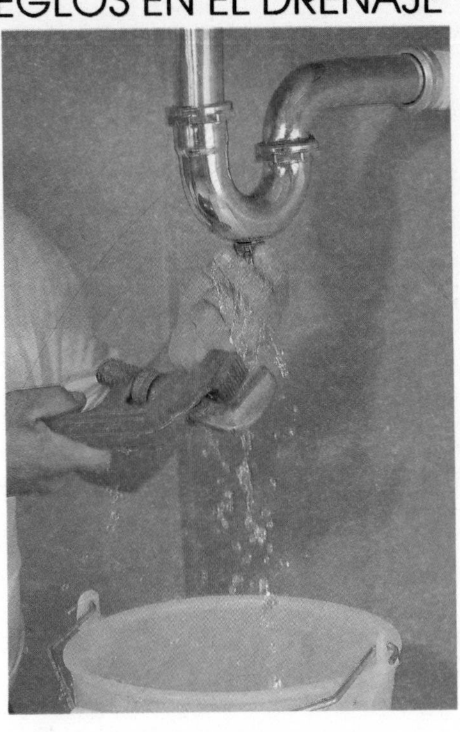

Al quitar el tapón de limpieza se vacía o drena el agua de la trampa, pero la masa sólida que tapa puede seguir allí.

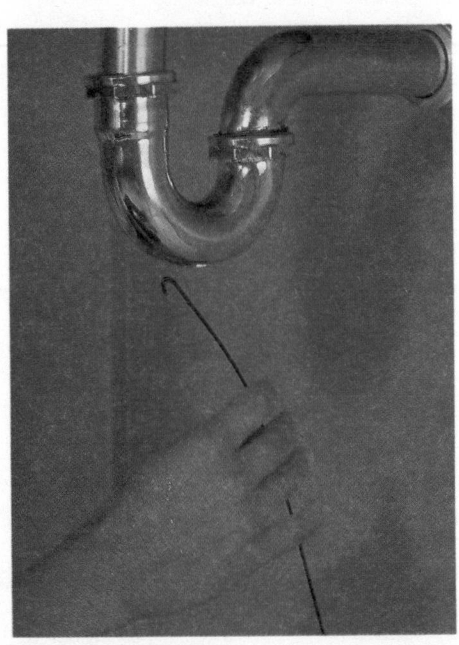

Para quitarla se toma un alambre grueso, como los de gancho de ropa, con un doblez en la punta, como anzuelo, y se mete por el orificio de limpieza.

Si el tapón está en la trampa o cerca de ella, podrá sacarlo al empujar y jalar con el gancho.

También puede probar desde arriba del lavabo o tarja, metiendo el gancho hacia abajo.

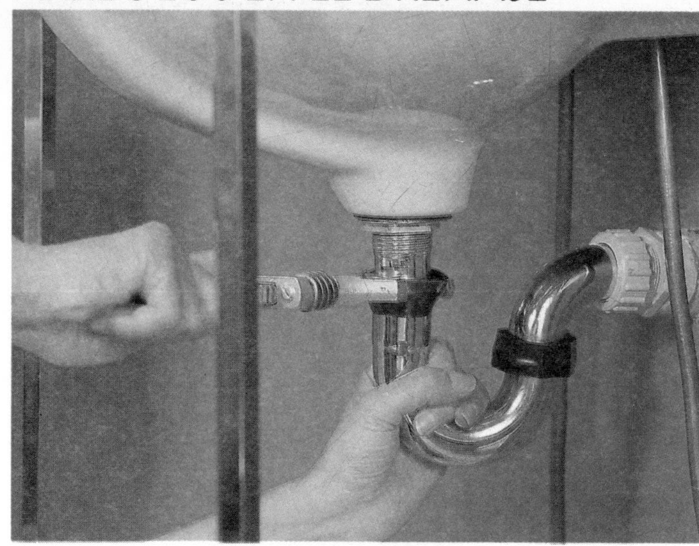

Si la trampa no tiene tuerca de limpieza habrá que quitarla toda con un par de llaves y un poco de cinta de aislar, que se pone alrededor de las tuercas para que el cromo o acabado exterior no se maltrate.

Desatornille la trampa o céspol, aflojando la tuerca deslizante que lo detiene contra el tubo que baja del lavabo.

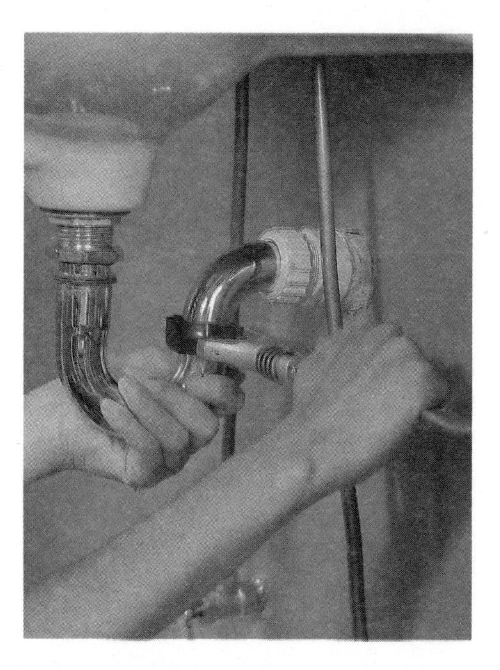

Enseguida, afloje la tuerca que lo une al tubo que lleva al ramal del drenaje.

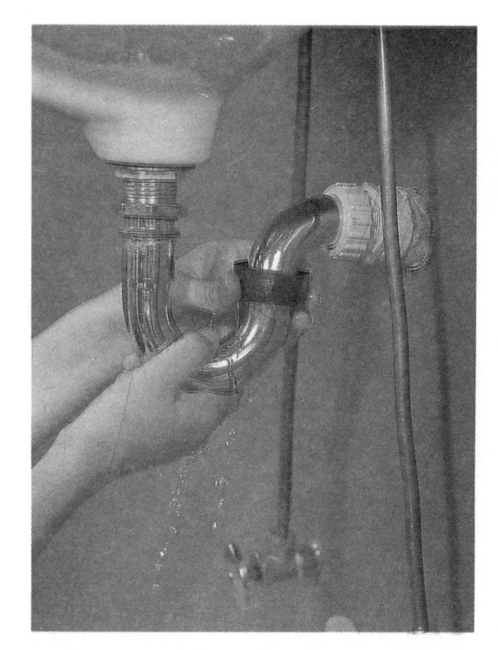

Con la mano termine de quitar las tuercas para quitar completamente la parte curva de la trampa.

Ya que sacó el cespol, lávelo con agua caliente y un cepillo para botellas.

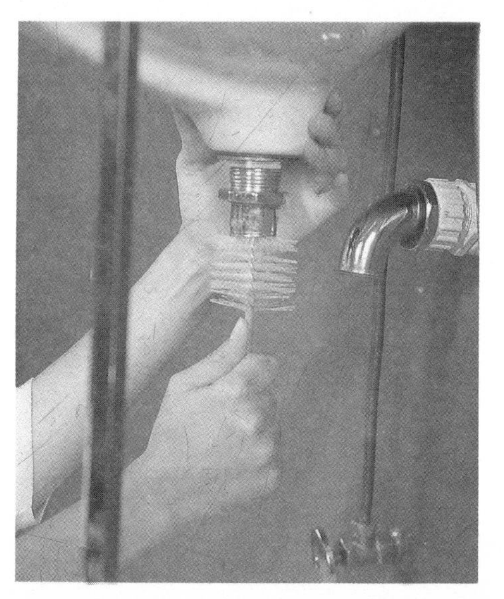

Con el mismo cepillo para botellas limpie el tubo que baja del lavabo o la tarja y el tubo que conecta al ramal del drenaje.

Para volver a colocar el céspol limpie las roscas de los extremos y póngales pasta selladora para plomería.

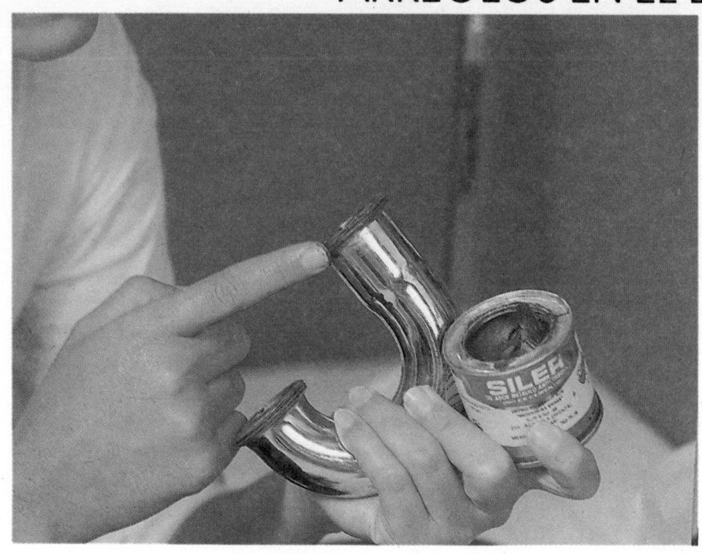

Enseguida, mueva hacia atrás las tuercas deslizantes con sus empaques o rondanas y presente la trampa.

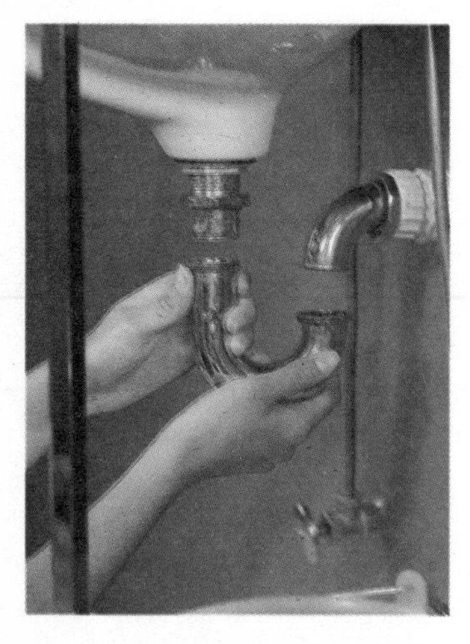

Coloque la trampa en su lugar, recorra las tuercas hasta que embonen con la trampa y apriételas.

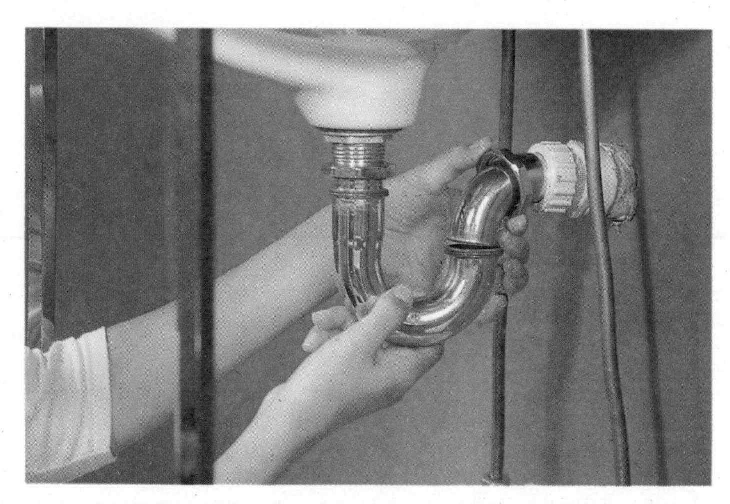

Termine de apretar las tuercas y pruebe el lavabo.

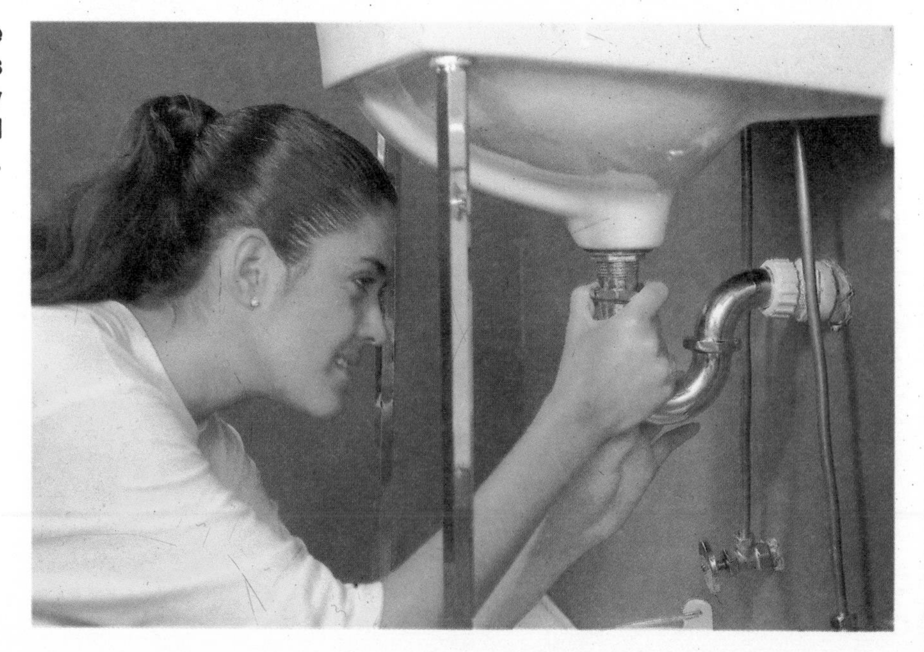

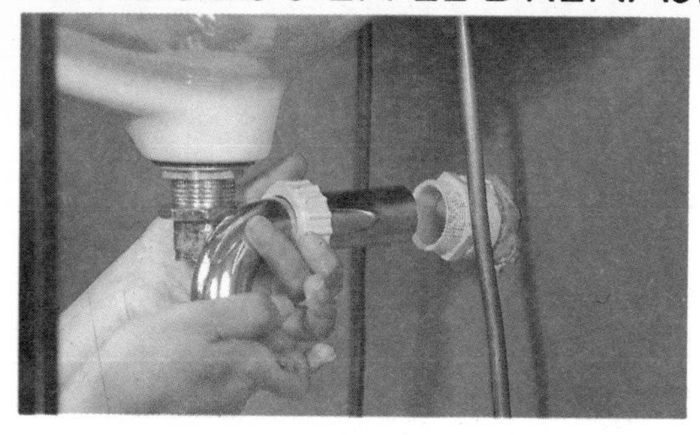

Puede suceder que el tapón no se encuentre en la trampa, sino en el tubo vertical que lleva al ramal del drenaje. En ese caso, es necesario usar una sonda de resorte, que se mete por el tubo poco a poco, girando con el mango en el mismo sentido que las manecillas del reloj. Para meter la sonda es necesario quitar primero el tubo del céspol que conecta al drenaje.

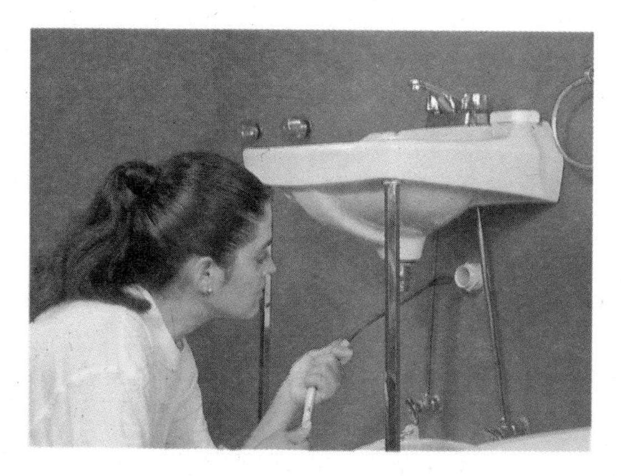

Al comenzar, el mango de la sonda se coloca cerca de la punta, fijo con el tornillo con asa que lo aprieta contra el resorte.

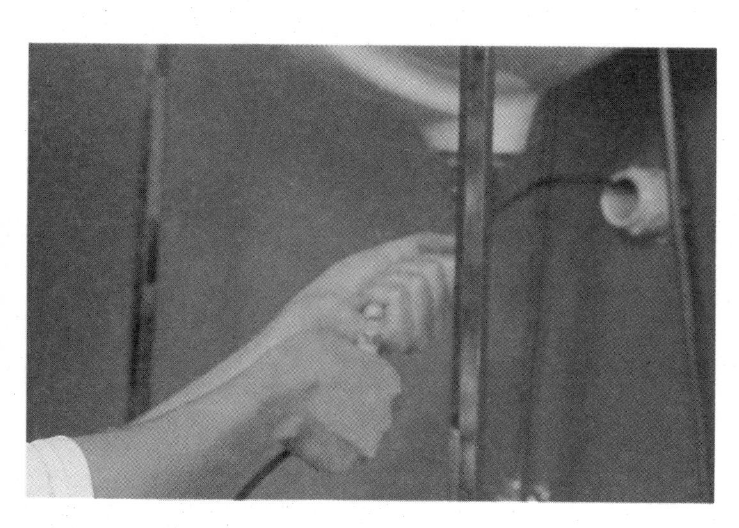

Conforme la sonda va entrando, el mango se va recorriendo más atrás, fijándolo siempre con el tornillo con asa.

Cuando la sonda se atore en algo, como un quiebre o una junta, muévala hacia atrás y adelante, afuera y adentro, sin dejar de girar lentamente, hasta que la sonda encuentre su camino.

Una vez que se encontró el tapón y se destapó el drenaje, retire la sonda, sin dejar de girar siempre en la misma dirección.

Si la sonda corre libremente a través del ramal, es probable que el problema esté en uno de los drenajes principales.

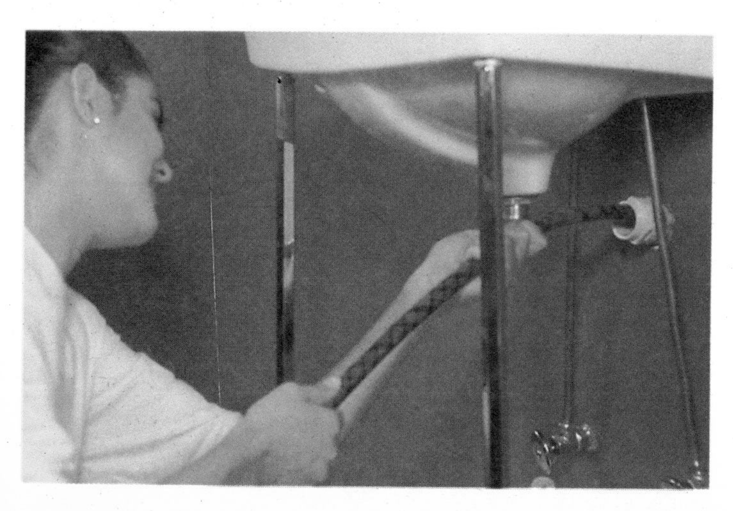

Si no tiene sonda puede improvisar una con una manguera de jardín, que puede usar con o sin la presión del agua.

Coloque la manquera en el drenaje, metiéndola, sacándola y girándola, hasta que encuentre el camino y llegue al tapón, empujándolo para tratar de quitarlo.

Las mangueras funcionan muy bien en los drenajes bajo el piso y sobre todo, en los drenajes principales.

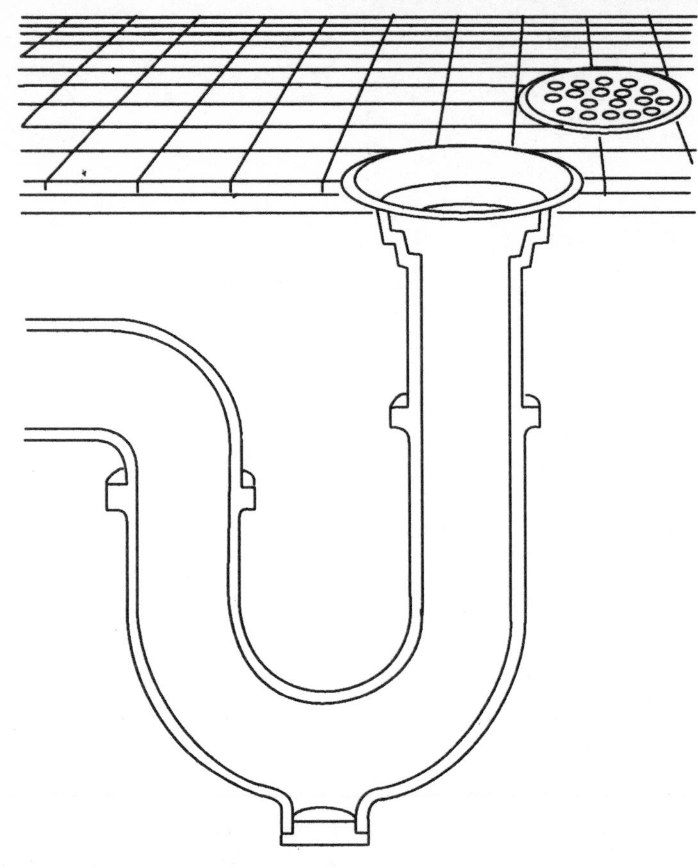

Las tinas y regaderas pueden tener una trampa de tubo curvo, igual que los lavabos, si es que fueron colocadas hace muchos años.

Pero ahora las trampas de tina y regadera son de tambor o de bote, también llamados trampa sifonada.

Los pasos para destapar las coladeras son semejantes a los que ya señalamos para los lavabos, es decir, primero el agua hirviente, luego la bomba y finalmente, la sonda. Para ello, primero se quita la coladera o tapa.

Enseguida se quita el cono de la trampa .

Finalmente, se procede a quitar el tapón que impide la salida libre del agua.

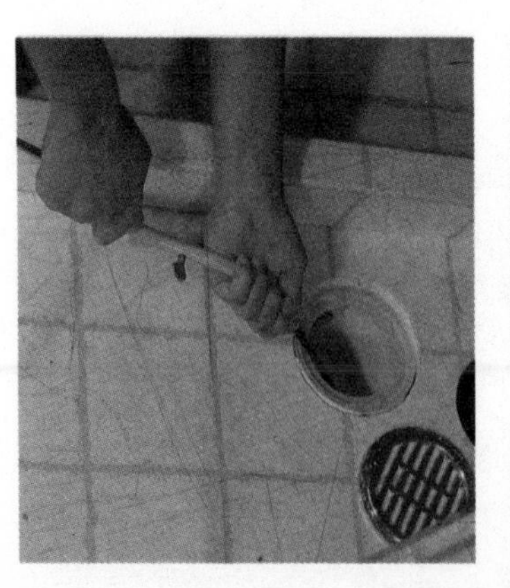

Algunas veces, en los baños se pone una trampa o registro que va tapado. Para limpiarlo se quita la tapa y se destapa de la misma manera.

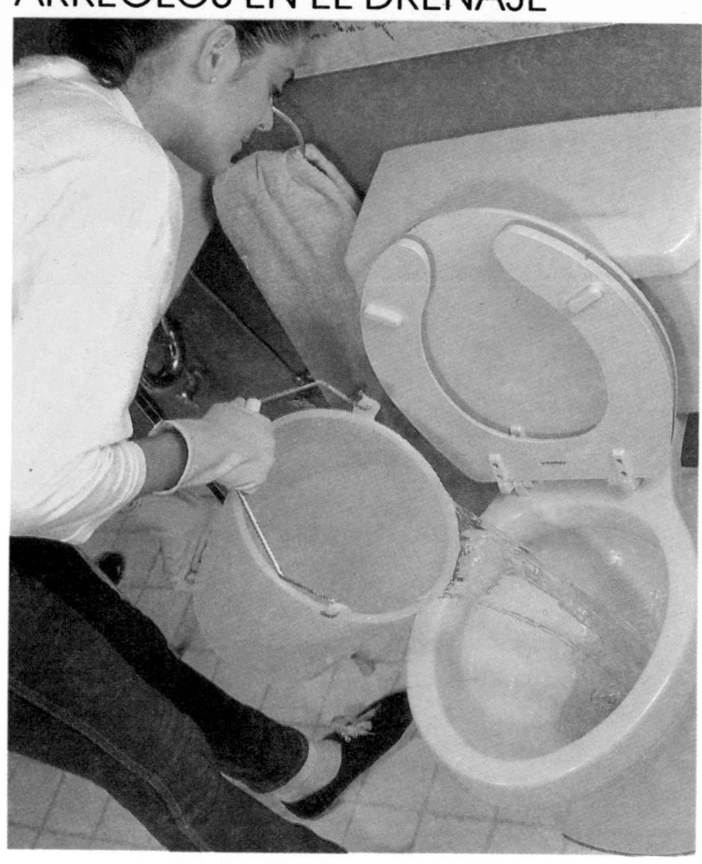

Cuando un excusado se tapa, primero se trata de destapar con la bomba de hule, luego con la sonda y por último quitando la taza para limpiar bien el sifón y el ramal del drenaje. Nunca se usa sosa cáustica para destapar un excusado.

Si el excusado está completamente lleno hasta el borde, saque un poco de agua. Pero si está vacío agréguele agua por arriba de lo normal, a que cubra bien la abertura grande del centro de la taza.

Ponga vaselina en el borde de la bomba de hule y luego métala al excusado, a que cubra el hoyo en el fondo de la taza. Bombee diez veces con movimientos rápidos y cortos.

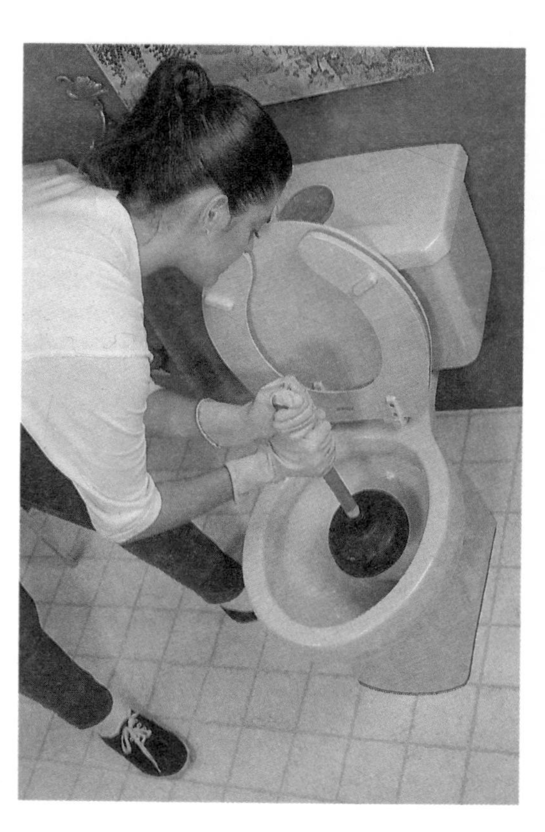

Jale rápidamente la bomba para quitarla. Si el agua sale es que logró romper el tapón. Eche un poco más de agua y vea si funciona normalmente.

Pero si con varios intentos con la bomba no es posible destaparlo, hay que utilizar la sonda.

Hay unas sondas especiales para excusado que permiten guiar el resorte a través del sifón, con más facilidad que la sonda de resorte común.

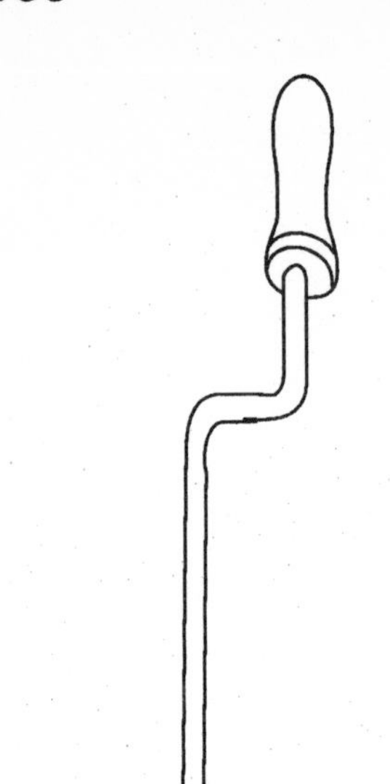

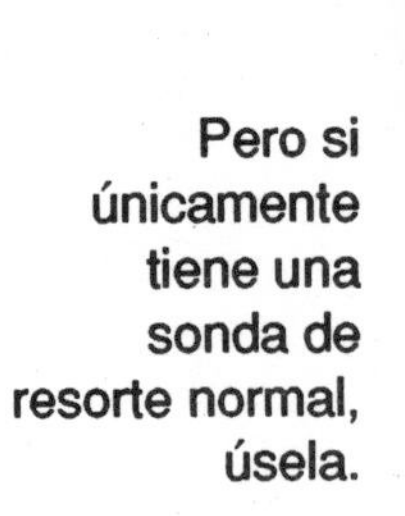

Pero si únicamente tiene una sonda de resorte normal, úsela.

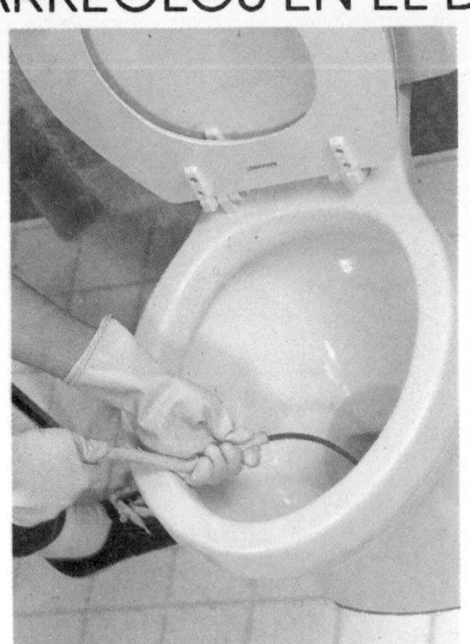

La introducción de la sonda en el sifón del excusado debe hacerse con mucho cuidado para no dañar la porcelana de la tasa. Gire la sonda siempre en el sentido de las manecillas del reloj, al tiempo que se presiona para que pase los obstáculos.

Una vez que la sonda llega hasta el tapón y lo elimina, el agua sale.

Pruebe que ya está funcionando bien, echando agua dentro de la tasa.

A veces es necesario guiar la sonda con la mano para que penetre correctamente en las curvas agudas del sifón o trampa de la tasa del excusado. Para guiarla bien, sin mojarse, utilice una bolsa de plástico grande, de las que se usan para la basura. Meta su brazo en ella.

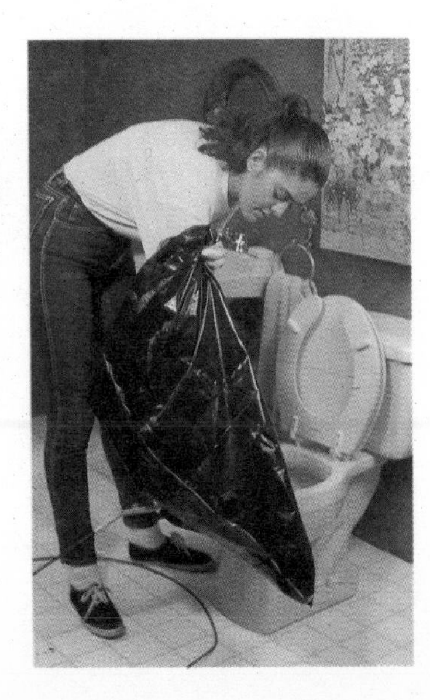

Luego, con la mano guíe la punta de la sonda.

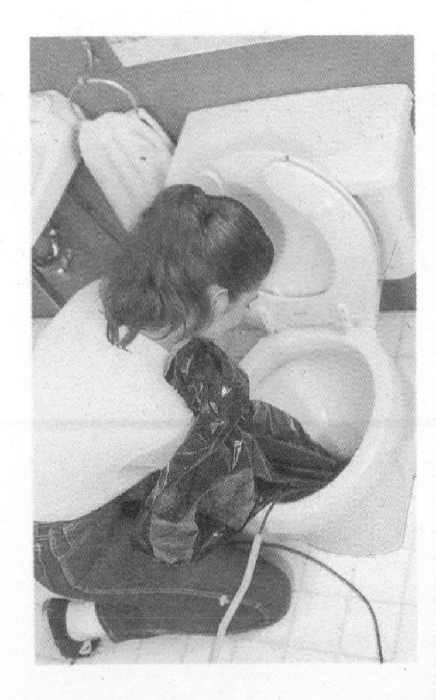

Las fugas de agua de desecho de un lavabo o fregadero se deben, principalmente, a que las tuercas del céspol o trampa están flojas o mal empacadas

Algunas veces basta con apretarlas. Otras, con aflojarlas, ponerles un poco de sellador para plomería y volverlas a apretar.

También es posible que haya que cambiar la trampa completa, comenzando por aflojar, en sentido inverso al reloj, la tuerca grande en tubo recto, la que une la tarja o lavabo con el céspol.

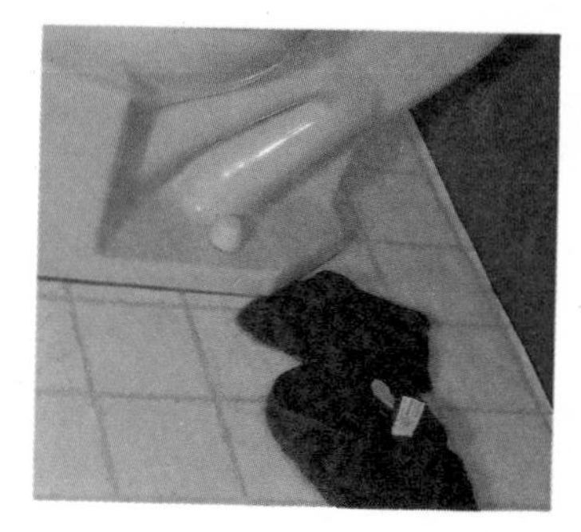

Las fugas en la base de los excusados se deben a que está mal el sello o empaque grande que hay entre la taza y el tubo de drenaje.

Para cambiar el sello por uno nuevo se tiene que quitar la taza. Primero cierre el agua que va al excusado.

Saque el agua del tanque y desconéctelo de la taza, quitando los tornillos que hay al fondo.

Quite el tanque.

Quite el asiento de la tasa.

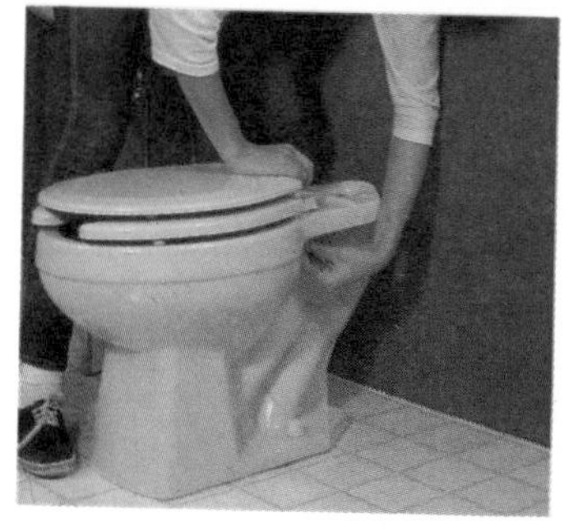

Quite las cubiertas de metal o de cerámica que tapan las tuercas de la base del excusado.

Quite las tapas que cubren los tornillos en el borde de abajo de la taza.

Desatornille las tuercas que fijan el excusado al suelo.

Rompa el sello entre la taza y el piso, girando y ladeando un poco la taza.

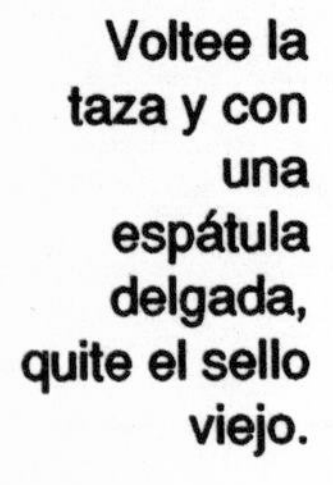

Voltee la taza y con una espátula delgada, quite el sello viejo.

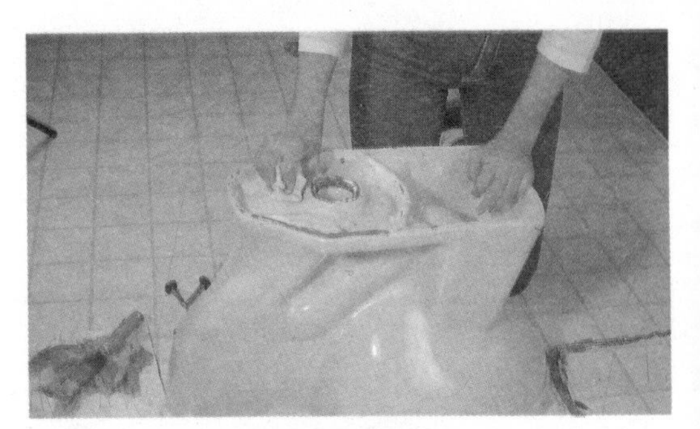

Limpie el fondo de la taza.

Limpie y seque el piso bajo la taza.

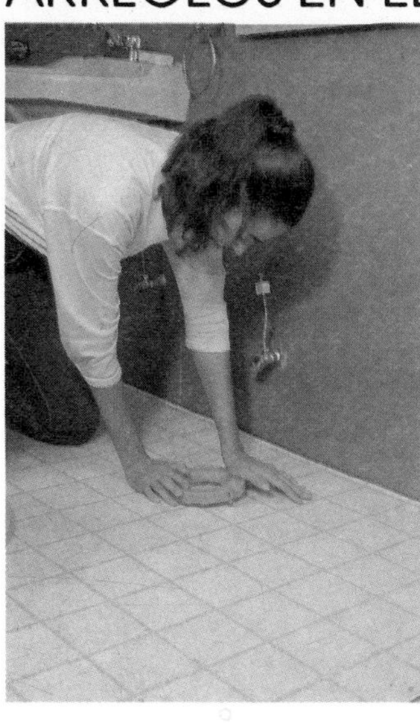

Ponga un sello nuevo para la base de la taza.

Coloque una cantidad generosa de sellador para plomería alrededor del fondo de la taza.

Coloque el excusado de tal manera que los tornillos que salen del suelo entren sin tropiezo a través de los hoyos de la base de la taza.

Presione con todo su cuerpo para que el excusado y el sello asienten bien.

Utilice un nivel de burbuja para asegurarse de que la taza quede a nivel.

Complete la colocación del excusado.

CUIDADO DE LA FOSA SÉPTICA

La fosa séptica no necesita muchos cuidados, pero los pocos que requiere son muy importantes para su buen funcionamiento y para la salud de todos.

Lo mejor es conservar un croquis o dibujo de la fosa séptica y del lugar en que está ubicada. O bien, tener una marca o referencia en el lugar en que está la entrada del drenaje y la tapa del registro.

El mantenimiento consiste en sacar, cada dos o tres años, los lodos que se asientan en el fondo de la fosa, pues con el paso del tiempo van subiendo de nivel y cuando llegan a tener 50 a 60 centímetros de altura hay que sacarlos.

Si no se sacan, sino que se dejan acumular más, entonces la fosa comienza a funcionar mal.

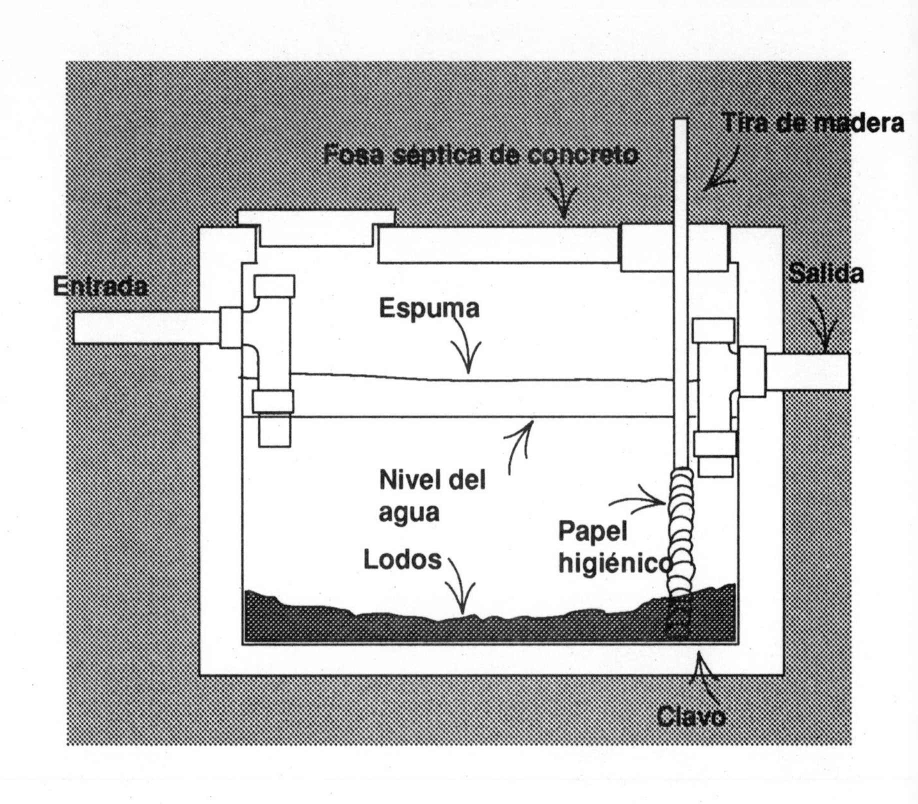

Para medir la altura de los lodos se localiza la tapa de registro y se quita.

Se prepara una tira de madera con un clavo en la punta y se envuelve poco más de un metro con papel absorbente, como el papel del baño, sujeto con un cordel.

CUIDADO DE LA FOSA SÉPTICA

Se mete el palo, con la parte envuelta en papel, dentro del registro, lentamente, empujando hasta que el clavo toca con el fondo de la fosa.

Con cuidado se saca el palo y se mide la parte del papel absorbente que quedó impregnada con lodo.

Si tiene más de 50 centímetros es necesario sacar los lodos.

La limpieza se hace con una bomba.

Los lodos, que no huelen mal, se deben vaciar dentro de un hoyo en el suelo y luego se tapan.

Cuando hay fosa séptica no se deben usar desinfectantes en el drenaje, pues destruyen los microbios que vuelven lodo los desechos.

ARREGLOS EN EL DRENAJE PRINCIPAL

Cuando se supone que es el drenaje principal lo que está tapado, se quitan las tapas de registro.

Se mete una sonda de resorte o mejor una manquera de jardín con la presión del agua. Para meterla se empuja, sacude y gira, presionando siempre hacia adelante, hasta que disuelve el tapón.

FUGAS DE AGUA

La mayoría de las llaves simples tienen su propia boca de descarga, pero las llaves mezcladoras y de agua fría y caliente, comparten una misma boca de salida, aunque en realidad son dos llaves, enteramente separadas.

Cuando gotean hay que determinar si la fuga es en la llave de agua caliente o en la fría, o bien en ambas.

Cuando una llave gotea es que la rondana o empaque no cierra o no asienta correctamente en el asiento de la válvula. Entonces, hay que cambiar el empaque o rondana.

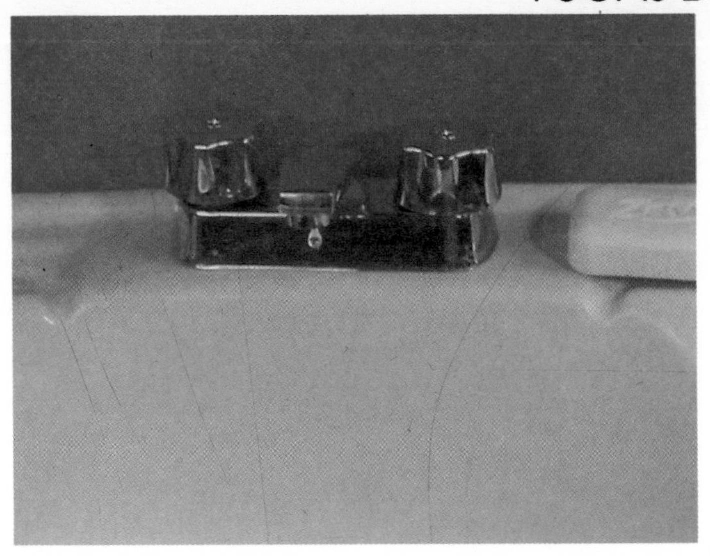

Primero cierre la llave de paso que lleva el agua a ese mueble.

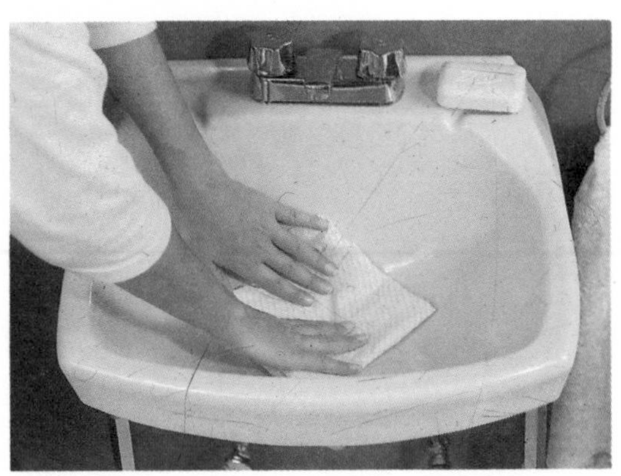

Enseguida, ponga un trapo o el tapón en la entrada del drenaje, para que no se le vayan a ir por allí las piezas pequeñas que va a quitar.

Quite el tornillo que sostiene la manija de la llave, girándolo con desarmador, en sentido opuesto al giro de las manecillas del reloj. Algunos modelos ocultan el tornillo con una tapa que se levanta con una navaja.

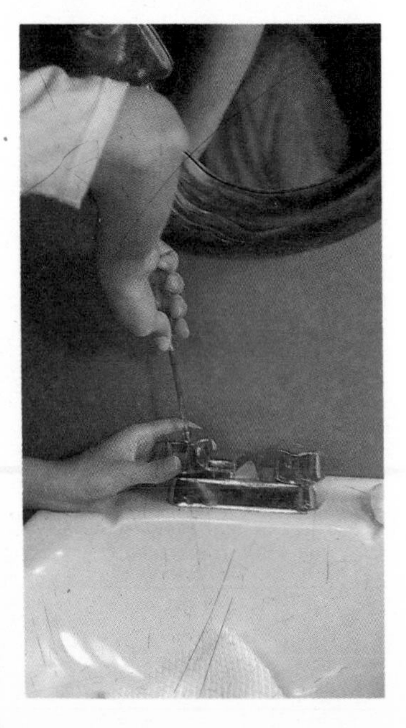

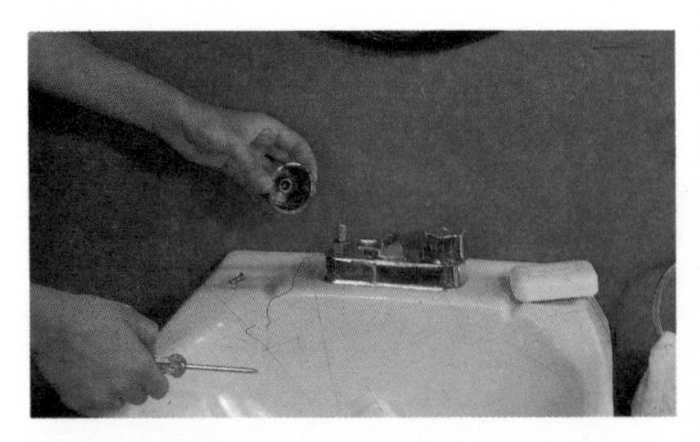

Ya sin tornillo, se jala y quita la manija o volante de la llave.

Con un perico o con una llave inglesa afloje y quite la tuerca grande.

Dé vuelta al pivote de la llave, como si fuera a abrirla, para poder sacarla.

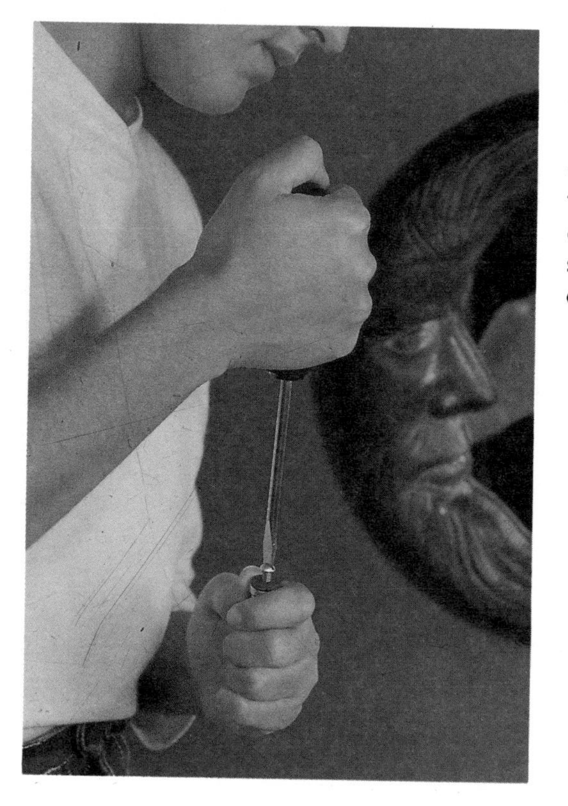

Al final del pivote o la flecha, hay una rondana con un tornillo al centro, que se afloja y quita.

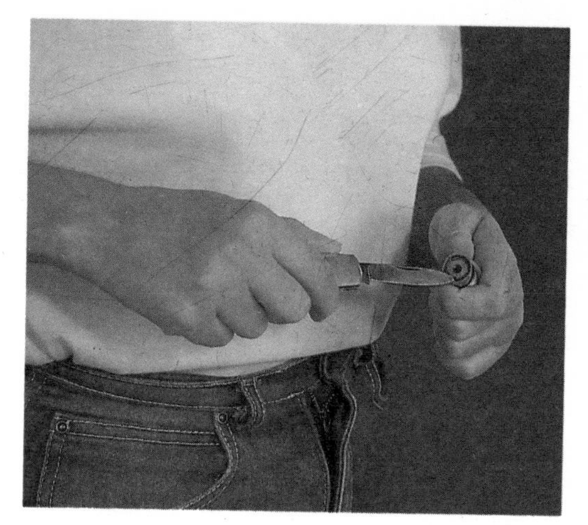

Y la rondana se separa de la llave con la ayuda de una navaja.

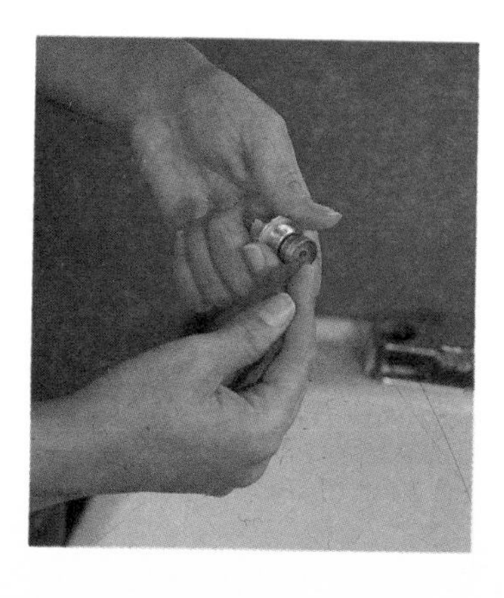

Limpie bien todas las partes que estén oxidadas o que tengan residuos acumulados.

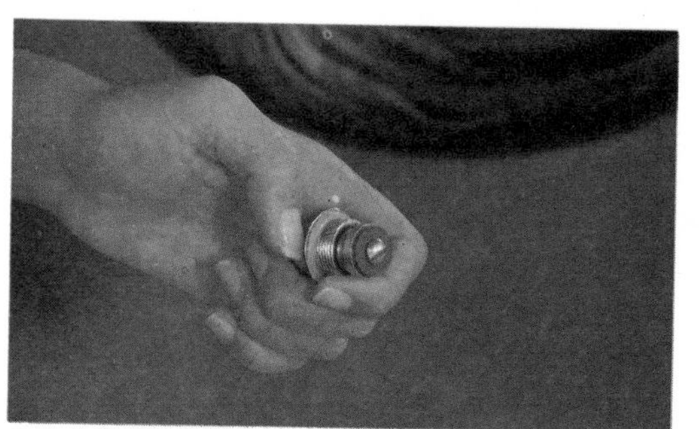

Cambie la rondana por otra que resista tanto el agua caliente como la fría.

Hay varias clases de empaques o rondanas, unas planas, otras biseladas, otras con resorte.
La rondana nueva debe ser exactamente del mismo diámetro que la vieja y embonar perfectamente, en el asiento de la rondana. Cuando vaya a comprarla conviene llevar el empaque viejo para compararlo.

Si no encuentra un empaque exactamente igual, puede comprar uno un poco más grande.

Para volverla del tamaño correcto meta una broca un poco más grande por el orificio central de la rondana, de tal manera que pueda sostenerla sin que se deslice o mueva.

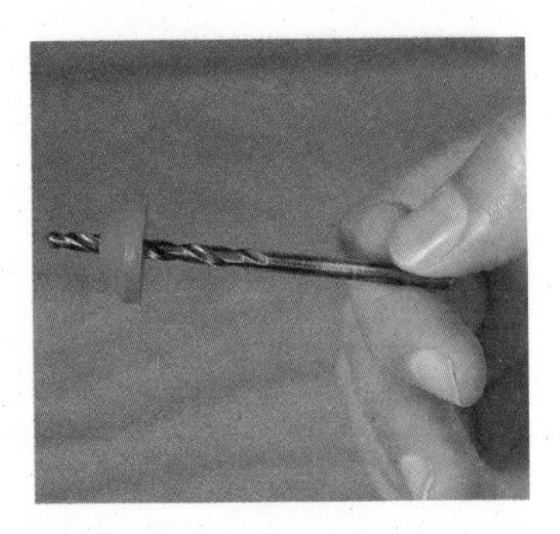

Meta la broca en un taladro eléctrico.

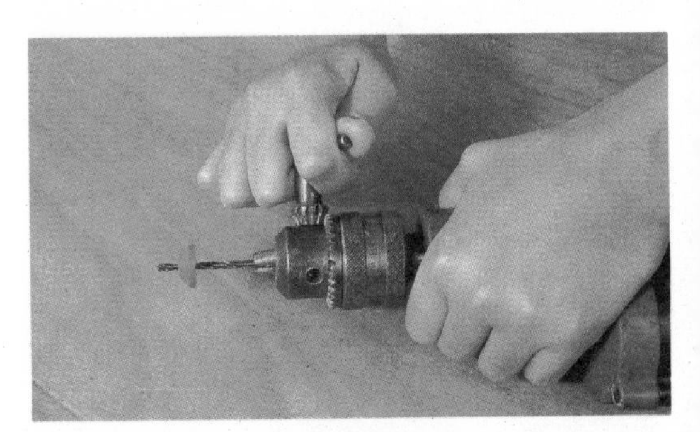

Con un "masking tape" pegue sobre la mesa de trabajo un trozo de lija muy fina.

Encienda el taladro, tómelo bien con dos manos y con muy poca presión, apenas rozando, toque la lija con la rondana, para reducirla al tamaño preciso.

Una vez que colocó la rondana nueva, con su dedo revise el asiento de la válvula, allí donde asienta la rondana. Debe estar limpio, terso, liso y sin melladuras, de manera que pueda hacer un sello perfecto con la rondana.

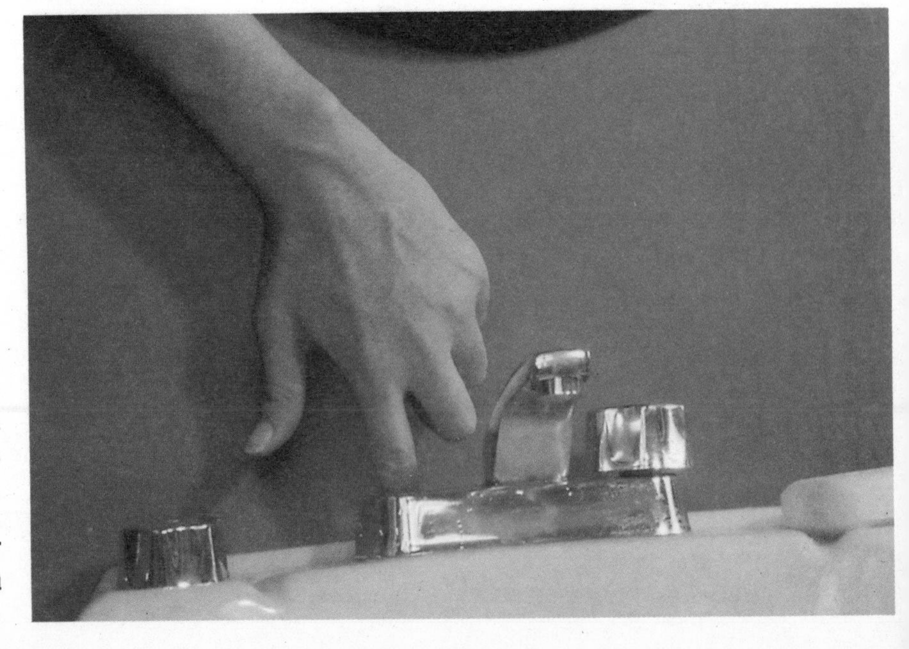

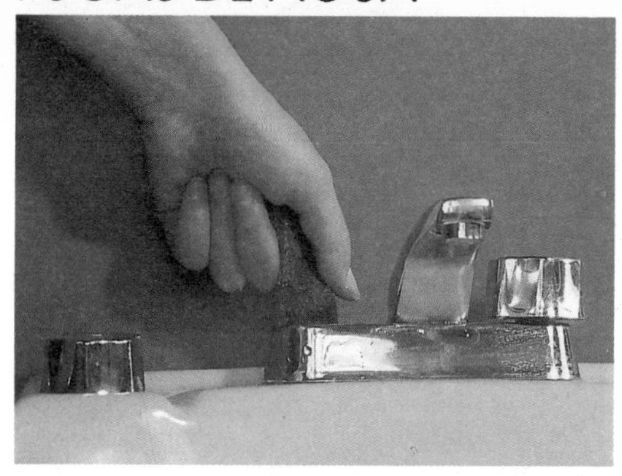

Si no es así, con un poco de fibra y detergente quite lo que tenga pegado.
Si el asiento no puede quedar terso, cámbielo por uno nuevo o cambie la llave completa.

Ya que cambió el empaque y limpió el asiento, vuelva a armar la llave.

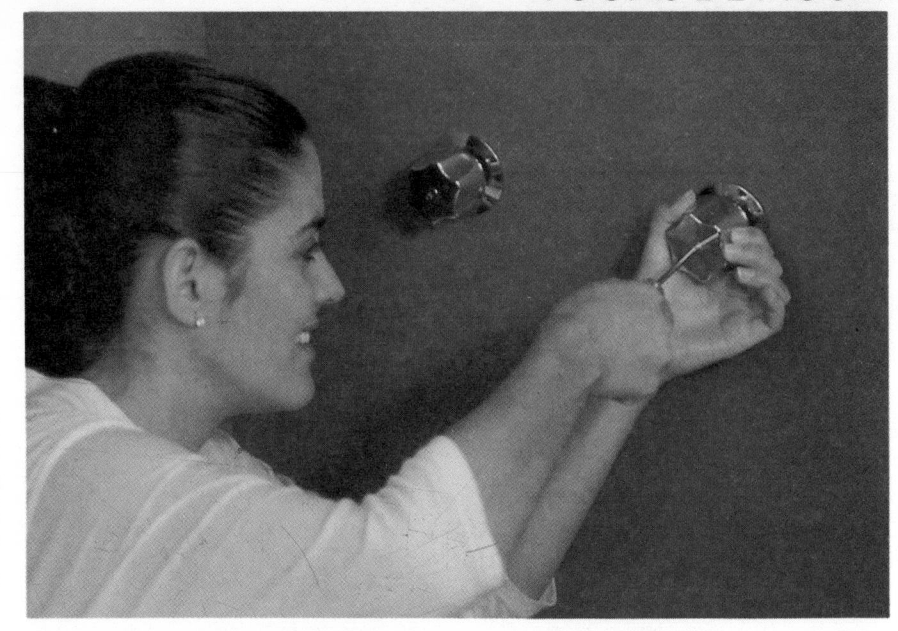

Para arreglar las llaves de la regadera, primero se quita el tornillo que sostiene la manija o volante de la llave.

Enseguida, se desatornilla el chapetón que cubre la llave de bronce.

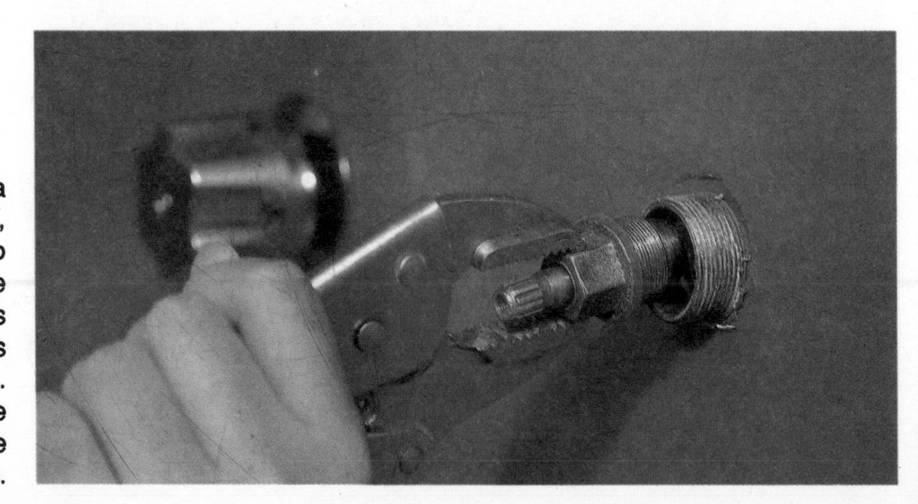

Finalmente, se saca la llave. Para sacarla, algunas veces es necesario utilizar una llave de casquillo, semejante a las que se usan para sacar las bujías de los automóviles. Si no se dispone de ella se pueden usar unas pinzas de presión.

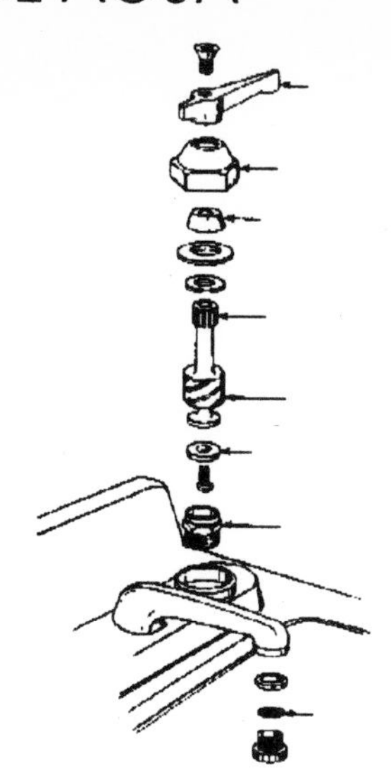

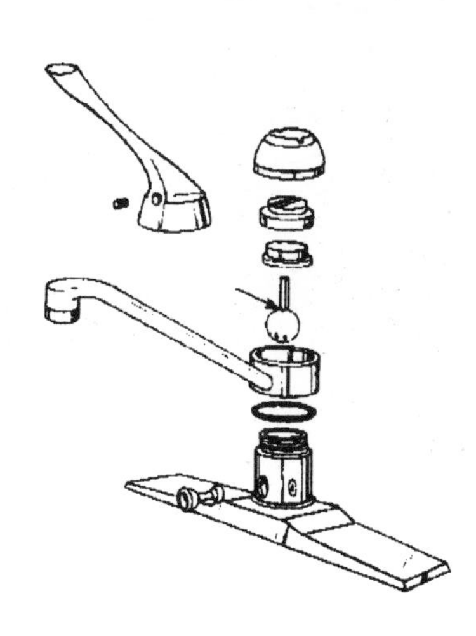

Hay muchos modelos de llaves, todas más o menos con los mismos principios, con un empaque en el asiento y a veces uno o dos más, en el cuerpo o pistón de la llave.

Si el agua no gotea de la punta de la llave, sino que escurre alrededor de la tuerca, entonces hay que arreglar el empaque de expansión, como en este ejemplo de la llave de paso del excusado.

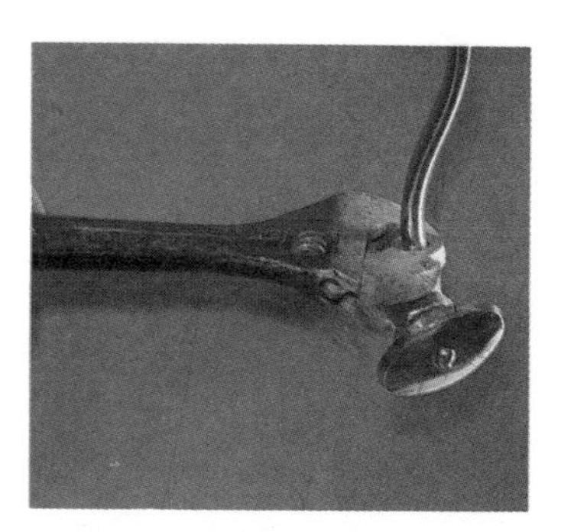

Con un perico afloje la tuerca.

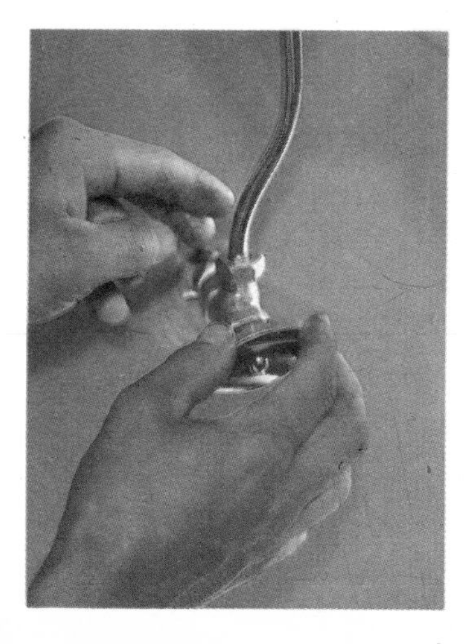

Con las manos termine de aflojar la tuerca y luego deslícela hacia arriba.

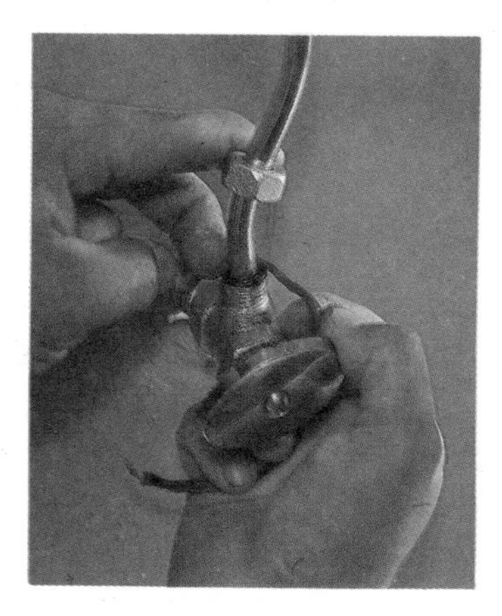

Alrededor del tubo coloque una tira de hilo grafitado. Este hilo, generalmente de dos cordeles, está impregnado de grafito, que es el material del que están hechas las puntas de los lápices. Comience por colocarlo en la parte de atrás.

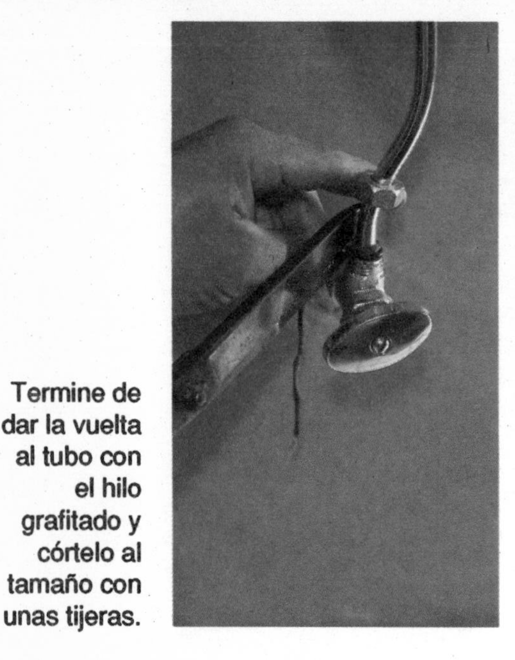

Termine de dar la vuelta al tubo con el hilo grafitado y córtelo al tamaño con unas tijeras.

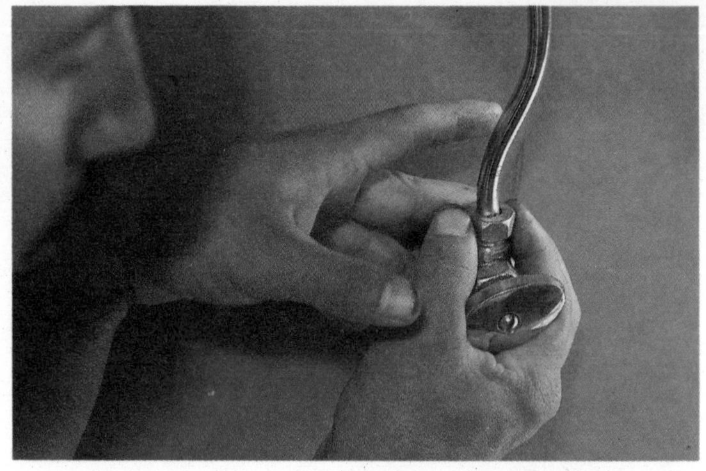

Finalmente, vuelva a colocar la tuerca, apriételа fimemente con las manos y luego con una llave. Si continúa goteando ponga otra vuelta de hilo grafitado.

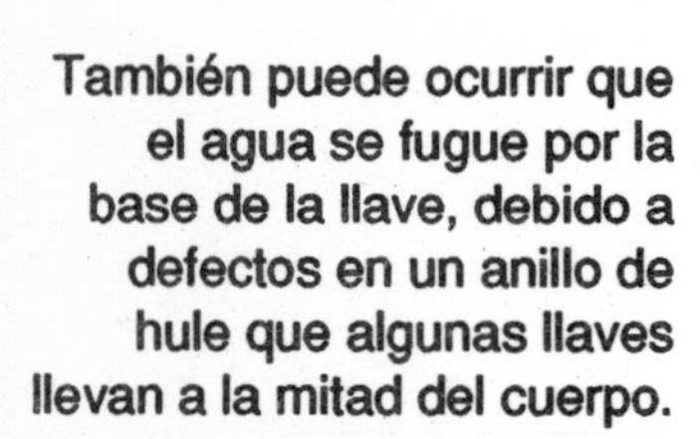

También puede ocurrir que el agua se fugue por la base de la llave, debido a defectos en un anillo de hule que algunas llaves llevan a la mitad del cuerpo.

Este anillo simplemente se saca de la ranura en que va alojado y se desliza hacia afuera sobre el pistón de la llave.

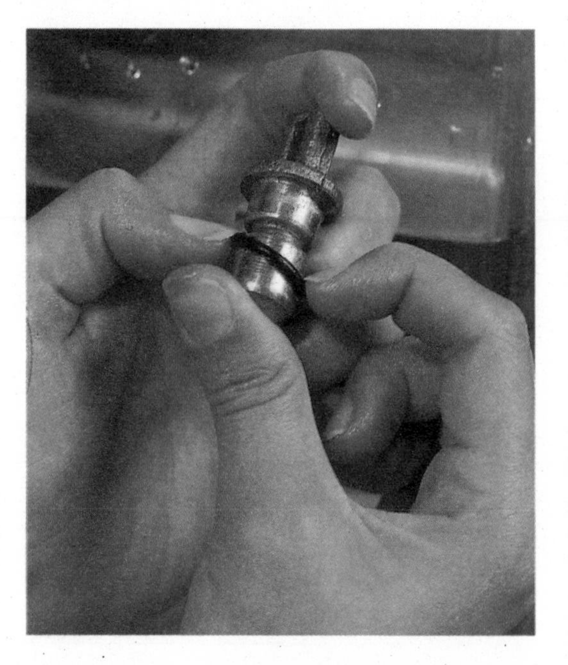

Se cambia por otro exactamente igual,

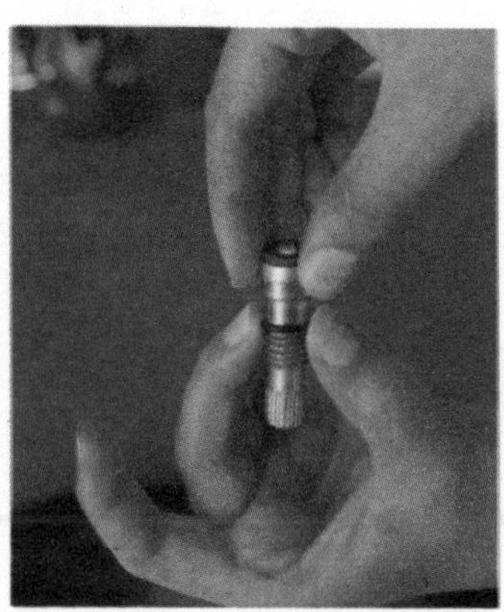

que debe embonar perfectamente en la ranura.

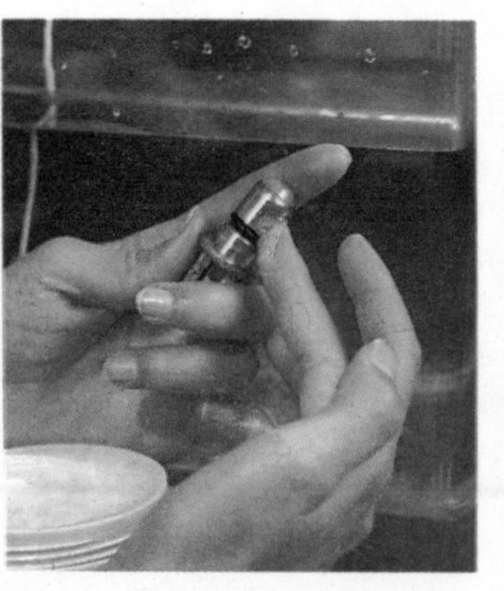

Todo el pistón se cubre con vaselina.

Y se vuelve a meter en el cuerpo de la llave.

FUNCIONAMIENTO DEL EXCUSADO

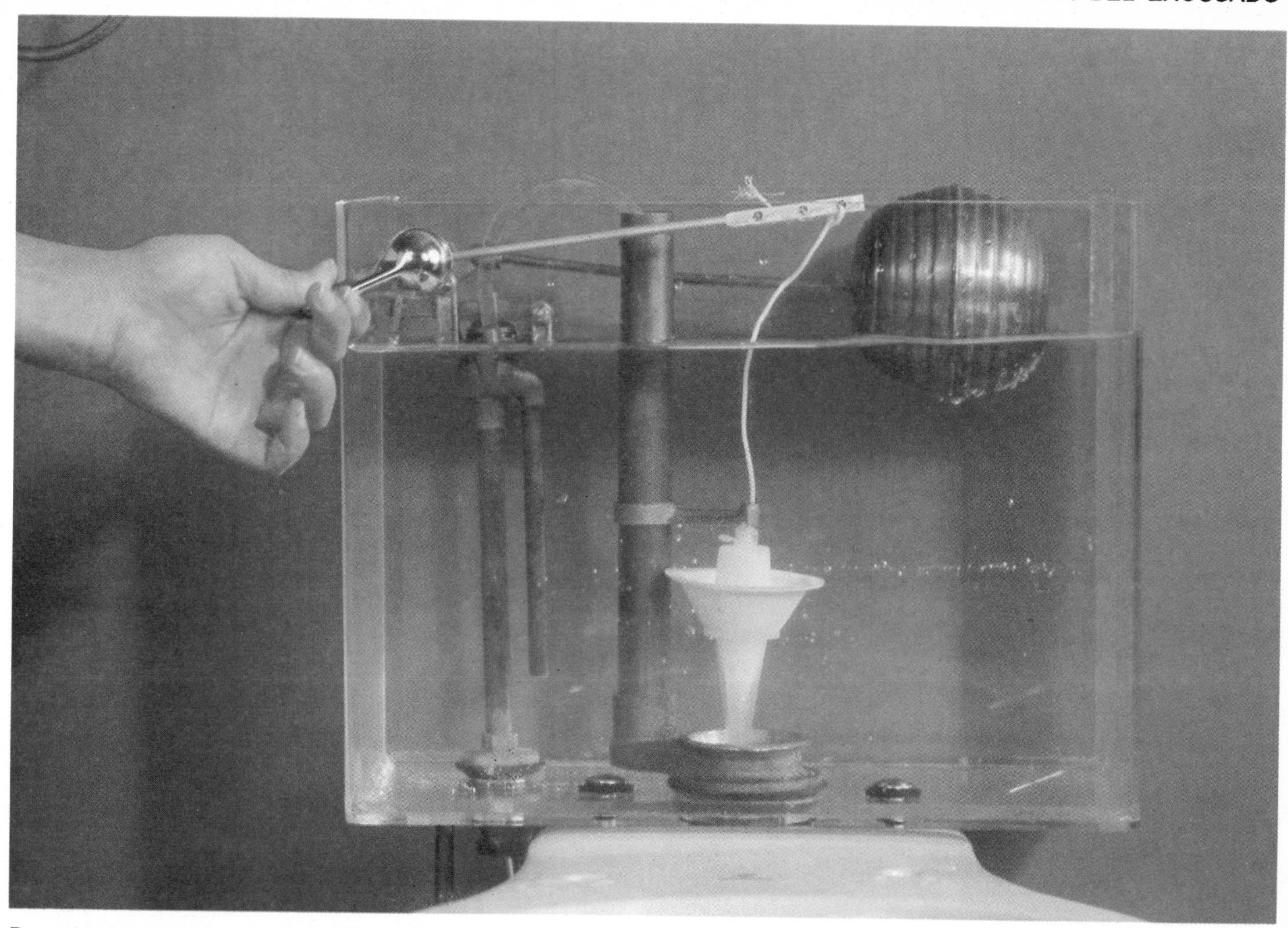

De todos los muebles de agua de una casa, el más propenso a tener fugas es el excusado, que funciona con un sistema muy ingenioso, en el que todo está interrelacionado.

Cuando se jala la palanca o manija del excusado, un alambre o una cadena suben una pera o un cono de hule que tapa la válvula de salida del agua, con lo que toda el agua del tanque, entre 20 y 40 litros, pasan, en torrente, a la taza.

Al entrar el agua, la tasa se llena demasiado y se produce un sifón, que al mismo tiempo chupa y empuja el agua hacia afuera de la taza, rumbo al drenaje.

FUNCIONAMIENTO DEL EXCUSADO

Mientras el agua sale, la pera o el cono permanece arriba, flotando.

Cuando casi toda el agua se ha ido, la pera cae nuevamente sobre la válvula de salida y la sella, de manera que el tanque vuelve a llenarse.

El tanque se llena porque, al salir el agua, baja el flotador y al bajar, abre la llave o válvula de entrada, con lo que el agua comienza a entrar al tanque.

El agua penetra por el tubo de entrada, cerca del fondo. También entra agua por el tubo de hule o plástico que lleva al vertedor de demasías.

Al comenzar a subir el nivel del agua, empieza a subir el flotador, que al elevarse va cerrando la llave de entrada, hasta que al llegar a su nivel correcto, la cierra completamente.

Al centro del tanque hay un tubo que es el vertedor de demasías, por él sale el agua sobrante. Ese tubo evita que el tanque se desborde en caso de que se llenara demasiado.

FALLAS FRECUENTES

Las fallas en el sistema de agua de los excusados ocurren en tres puntos principales. El más común es en el asiento de la válvula de salida, donde descansa la pera o el cono de hule, produciendo una salida continua, con o sin ruido.

La otra falla frecuente ocurre en el flotador y su válvula, debido a una entrada continua de agua que generalmente se descubre por un sonido silbante o un escurrir constante de agua a través del vertedor de demasías.

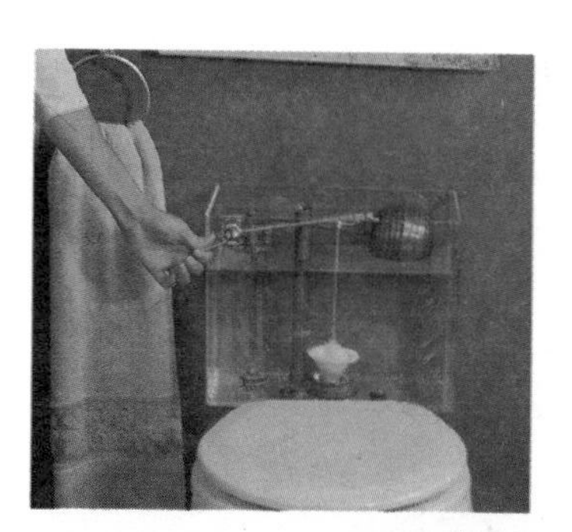

Por último, la menos frecuente es una falla en el mecanismo de la manija.

ARREGLO DE LA VÁLVULA DE SALIDA

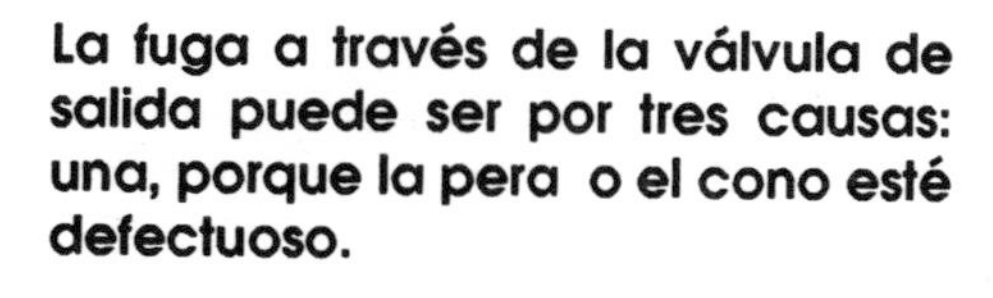

La fuga a través de la válvula de salida puede ser por tres causas: una, porque la pera o el cono esté defectuoso.

Otra, porque el asiento de la válvula esté defectuoso.

Finalmente, porque la alineación de los alambres o del cordón guía estén defectuosos.

El sello entre la pera o cono de hule y el asiento de la válvula debe ser perfecto o el excusado perderá agua constantemente, no mucha, pero lo suficiente para que al cabo de varios días suba considerablemente la cuenta del agua.

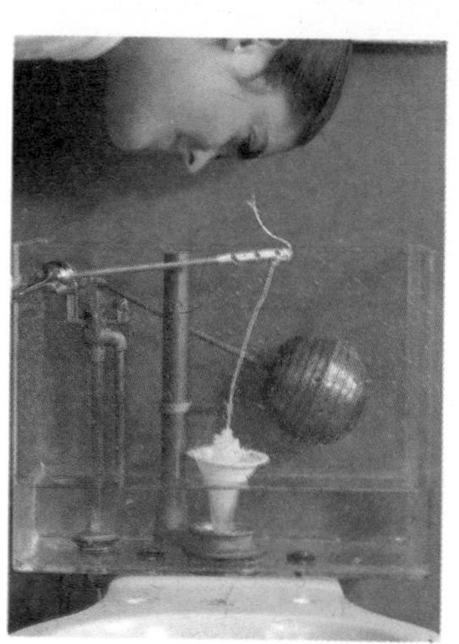

Para corregir una válvula de salida defectuosa, primero saque el agua y observe la pera o el cono cuando sube.

Y enseguida cuando desciende, al salir el agua, y cuando se comienza a llenar de nuevo el tanque.

ARREGLO DE LA VÁLVULA DE SALIDA

Mire si la pera baja directamente al asiento de la válvula.

Si no cae exactamente, hay que alinearla.

Para arreglarla afloje el brazo de la guía que está sujeta al tubo vertedor de demasías.

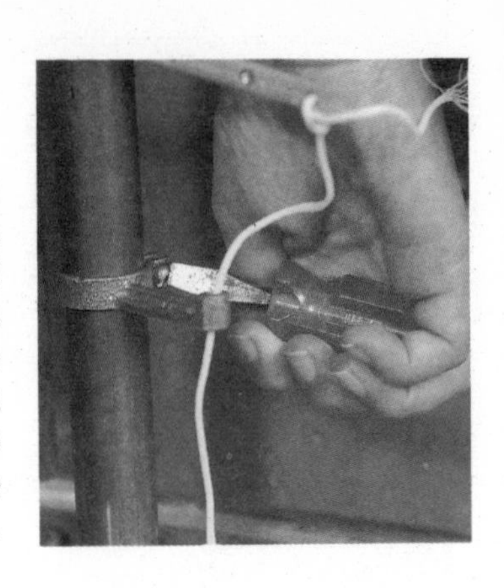

Coloque la guía de tal manera que la pera caiga precisamente en el centro de la válvula de salida.

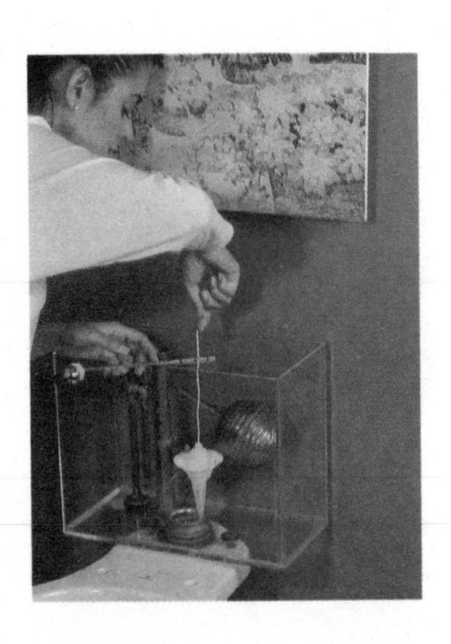

Pruebe varias veces el llenado del tanque.

Si la pera no cierra bien, vea si está sucia. Es frecuente que el agua arrastre minerales que se van depositando alrededor de ella y en el asiento de la válvula. Para quitarlos saque la pera, luego lávela con fibra y agua con detergente.

Coloque nuevamente la pera y antes de probar con el agua del tanque, presiónela varias veces contra su asiento. Luego, pruebe llenando el tanque.

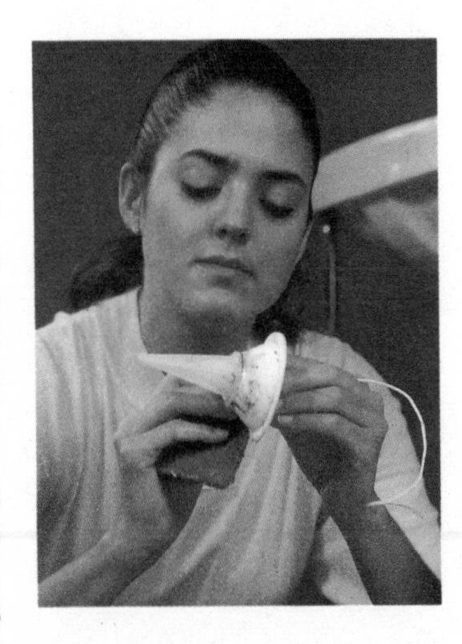

Si después de limpiar la pera todavía no sella bien, es posible que se haya deteriorado, deformado o que su hule se haya vuelto flojo o fofo, por lo que hay que cambiarla.

Para cambiar la pera vieja se desmonta el cordel o alambre que la sostiene y se monta una nueva.

ARREGLO DE LA VÁLVULA DE SALIDA

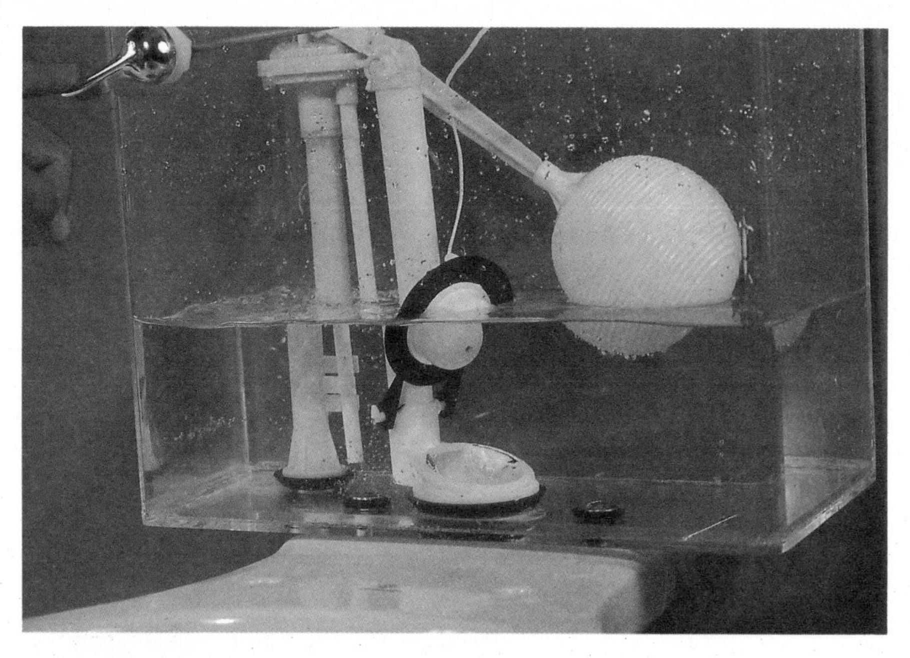

Además de la pera tradicional existe la tapa de batidor, que no tiene brazo guía, sino sólo una especie de bisagra.

Es fácil de instalar y poco propensa a desalinearse. Tiene un marco semirrígido que la mantiene alineada en su lugar y que evita sea empujada fuera de lugar por el agua.

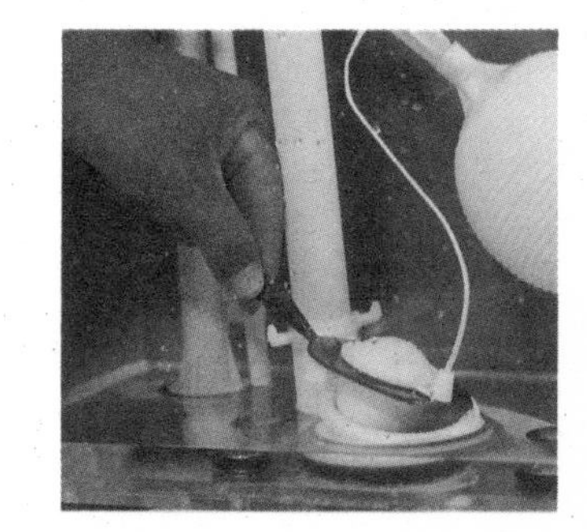

Para cambiar la tapa de batidor, se zafan los brazos de la abrazadera a la que está sujeta en el tubo de demasías y se quita.

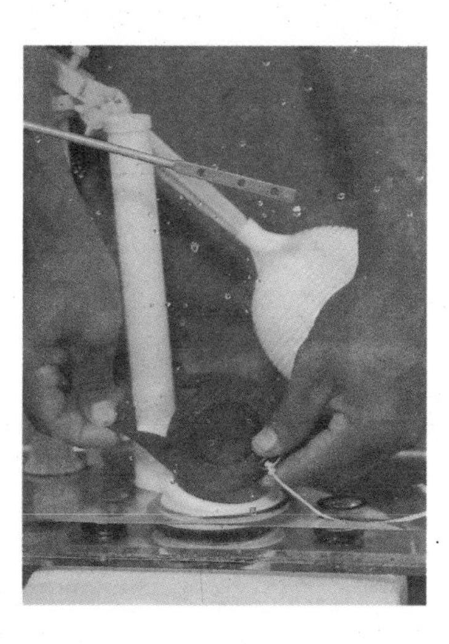

Se atoran los brazos de una nueva tapa en la abrazadera del tubo de demasías.

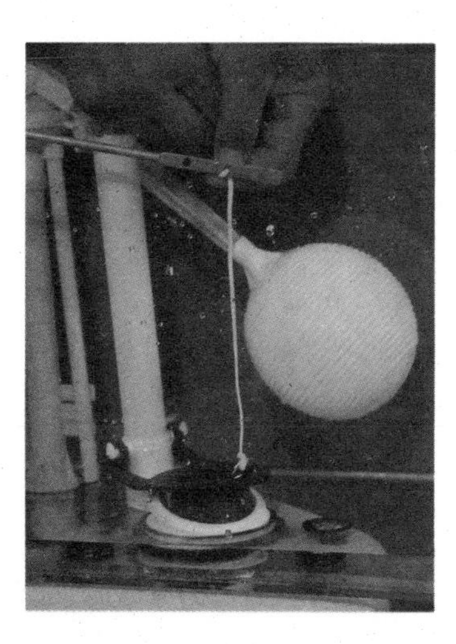

Se anuda el cordel en el agujero de en medio de la barra de la manija.
Se llena de agua el tanque y se jala la manija. Vea que el agua salga completamente. Si el agua no sale en su totalidad, disminuya la holgura de la cadena. Atórela uno o dos agujeros más apartada de la manija del tanque.
Si el excusado sólo arroja el agua completamente cuando usted mantiene la manija abajo, entonces el cordel de elevación está corto y la pera o la válvula no pueden subir lo suficiente para flotar y permitir que salga toda el agua. Hay que alargar el cordel de elevación.

ARREGLO DE LA VÁLVULA DE SALIDA

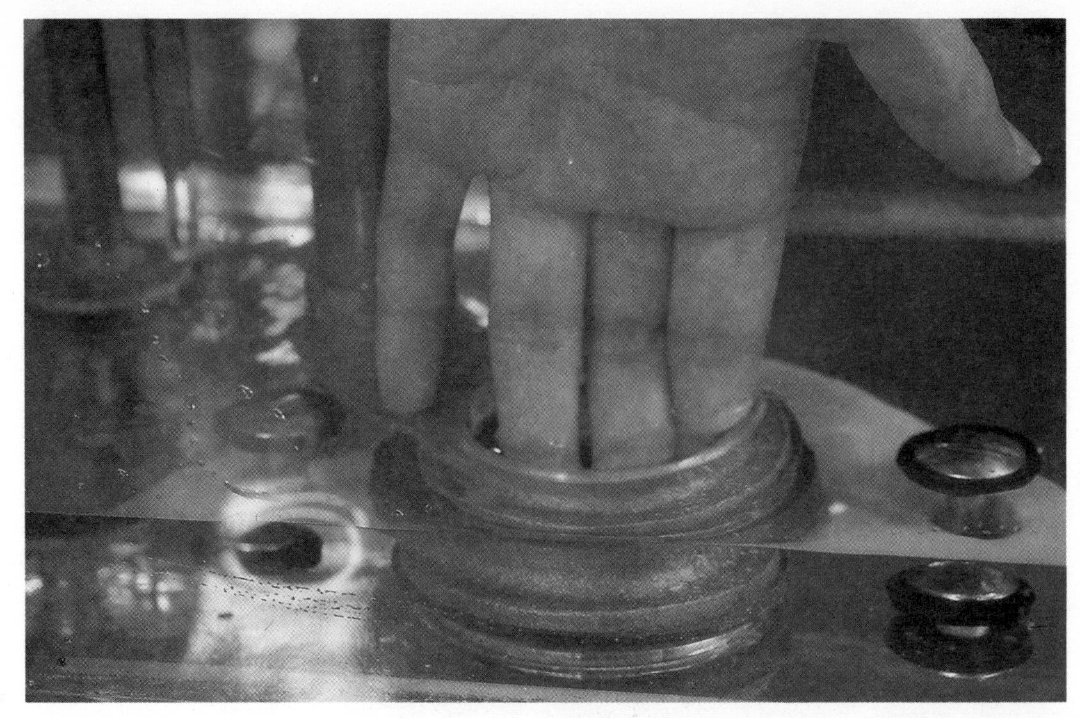

Finalmente, con el dedo, revise el asiento de la válvula de salida. Debe estar completamente liso, terso, sin ningún borde. Si está deformado hay que cambiarlo, quitando el tanque, como ya se indicó al hablar del cambio del sello del excusado.

Si ya revisó la pera y la válvula, pero el excusado sigue haciendo ruido, entonces, el agua puede estar saliendo por el tubo vertedor de demasías.

El vertedor de demasías canaliza el agua dentro del sifón o trampa de agua, dentro de la taza, al mismo tiempo que el tanque se está llenando.
Pero una vez que se ha llenado y ha dejado de salir agua por la válvula del flotador, ya no debe seguir saliendo agua por el vertedor de demasías.

En caso de que siga saliendo es que algo anda mal con el flotador y su válvula.

ARREGLO DEL FLOTADOR

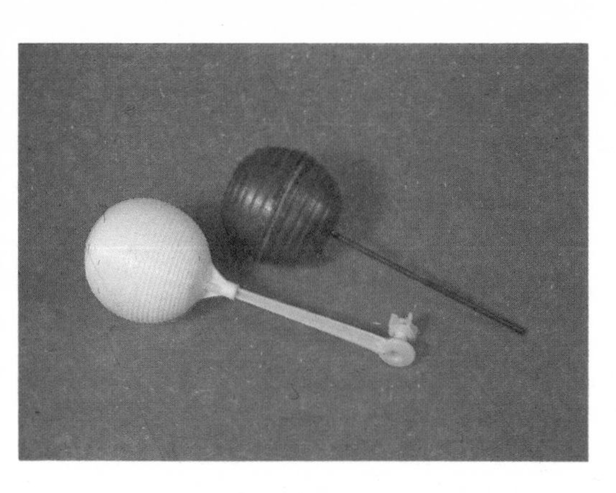

Los flotadores son todos iguales, algunos de cobre, otros de plástico.

Lo que sí cambia son las válvulas, de las que hay varios modelos. La más tradicional es la válvula de cobre o bronce que tiene un tubo de admisión, una válvula o llave de admisión y un tubo de llenado que deposita, en el fondo del tanque, el agua que entra.

La válvula de admisión se abre cuando baja el flotador y se cierra cuando sube.

Si la bola del flotador está picada, entonces no puede flotar y es incapaz de cerrar la válvula de admisión, por lo que el agua sigue entrando al tanque aunque esté lleno, saliendo el exceso por el tubo vertedor de demasías.

Para cambiar la bola del flotador se gira en sentido contrario a las manecillas del reloj, se saca y se atornilla otra nueva del mismo tamaño.

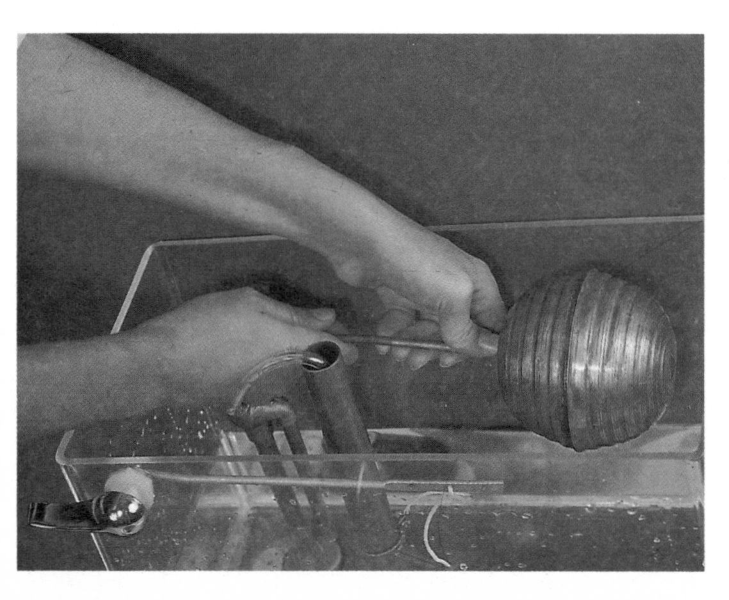

Pero si la bola está bien y el agua sale por el vertedor de demasías, la causa puede estar en que el flotador no sube lo suficiente. Para saberlo eleve el brazo del flotador tan alto como pueda. Si el agua deja de salir, es que ése es el problema.
Para corregirlo doble la varilla del flotador hacia abajo, con sus manos, unos dos a tres centímetros y pruebe a ver si deja de salir agua.

Si le resulta difícil doblar la varilla sáquela, girándola en sentido contrario a las manecillas del reloj y dóblela fuera del tanque.

Ya que dobló la varilla, llene el tanque, jale la manija y, si al llenarse nuevamente deja de salir el agua y se detiene a un centímetro del vertedor de demasías, es que ya está arreglado.

ARREGLO DE LA VÁLVULA DE ADMISIÓN

Pero si el agua todavía sigue saliendo, es posible que la falla esté en la válvula de admisión.

Para arreglar la válvula de admisión cierre la llave que lleva agua al excusado.

Quite los tornillos que detienen la válvula de alimentación.

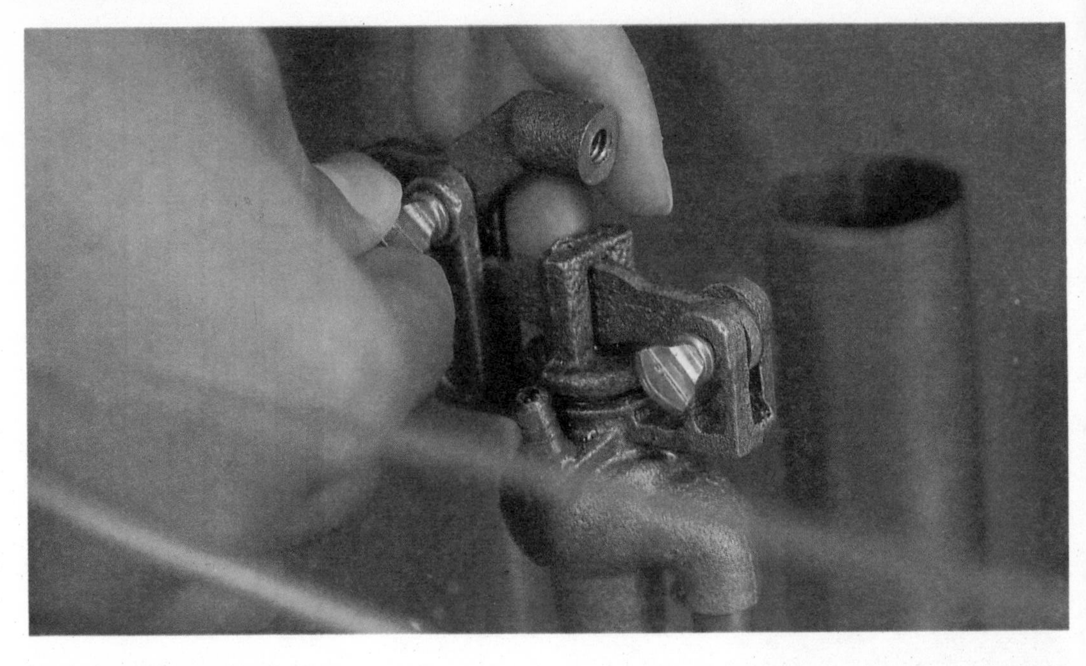

Saque la palanca del flotador.

Saque la palanca del pistón.

Jale hacia arriba y saque el émbolo o pistón y cambie los empaques. Vuelva a armar la válvula.

AREGLO DE LA VALVULA DE ADMISION

Si después de cambiar los empaques todavía sale agua, cambie la válvula completa. Para cambiarla, saque el agua del tanque y con una esponja quite el agua sobrante que queda en el fondo.

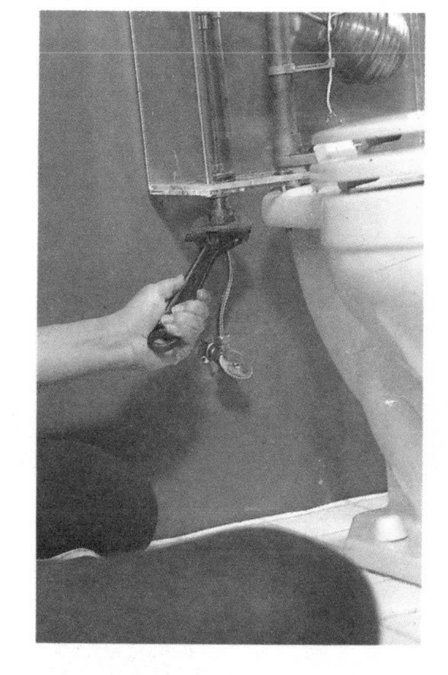

Por afuera y abajo desatornille la tuerca que fija el tubo de llenado a la tasa, utilizando una llave inglesa o un perico. Dentro del tanque quite el mecanismo del flotador.

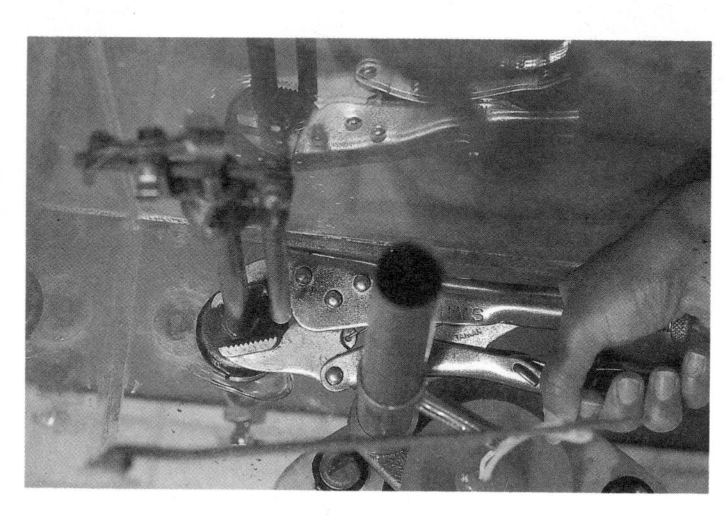

Ponga unas pinzas de presión en el fondo del tubo de la válvula.

Regrese a la parte de afuera del tanque, abajo, y con un perico gire, en sentido contrario a las manecillas del reloj, la tuerca que mantiene unida y fija la válvula al tanque.

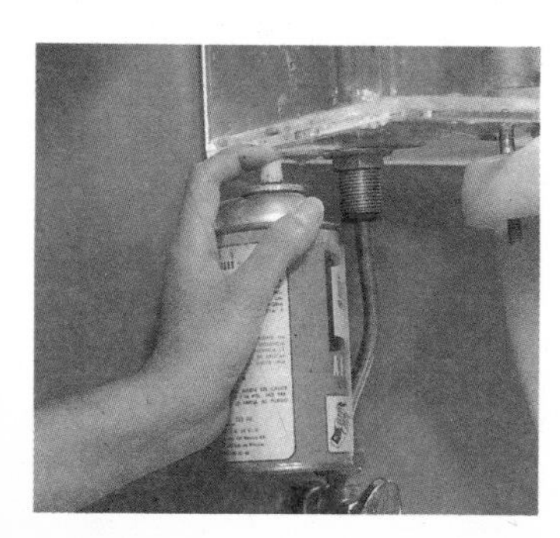

Si no puede aflojarla, pongale un poco de aceite o líquido “afloja todo”, espere unos 15 minutos y pruebe nuevamente.

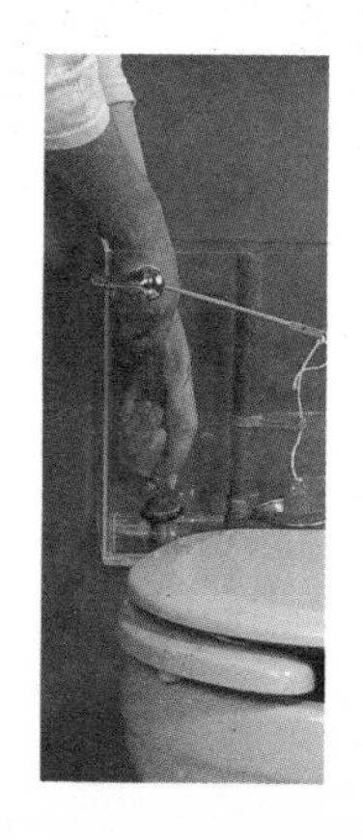

Saque la válvula.

ARREGLO DE LA VÁLVULA DE ADMISIÓN

Para colocar la nueva, limpie por los dos lados los bordes del orificio de entrada y coloque la válvula nueva con los empaques nuevos que vienen con ella. Las válvulas de plástico, que tienen una válvula de diafragma en vez de una de émbolo, se dice que llenan el tanque más aprisa y más silenciosamente. Se instalan igual que los modelos convencionales.

Estas válvulas son más sensibles a las impurezas del agua. Pero cuando se tapan, sólo se necesita limpiar las partes móviles del diafragma. Para limpiarlo se cierra la entrada del agua, en unos modelos se quitan cuatro tornillos de la parte superior de la válvula, mientras que en otros, sólo se gira la tapa para desatorar las muescas que la tienen fija.

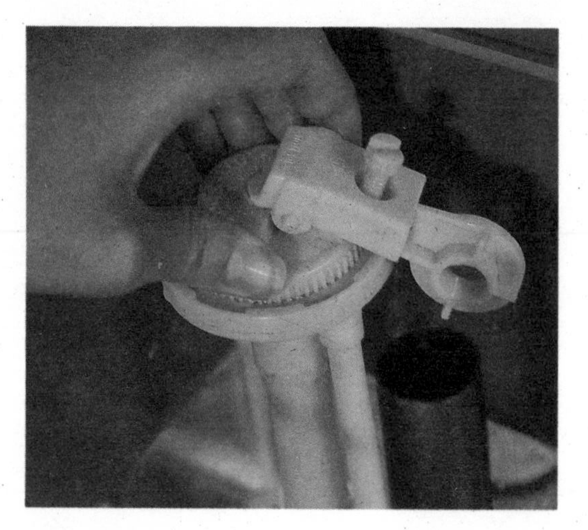

Al quitarlos quedan al descubierto el diafragma y la válvula.

Se lavan las piezas con agua y detergente y se vuelven a colocar.

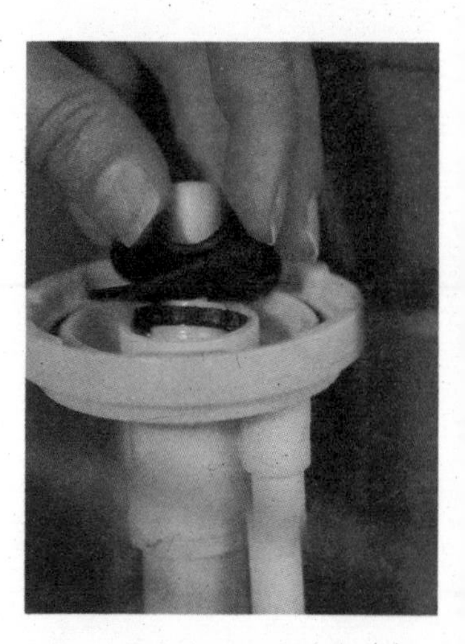

Estos excusados tienen una válvula de salida distinta, pero que funciona con los mismos principios que las que hemos visto. Llevan dentro un vaso de cerámica que impide que el exusado normal se vacíe todo.

Para ahorrar agua, ahora se deben poner unas válvulas que ahorran agua, con las que vienen equipados todos los excusados nuevos.

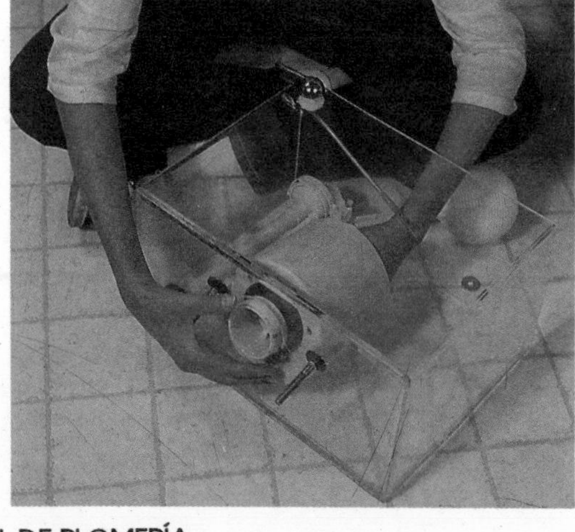

EN EL EXCUSADO

ARREGLO DE LA VÁLVULA DE ADMISIÓN

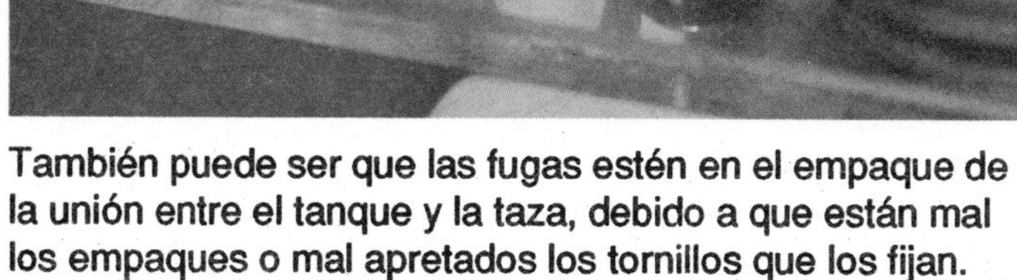

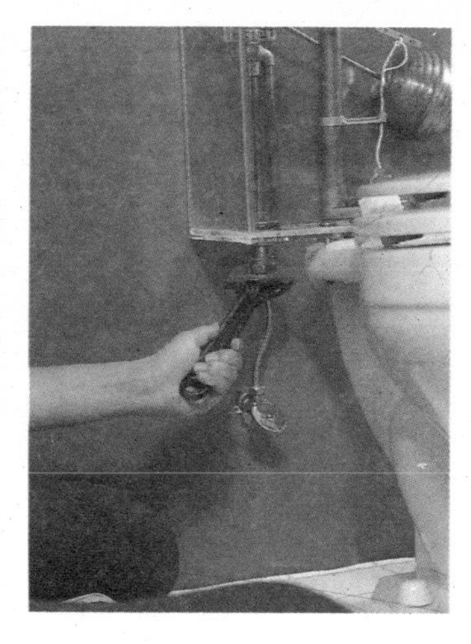

También son frecuentes las fugas en el tubo de entrada, en la parte donde se une al tanque. Puede deberse a que está defectuosa la junta, por lo que hay que cambiarla, o a que está mal apretada.

También puede ser que las fugas estén en el empaque de la unión entre el tanque y la taza, debido a que están mal los empaques o mal apretados los tornillos que los fijan.

EN EL TINACO

Cuando se derrama el agua del tinaco o la cisterna, generalmente es porque está mal la válvula del flotador que controla la entrada de agua.

El flotador falla porque está picado o porque está mal el empaque. Cuando el flotador está picado se nota porque no flota y entonces la válvula no cierra, por lo que el agua continúa saliendo, hasta que se derrama.

Cuando el flotador sí flota, entonces es que el empaque está dañado o tiene alguna basura que impide que la válvula cierre bien. Para arreglarlo, cierre la llave que lleva agua al tinaco.

El flotador más común tiene el pistón horizontal. Para arreglarlo quite el brazo del flotador sacando los tornillos con asa.

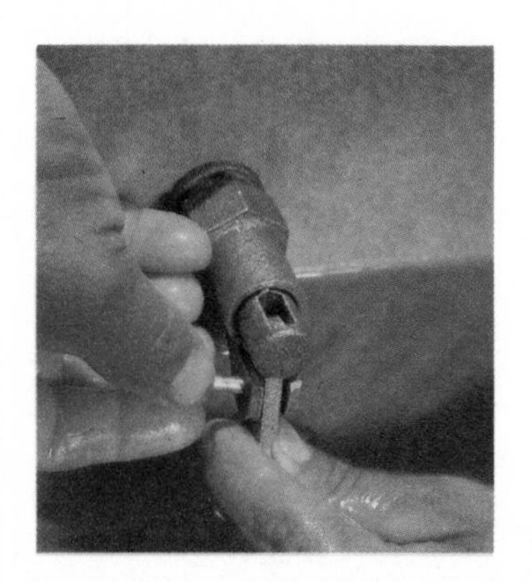

Luego, saque el pistón con la ayuda de un desarmador.

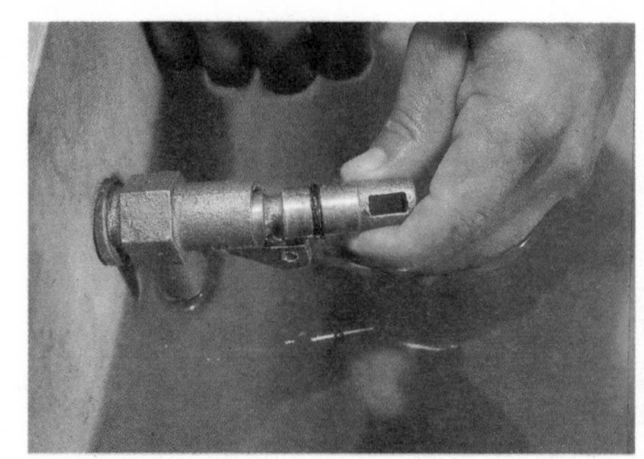

Cambie el empaque de la punta.

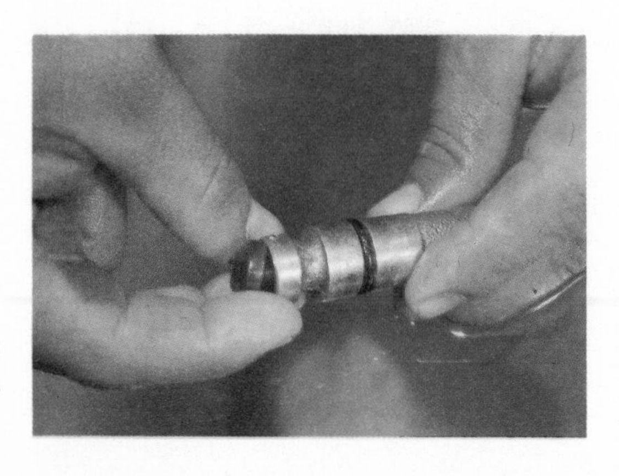

Cambie el anillo de hule que tiene a la mitad del pistón, dentro de una ranura.

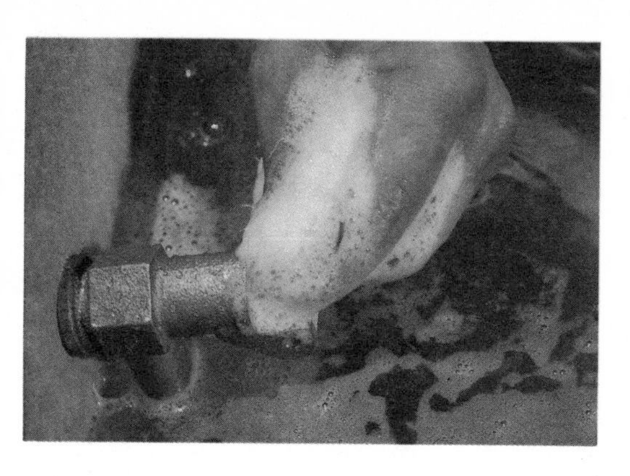

Limpie todas las piezas con fibra y detergente.

Abra el agua un momento para sacarle la basura.

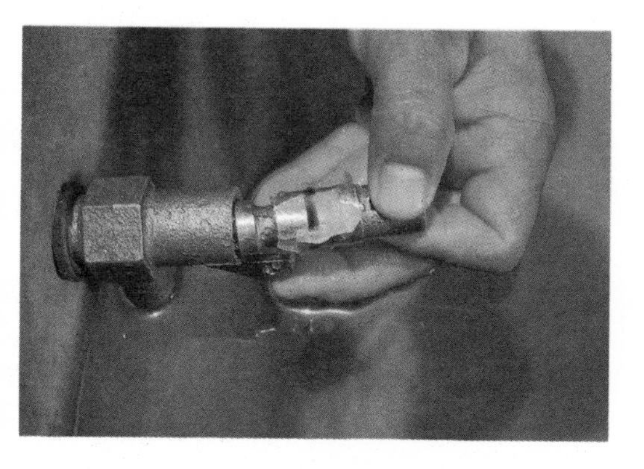

Ponga vaselina al pistón y arme nuevamente el flotador.

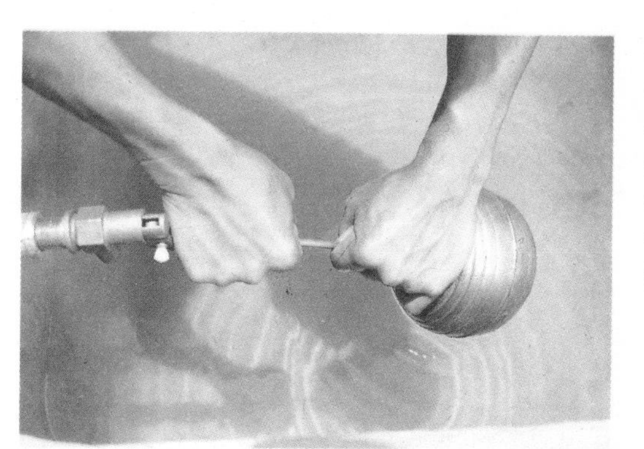

Si el agua sube demasiado, doble hacia abajo la varilla del flotador.

EN LOS TUBOS

Una manera de tapar las fugas en los tubos visibles es con cinta de aislar. Se seca bien el tubo y se enrollan varias capas de cinta de aislar varios centímetros a la izquierda y a la derecha del hoyo.

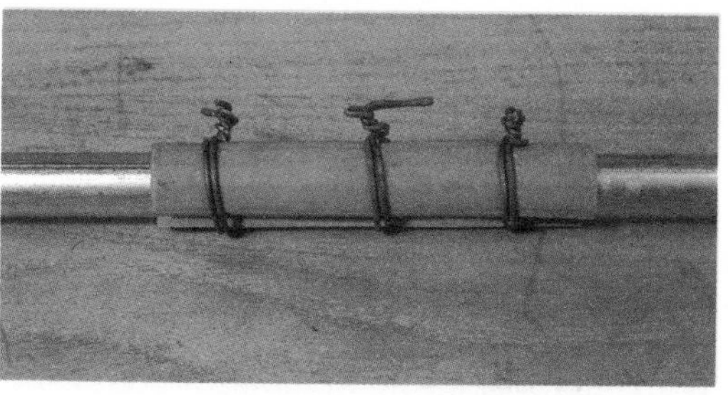

Una manera más, es con un trozo de manguera vieja que se corta a lo largo y se mete alrededor del tubo, al que se mantiene pegada con varios anillos de alambre, enroscados, para que hagan presión.

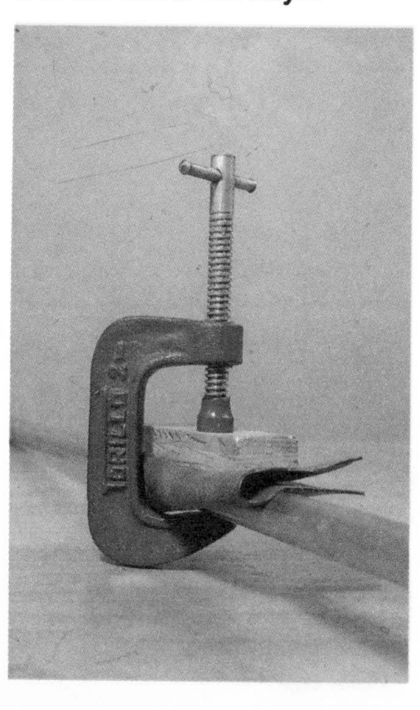

Otra manera es con una prensa de carpintería, un pedazo de hule y un trozo de madera.

En vez de los anillos de alambre se pueden usar abrazaderas para manguera de automóvil, que presionan más uniformemente.

Cuando se tiene cisterna generalmente también se tiene una bomba de agua eléctrica.

Si la bomba no arranca es un problema de electricidad.

ARREGLOS DE LA BOMBA DE AGUA

Pero si el motor arranca pero no saca agua es porque la bomba no está cebada, es decir, que el tubo por el que chupa el agua no está lleno de agua.

O porque entra aire en alguna parte de los tubos de succión .

Si echa poca agua es porque tiene una entrada de aire en los tubos de succión o porque el impulsor está gastado o tapado.

Si hace mucho ruido es que los baleros o cojinetes están sucios o gastados.

Cuando la bomba no está cebada, quite el tapón de la boca para cebar.

Llene de agua el tubo de succión hasta el nivel en que sale a la boca para cebar.

El agua debe quedarse allí, en ese nivel.

Algunos modelos de bomba tienen una pequeña llave o tornillo para sacar el aire de la parte superior de la bomba. Afloje el tornillo.

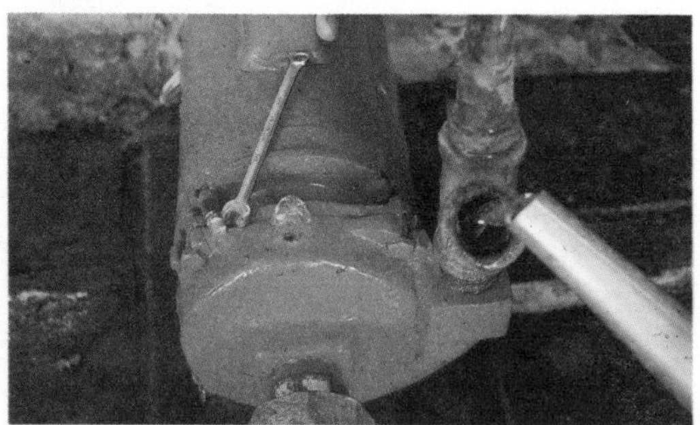

Ponga agua en los tubos de succión, escuche cómo sale el aire y cuando comience a salir agua, coloque otra vez el tornillo.

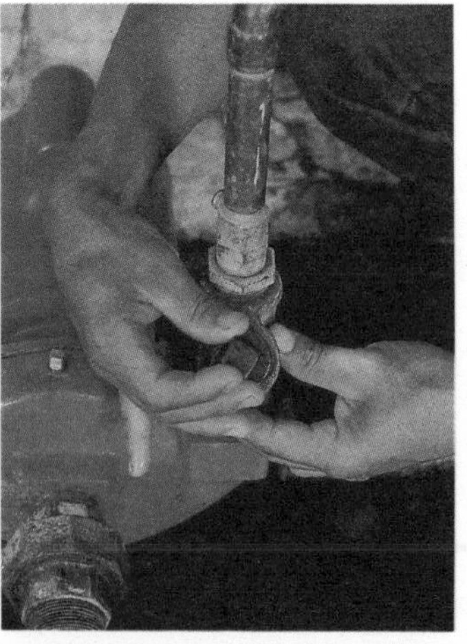

Ponga otra vez el tapón en la boca para cebar.

Si una vez que tiene usted lleno el tubo de succión baja el nivel de agua dentro del tubo, es que tiene usted una falla en la "pichancha" o válvula de succión de la bomba.

Generalmente se trata de una falla en el sello que suele ocurrir por una basura atrapada o por residuos acumulados.

Si se trata de una basura, puede ser que baste sacudir un poco el tubo de succión, para que ésta salga.

Si no sale, entonces hay que quitar la válvula de succión o "pichancha" que está en la punta del tubo de succión, para lo cual generalmente hay que quitarlo, aflojando la tuerca unión que a menudo llevan los tubos de succión.

La tuerca unión se afloja con un par de llaves "stilson". Una para un lado y otra para otro. Una que sostiene y otra que afloja.

Saque el tubo de la válvula de succión o "pichancha".

Examine el sello para ver si no tiene basuras o arena.

Ábrala aflojando la mitad inferior de la "pichancha".

Con fibra vegetal y detergente limpie el asiento de hule de la válvula.

También limpie los bordes y los lados de la "pichancha"

Ya limpia, ármela de nuevo y coloque los tubos de succión, teniendo cuidado de poner un poco de pasta selladora para plomería en las roscas.

La pasta selladora para plomería ayuda a sellar las fugas de aire y permite que sea fácil quitar el tubo o las tuercas la próxima vez que necesite revisar algo.

Apriete bien todas las tuercas y pruebe.

Cebe el tubo de succión. Si el agua no se mantiene en su nivel, sino que desciende, es que sigue teniendo un problema en el sello de la válvula o "pichancha". Revísela nuevamente o cámbiela por una nueva.

Si ya que llenó el tubo de succión el agua permanece allí, sin descender, entonces, ponga el tapón y arranque la bomba.

Si no sale agua es porque hay una entrada de aire en alguna de las uniones de los tubos de succión. Apriételos todos bien. Si aun apretados sigue fallando, abra las uniones, ponga pasta selladora en las roscas y vuelva a colocar los tubos, apretándolos bien. Cuando sale muy poca agua generalmente se trata de una entrada de aire pequeña que se quita apretando bien las uniones de los tubos de succión.

Pero también puede ser que salga poca agua porque está tapado el impulsor. Entonces hay que revisarlo.
Cuando la bomba gotea en los puntos de unión con el motor también hay que cambiar los empaques y el asiento de porcelana.

Primero que nada, con una segueta o un punzón haga una marca en algún punto de la unión del motor con la bomba, para que al volver a armar las piezas, queden exactamente en el mismo lugar.

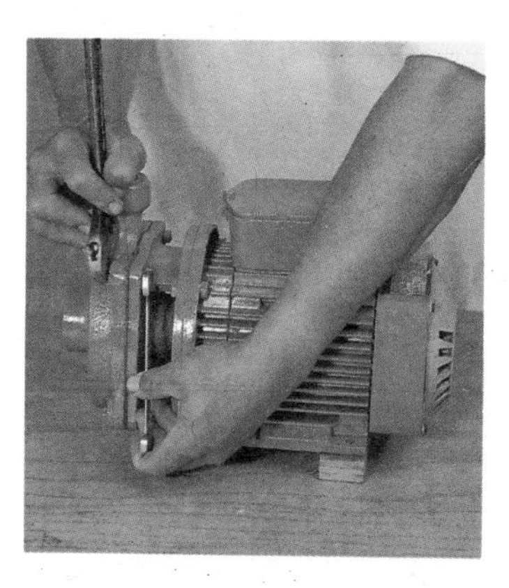

Quite los tornillos que unen la bomba al motor.

Abra la caja.

Con mucho cuidado quite la junta.

Meta un desarmador en la ranura del ventilador del motor, para atorarlo y que no gire. En unos motores el ventilador está en la parte de enfrente, junto a la bomba, en otros, como éste, está atrás.

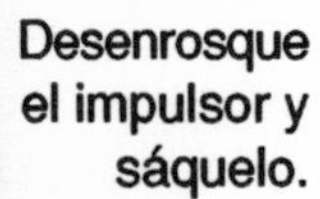

Desenrosque el impulsor y sáquelo.

Con la ayuda de un desarmador saque el empaque de resorte.

Enseguida, saque el sello o asiento de porcelana.

Mientras va sacando las piezas colóquelas sobre la mesa en el mismo orden en que las va sacando

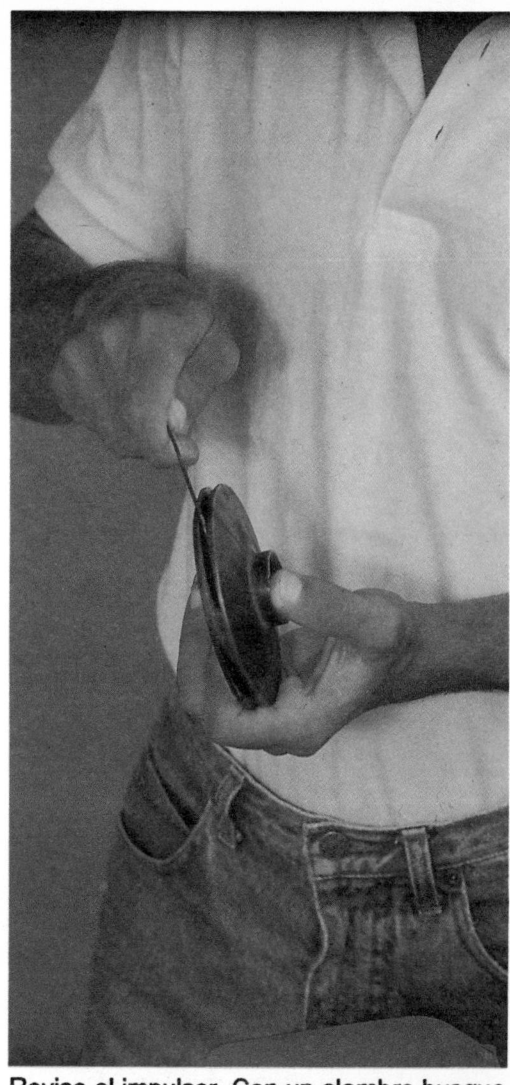

Revise el impulsor. Con un alambre busque si hay arena o basura atorados en cada una de las ranuras en espiral.

Separe la base de la bomba aflojando los tornillos que la unen al motor.

Limpie la flecha del motor con un poco de fibra.

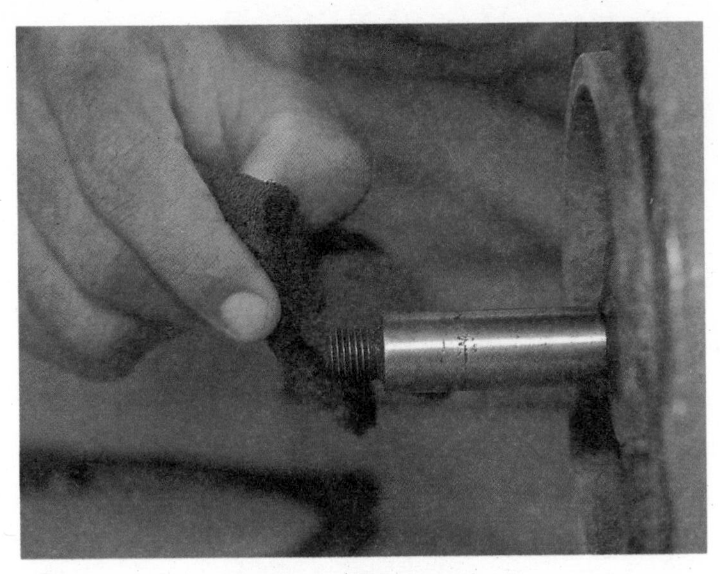

Púlala hasta que se le quite todo el óxido y el metal quede brillante otra vez.

Limpie la cavidad del asiento de porcelana.

Cambie los empaques por otros exactamente iguales.

Engrase la flecha.

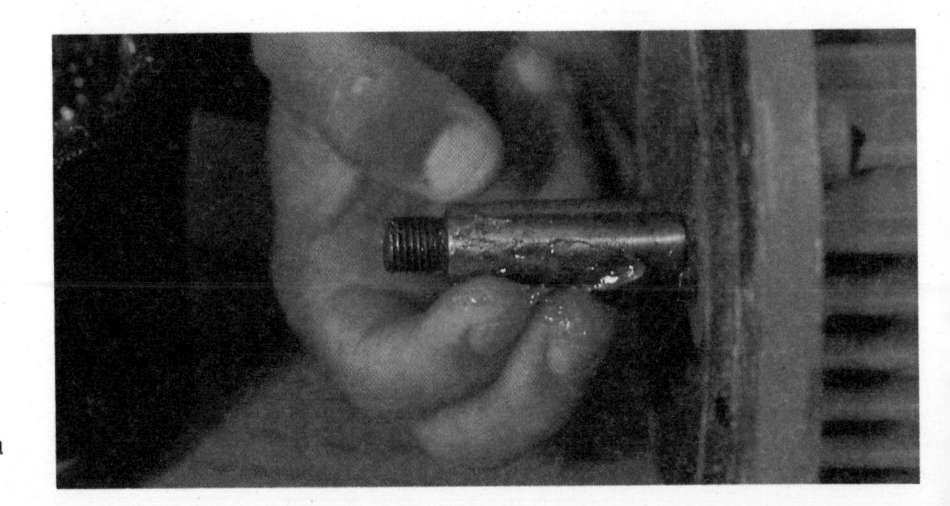

Ponga vaselina en la cavidad del asiento de porcelana.

Coloque el nuevo empaque del asiento de porcelana.

Coloque el nuevo sello de porcelana.

Limpie la superficie pulida del asiento de porcelana con trapo de algodón seco.

Acople la base de la bomba al motor. Asegúrese de que ajustan entre sí con precisión exacta, sin ningún juego.

Coloque el empaque o sello de resorte nuevo en el mismo sentido y orden en que estaba antes y vuelva a instalar el impulsor. Para ello sujete el ventilador con un desarmador, para evitar que gire la flecha.

Ponga pasta selladora en las dos mitades de la caja del impulsor.

Coloque el empaque.

Alinee la tapa del impulsor con las marcas que hizo al principio.

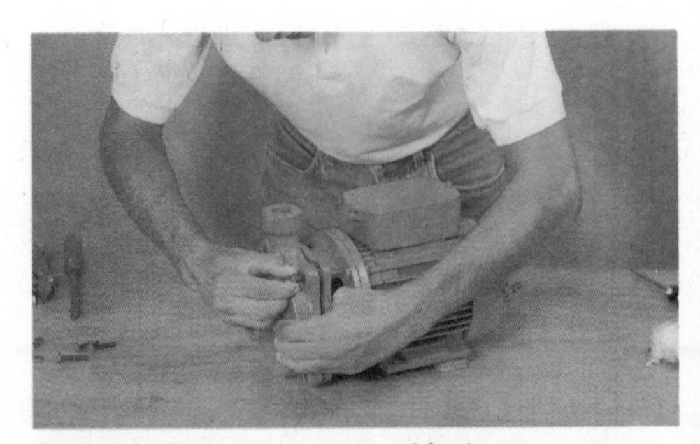

Coloque las tuercas y apriételas en cruz. Coloque la bomba a su tubo de succión, cebe la bomba y pruébela.